A contracorriente

A contracorriente

Noe Casado

TERCIOPELO

Novela ganadora del VII Premio de Novela Romántica Terciopelo

© Noemí Ordóñez Casado, 2013

Primera edición: mayo de 2013

© de esta edición: Roca Editorial de Libros, S. L.
Av. Marquès de l'Argentera, 17, pral.
08003 Barcelona
info@terciopelo.net
www.terciopelo.net

© de la imagen de cubierta: David Ridley / Arcangel Images

Impreso por LIBERDÚPLEX, S.L.U.
Crta. BV-2249, km 7,4, Pol. Ind. Torrentfondo
Sant Llorenç d'Hortons (Barcelona)

ISBN: 978-84-15410-72-0
Depósito legal: B. 9.369-2013
Código IBIC: FP; FRH

MAR - - 2015

Esta novela solo puedo dedicársela
a la verdadera heredera, mi niña,
que me tuvo en vela las noches suficientes
para que yo desarrollara la trama.

Capítulo 1

Fiesta de cumpleaños y aniversario

Verano de 1927

*P*ara Samantha, desde que era mayor de edad, el día de su cumpleaños resultaba, por dos motivos, un día que deseaba que acabara cuanto antes.

Por un lado, celebrarlo era una forma de presentarse en sociedad y quedar expuesta, cosa que detestaba. Y, por otro, coincidía con el aniversario de boda de sus padres, cosa que debiera ser una mera casualidad pero que en su caso coincidía al cien por cien.

De pequeña, además, al coincidir con el aniversario de sus padres, su fiesta de cumpleaños, si quería tener una, quedaba eclipsada. Sin embargo, ahora que era una mujercita y deseaba no verse expuesta, ese eclipse no podía ser.

Y es que explicar a los invitados que ella nació el mismo día de la boda de sus padres, suponía poner cara de circunstancias.

Nunca entendió por qué sus progenitores, en especial su padre, ejemplo de seriedad, hicieron algo así.

Pero allí estaba, con toda la familia reunida, acompañados por una multitud de amigos y conocidos, más o menos cercanos, exhibiéndose como les gustaba a las grandes fortunas y aprovechando la ocasión para relacionarse.

Bueno, toda la familia no; faltaba su hermano, Alfred, el cual, como siempre, debía de tener un compromiso de última hora, o también llamada señorita de última hora, para llegar tarde.

—¡Felicidades, hermanita!

Samantha casi se atragantó con el efusivo abrazo de su hermana pequeña Gabrielle.

—Gracias —respondió manteniendo la sonrisa—. Pero te recuerdo que esta mañana, a la hora del desayuno, ya me felicitaste.

—¿Y? ¿No puedo abrazar a mi hermana mayor? Además, estabas con una cara tan mustia que me he dicho: «Samantha necesita que la animen». Y aquí estoy.

Así era Gabrielle, joven, ingenua y muy cariñosa.

—¿Dónde está Frank? —preguntó Samantha para evitar que Gaby siguiera con sus arrumacos; preguntar por su prometido siempre era el tema ideal para despistarla.

—Llegará enseguida —respondió con una sonrisa brillante—. Está muy ocupado con los estudios. No veas las ganas que tengo de que termine y podamos casarnos.

Samantha se abstuvo de comentar en voz alta lo que toda la familia pensaba de Frank: que era un buen chico pero sin sangre en las venas. La trataba bien, llevaban más de tres años de noviazgo y, a pesar de todo, su padre se oponía a ese enlace, no de forma directa, como era habitual en Samuel Boston, pero sí entorpeciendo cualquier acercamiento. Y lo más fascinante del caso era que el chico se lo tomaba bien, sonreía y besaba cariñosamente a Gabrielle en la mejilla diciéndole una y otra vez que esperar hasta acabar los estudios era lo mejor.

Seguía sin comprender cómo su hermana pequeña aguantaba esa situación. Si fuera ella, a estas alturas ya habría tomado una decisión.

Y hablaba la voz de la experiencia. En el último año había recibido dos proposiciones formales de matrimonio; en realidad más, pero solo esas podían ser consideradas como serias. Sin embargo, ambas habían sido rechazadas educada pero categóricamente. Ser la heredera de la Banca Boston suponía un gran incentivo para otros herederos deseosos de ampliar capitales o para simples mortales con altas aspiraciones.

Y si a eso se sumaba la insistencia de su familia para que se comprometiera con Sebastian Wesley, su amigo de la infancia y al que consideraba más un hermano que un posible marido, Samantha, a sus veinticinco años recién cumplidos, tenía bastante experiencia en lo que a pretendientes se refiere. Por

suerte, Sebastian opinaba lo mismo que ella y juntos bromea-
ban sobre lo que las dos familias habían planeado para ellos
pero que los dos se empeñaban en tirar por tierra.

Dio otro sorbo a su copa de champán mientras veía acercarse a su hermano Alfred. Estaba claro que llegaba tarde y que
pretendía disimular ante los invitados.

—Papá me ha preguntado por ti, dos veces —comentó Samantha con una sonrisa.

—¡Alfred! —Gaby dio a su hermano una efusiva bienve-
nida.

—Felicidades, querida y apreciada hermana mayor. —Alfred abrazó a su hermana.

—Déjate de peloteo. ¿Dónde estabas?

—En una urgencia médica. ¿Dónde si no?

—Pues más vale que esa urgencia médica haya valido la
pena. Ya sabes cómo se pone papá cuando las cosas no salen según sus previsiones —bromeó Samantha, que a pesar de todo,
siempre cubría las espaldas a su hermano.

—¡Ha llegado! —gritó Gaby sobresaltando a sus hermanos mayores.

—¿Alguna vez se dará cuenta de que Frank no es apropiado
para ella? —murmuró Alfred cuando Gabrielle emprendió la
carrera hacia su prometido.

—Tiene que darse cuenta por sí misma. No seré yo quien
se lo diga.

—Pues alguien tiene que hacerlo, sino en su noche de bodas se va a llevar toda una sorpresa.

—¿A qué te refieres? —preguntó Samantha muy intrigada.

El comentario de su hermano podría parecer casual, pero
estaba claro que sabía de qué hablaba.

—Me han dicho, y créeme ya que ha sido una persona de
total confianza, que Frank…

—¡Aquí está la mujer de mis sueños! —interrumpió Sebastian Wesley abrazándola intensamente—. ¿Aprovechamos
la ocasión y anunciamos nuestro compromiso?

—Deja de provocarme. Como un día te diga que sí, te da un
ataque al corazón —respondió Samantha riéndose.

—Ya, bueno, para eso tenemos un médico en la familia,

¿verdad, cuñado? —Sebastian dio unas palmaditas a Alfred en la espalda.

—Puede que ese día me lo tome libre —dijo el médico de la familia.

Los tres estallaron en carcajadas.

—Ahora en serio. ¿Qué tal estás? —inquirió Sebastian cariñosamente a Samantha—. No debe ser nada agradable hacerse vieja.

Ella sabía que para él era imposible mantener una conversación seria, pero lo intentaba.

—Ya me lo dirás el mes que viene, cuando sea tu cumpleaños.

—Pero tú sigues siendo mayor que yo.

—Y más sabia. Y, dime, ¿qué hay de cierto en los rumores sobre tu aventura con esa actriz?

—Yo no la llamaría actriz —murmuró Alfred sabiendo perfectamente de qué hablaba.

—Yo tampoco —adujo Sebastian.

—¿Podéis, entonces, ilustrarme?

Los dos hombres se miraron sin saber cómo explicarle a Samantha las cosas sin ser demasiado groseros.

—¡Por favor! ¡Que no soy una mujercita impresionable! ¿Has estado con ella sí o no? Y, por favor, evita darme largas.

—Samantha… —Sebastian utilizó un tono de reprimenda—. Somos amigos, pero nuestra amistad no llega a tanto.

—Pero se lo has contado a Alfred.

—Si te sirve de consuelo, no fue él quien me informó de lo sucedido —explicó su hermano intentando desviar la atención.

—¡Idos a freír espárragos! —estalló Samantha—. ¡Hombres!

Les dio la espalda, junto a una de las mesas repletas de comida. Estaba claro que no les iba a sacar nada de información.

Siguió observando la sala llena de gente y vio a su hermana pequeña sonreír mientras tonteaba con Frank. Sí, puede que él no fuera el hombre ideal, y no porque no fuera guapo. Sin embargo, debía de estar bien eso de tener a alguien a tu lado.

Despidió a Sebastian con la mano, que por lo visto quería saludar a una vieja amiga, y continuó con su papel de anfitriona, eso sí, observando disimuladamente a la concurrencia mientras sonreía e inclinaba la cabeza a modo de saludo.

A los pocos minutos apareció de nuevo Gabrielle, sonriente como siempre.

—¡Ay! —suspiró haciendo que sus hermanos mayores la mirasen—, esto de estar enamorada es precioso.

—Cariño, me alegro por ti.

Samantha intentó que sonara sincero, pero Alfred se dio cuenta. Aunque él opinaba lo mismo.·

—Odio cuando hacen eso —murmuró Samantha algo enfurruñada por encima de su copa.

—Como sigas a ese ritmo acabarás borracha —comentó Alfred y siguió la mirada de su hermana.

—Pues a mí me parece muy romántico.

Samantha puso los ojos en blanco, debía de estar acostumbrada. Pero ahí, en público, que su padre rodease la cintura de su madre, cosa que en principio era normal, no era para alarmarse. Sin embargo, si esa mano descansaba descaradamente en el trasero de su madre…

—A ti todo te parece romántico —respondió Samantha.

—Hoy estás más amargada de lo normal. ¿Qué te pasa? —preguntó Gabrielle.

—Tómatelo con filosofía —fue el comentario de Alfred riéndose—. Mientras no entres sin llamar a las puertas cuando están cerradas.

—¡Por favor! —se quejó Samantha—, a su edad ya deberían…

—¿Tirarse los trastos a la cabeza? —sugirió Alfred.

—No, pero sí comportarse un poquito mejor.

—Pues yo los envidio. Solo espero que Frank y yo estemos así dentro de veinticinco años.

—Yo no apostaría por eso —susurró Samantha para que solo Alfred la oyera.

—Diviértete, querida. —Alfred besó de nuevo a su hermana en la mejilla—. Voy a saludar a unos conocidos.

Las dos hermanas se quedaron solas, saludando a los invitados, Gabrielle con más entusiasmo que Samantha, y pasando el rato.

En el caso de Samantha, deseando que la fiesta acabara cuanto antes.

—¿No es ese el señor Engels? —preguntó Gabrielle señalando con su copa.

—Lo que me faltaba.

James Engels, el abogado pelota de su padre. Su mano derecha y quien, seguramente, esperaba continuar en su cargo una vez que ella sucediese a su padre.

¿Qué demonios hacía en una fiesta familiar?

¿Y por qué se extrañaba?

Desde que su padre lo contrató, hacía ya cinco años, James no había perdido oportunidad de meter las narices donde podía. Puede que fuera el número uno de su promoción, uno de los mejores abogados, palabras textuales, de todo el país.

Su padre, no solo le había contratado para los asuntos legales, también contaba con él en otros muchos aspectos y eso a Samantha no le hacía mucha gracia.

No eran celos profesionales, por supuesto que no, pues ella siempre estaría por encima. Lo que realmente le molestaba era que entre su padre y el señor Engels existiera una gran amistad. Para ella esa amistad significaba peligro.

Por más que intentaba convencerle de lo contrario, alegando todo tipo de argumentos, no conseguía nada.

Seguía sin entender cómo alguien tan joven —James acababa de cumplir los treinta— tenía tanta responsabilidad. A excepción de ella, por supuesto, pero no se podía comparar.

—No sé por qué te cae tan mal el señor Engels. Conmigo siempre es muy educado y respetuoso —aseveró Gaby sin perder la sonrisa.

Y ahora también contaba con Gabrielle para defenderle. Genial.

—Simplemente opino que no debería estar aquí. —Su comentario distaba mucho de ser una simple apreciación. Dejaba traslucir claramente la opinión que le merecía el abogado.

—¿Por qué? Trabaja con papá, hay invitados con menos motivos para asistir —razonó la hermana pequeña.

Visto así, tenía razón, por lo que optó por la salida más fácil y también más cobarde.

—Dejemos el tema, por favor.

—¿Sabes? Deberías relajarte un poco, disfrutar de la fiesta, hablar con los invitados. Como dice papá, estos eventos son lo mejor para hacer negocios.

Samantha arqueó una ceja ante el comentario de su hermana.

—¿Desde cuándo te interesan a ti los negocios? —inquirió con una pizca de malicia.

—No seas boba. Que quiera ser simplemente una mujer casada y con hijos no significa que no esté al tanto de lo que ocurre a mi alrededor. Además, sabes perfectamente que en nuestra casa, a la hora de la comida, se habla de los índices bursátiles y no de cotilleo. —Fue la lógica explicación de Gabrielle—. Por lo tanto, no sufras; tu puesto como sucesora de papá no lo cuestiona nadie.

Samantha sabía desde hacía tiempo que sus hermanos no querían unirse al negocio familiar, pese a la insistencia constante de su padre, que desde pequeños les había hablado de ello. Alfred, para gran disgusto de su progenitor, escogió la carrera de medicina, estaba en su primer año como doctor y no quería ni oír hablar de bancos. Gabrielle, solo soñaba en casarse con Frank, ser la madre de los hijos de Frank, tener una preciosa casa y llegar a vieja con Frank a su lado.

Así que eso no le preocupaba ni lo más mínimo. Simplemente a veces tenía la extraña sensación de que ese puesto le venía grande. A pesar de que llevaba ya tiempo trabajando junto a su padre para aprender de él. Aunque estar junto a él suponía aguantar a James Engels el noventa y nueve por ciento de las veces.

Y ahí seguía, hablando con los invitados. Mezclándose con ellos. Y para más inri ahora debía de estar bromeando con Alfred, porque los dos se reían.

De repente cesó la música y Samantha permaneció callada, al igual que el resto de los asistentes, esperando que su padre dijera unas palabras, como buen anfitrión. Eso, al menos, suponía cierto alivio, pues podría decirse que oficialmente la fiesta se daba por terminada y podría volver a casa cuanto antes.

Uno de sus expretendientes la saludó. Pobre Adam; era un buen chico, pero tan sereno y relajado que ella, puro nervio, se aburría soberanamente con él. Aunque en ocasiones iban a cenar juntos para mantener buenas relaciones con la familia del chico.

Capítulo 2

Aptitudes sociales

—*D*amas y caballeros, es un gran honor para mí contar con su presencia aquí, esta noche, para acompañarnos, a mi esposa y a mí, en este día tan especial…

Samantha observó cómo su padre se dirigía a los invitados, siempre con su madre al lado. Puede que a veces verles tan unidos supusiera un conflicto para ella, pero debía reconocer que cumplir las bodas de plata y seguir tan enamorados era una realidad que muy pocos matrimonios alcanzaban.

—… mi esposa Maddy, a la que nunca podré agradecer todo su apoyo incondicional, y mis tres fabulosos hijos…

El discurso de su padre seguía los dictados de la formalidad, por lo que dejó de prestar atención.

—… y en el día de hoy especialmente a mi hija mayor, Samantha, la que muy pronto ocupará mi puesto y que hoy cumple veinticinco años…

La aludida se atragantó. Si quería pasar desapercibida…

—Por eso es para mí un placer, aquí delante de todos, pasar públicamente el testigo a mi hija mayor, Samantha Boston…

Cuando su padre hizo que todas las miradas recayeran en ella estuvo a punto de salir huyendo. Pero miró a su madre, que le sonrió comprensivamente y aguantó el tipo por ella. Sonreír y aparentar serenidad. No era tan difícil.

Pero cuando su padre empezó a caminar en su dirección…

—Ven —dijo su progenitor ofreciéndole el brazo—. Baila con tu padre.

Gabrielle empujó a su hermana, que parecía anclada al suelo, para que aceptara la oferta. Si fuera ella se mostraría mucho más entusiasta, pero al parecer Samantha estaba en las nubes.

—¿Bailas luego conmigo? —preguntó Gabrielle sonriendo.

—Por supuesto. —Miró a Samantha—. ¿Vamos?

Y sin escapatoria posible, caminó junto a él hasta el centro de la sala. Debería estar acostumbrada, pero en esos momentos no tenía ganas de ser el centro de atención, aunque a él le hiciera ilusión esta especie de presentación multitudinaria.

No era la primera vez que bailaban, pero en esta ocasión se sentía fuera de lugar, como si ella no debiera estar allí. Y por supuesto, su padre se dio cuenta.

—Relájate —murmuró bajito intentando facilitarle a su hija mayor la situación.

—Lo intento —masculló entre dientes manteniendo su sonrisa postiza.

—No creo que te hayas comprado ese precioso y caro vestido para quedarte escondida —comentó su padre mientras seguían bailando.

Afortunadamente, varias parejas más se fueron incorporando y ya no estaban siendo el centro de atención.

—Tienes razón —aceptó ella—, pero estos saraos siguen sin gustarme.

—No pareces hija de tu madre.

—Lo sé —aceptó la verdad con tristeza—. Hay cosas que no se heredan. Mamá siempre sabe estar en su sitio.

Lo dijo de tal forma que su padre se rio.

—Puedes estar satisfecha, has heredado otras muchas cualidades.

—Entre las que no se encuentran las habilidades sociales.

—En eso has salido a mí.

Los dos continuaron bailando hasta el final de la pieza. Por fin Samantha, enfundada en su vestido, pudo refugiarse junto a su madre. Desde allí observaba cómo su hermana Gabrielle la sustituía encantada.

—No pareces contenta, cariño —dijo su madre dándole un cariñoso abrazo.

—Pues no. Pero papá se ha empeñado y...

—Tienes que entenderle, le hace muchísima ilusión presumir de su hija mayor. Quiere que todo el mundo sepa que eres quien estará dentro de poco al mando y sabes perfectamente cómo es la sociedad. Él quiere dejarte todas las puertas abiertas.

—Lo sé y lo entiendo —suspiró resignada. Las familias como la suya estaban expuestas al continuo escrutinio público—. Sin embargo, a veces odio tener que hacer estos paripés delante de tantos extraños.

Su madre le dio un apretón de manos reconfortante.

—Cielo, no todo van a ser horas y horas en el despacho trabajando; tienes que hacer vida social —expuso su madre con toda lógica.

—Pues no debe de ser tan malo cuando papá y tú os encerráis tan a menudo.

Maddy ni se inmutó por el comentario de su hija mayor, pero prefirió cambiar de tema.

—Te he visto antes saludar a Sebastian.

—No sigas por ese camino, mamá. Sabes perfectamente que es mi mejor amigo y por mucho que Alice y tú conspiréis no vamos a casarnos.

—La esperanza es lo último que se pierde —respondió animada su madre—; además, alguna vez tendrás que casarte y tener hijos.

—No creo que me case —dijo convencida—, no le veo ninguna ventaja a eso del matrimonio. Y estaré demasiado ocupada trabajando como para llevar una casa. Y si estás pensando en tener nietos, no sufras; Gabrielle se pondrá a ello en cuanto la dejéis casarse con su adorado Frank.

—Cariño, cuando hablas así me recuerdas demasiado a tu padre —explicó su madre para nada molesta—. Pero piénsalo bien, ¿de acuerdo? No todo se reduce al trabajo. —Maddy habló con ternura—. Necesitas tener algo más en la vida.

—Pero no tengo por qué casarme.

—Puede que no, pero yo que tú no le comentaría ese pensamiento a tu padre.

Samantha, que conocía los deseos de su padre de ser abuelo, sonrió cómplice a su madre y no hizo más comentarios al respecto.

Habló educadamente con las personas que se acercaban a hablar con ellas y poco a poco fue pasando el tiempo.

—Siento haber estado tan ocupado. —Su padre se acercó a ella con la intención de llevarse a su esposa—. Y, si es posible, me llevo a tu madre. ¿Te importa?

Como si Samantha se fuera a atrever a contradecirle.

—Toda tuya —dijo sonriendo a sus padres.

Los vio mezclarse entre los invitados y llegar a la pista de baile.

Sí, puede que su hermana tuviera razón. Podía ser bonito eso de casarse, pensó no muy convencida.

Samantha bebió otro sorbo; si acababa achispada… pues, bueno, tampoco pasaba nada. Pero cuando vio que James Engels se acercaba, y, puesto que estaba sola, podía asegurar sin riesgo a equivocarse, que se dirigía hacia ella, no supo si desaparecer o aguantar el tipo.

Quedaba claro que el abogado de su padre no iba a dejar escapar la oportunidad de hacerle la pelota, ahora con público presente, y quedar bien delante de todos los congregados.

—Felicidades, Samantha.

Ella falsificó una sonrisa que decía a las claras lo que podía hacer él con esas felicitaciones, pero que por cortesía ninguno de los dos pronunciaba en voz alta.

—Gracias —respondió secamente, intentando dar la conversación por finalizada.

—Estupenda fiesta. ¿No crees?

Él intentaba mantener una charla amistosa y ella no estaba por la labor.

—Sí —dijo entre dientes, de forma antipática y escueta, esperando que él cogiera la indirecta y la dejase de nuevo a solas.

Samantha no iba a hacer ni lo más mínimo por entretenerle.

Pero él lo intentó de nuevo.

Nadie podía decir que la perseverancia no fuera una de sus virtudes.

—Todo ha salido a la perfección.

«Todo no —pensó ella—, tú estás aquí.»

Sin embargo, respondió con un escueto gesto de afirmación.

James sonrió de medio lado, estaba claro que ella no iba a darle ni el beneficio de la duda. La observó de reojo y confirmó la opinión que tenía de ella desde que la había conocido: una niña rica, a todas luces mimada y criada entre algodones, inexperta, que dentro de poco tendría en sus manos la dirección de uno de los bancos más importantes y que no sabía por dónde le daba el aire.

Entendía que Samuel traspasara la dirección a uno de sus hijos, preferiblemente a Alfred, pues era lo habitual. Sin embargo, este había renunciado y por mucho que su padre alabase en público y en privado a su hija mayor, James seguía sin compartir esa decisión.

De eso habían hablado muchas veces. Como abogado, él le había expuesto todos los pros y los contras, aumentando los contras, por supuesto. Conocía muy bien los riesgos y el mercado no estaba como para ganarse la desconfianza de los accionistas e inversores. Pero por mucho que insistía, Samuel siempre se mantenía en la misma postura: su hija estaba preparada y, aunque al principio necesitara cierta supervisión, iba a cederle la dirección.

Y James se callaba porque ni iba a ganar nada ni quería perder el tiempo en una empresa inútil. El único problema con pocas o nulas posibilidades de solucionarse era la relación personal entre los dos. No había día en el que no discutieran por sus diferentes formas de abordar una cuestión.

Menos mal que Samuel se mantenía imparcial en lo que a asuntos de negocios se refería y, por qué negarlo, se sentía bien cuando su propuesta quedaba por encima de la de ella.

Así que no era de extrañar que en esos instantes ella le ignorase todo cuanto la educación le permitía.

—¡Hola, señor Engels! ¿Cómo está?

Gabrielle, contenta, llegó hasta ellos.

—Muy bien, gracias, Gabrielle —respondió James.

Qué diferencia. La hermana pequeña era simpática, extrovertida, amable y siempre le saludaba y hablaba tranquilamente con él. Lástima que estuviera con ese imbécil de Frank.

—Alegra esa cara, Samantha. —Gabrielle se dirigió a su hermana mayor—. Es tu fiesta de cumpleaños, no tu funeral. —Miró de nuevo a James—. ¿Se le ocurre algo para animar a mi hermana?

James, a quien le daba exactamente igual si se divertía o

no, sonrió a Gabrielle porque ella no se merecía que fuera grosero.

—Tú la conoces mejor que yo. ¿Qué hace para divertirse? —preguntó a Gabrielle obviando por completo a la aludida e intentando ser educado.

—Samantha últimamente no se divierte mucho, con todo el ajetreo del trabajo, pero... —Gabrielle hizo como que pensaba antes de seguir—. ¿Por qué no la saca usted a bailar?

James miró casi horrorizado a una espantada Samantha.

—Gabrielle, deja de molestar —intervino la mayor—. Baila tú con él.

A todos cuantos oyeron la última frase les quedó patente lo desagradable que le resultaba la idea.

—Mi Frank es muy celoso —explicó riéndose.

Por una vez James y Samantha estaban de acuerdo en algo. Frank no era lo que se dice un novio posesivo, pero si a Gabrielle le hacía ilusión...

—Lo entiendo perfectamente —dijo James sonriendo—. Es una pena porque me encantaría.

¿Es que este hombre no se cansa nunca de hacer la pelota?, se dijo deseando coger a su hermana menor y marcharse.

—Pero Samantha está libre.

«No me extraña», pensó James.

«Así es como me gusta estar», pensó Samantha.

—No me apetece bailar.

—No digas tonterías, te encanta bailar.

Gabrielle hubiera caído fulminada en ese instante, si las miradas matasen.

—Debo ir a saludar a un conocido. Si me disculpáis...

Y así, sin dar más explicaciones, se escabulló Samantha. ¿Bailar con James? ¡Por favor! ¿Y qué más? Prefería volver a pasar el sarampión, llegados a ese extremo.

—Siento lo de mi hermana —se disculpó Gabrielle.

—No pasa nada —respondió James viendo como la hermana pequeña se moría de vergüenza debido al comportamiento de la mayor.

En ese instante se acercó Frank hasta ellos y después de saludar amablemente, ese chico todo lo hacía demasiado amablemente, se llevó a Gabrielle dejándole solo.

Se dedicó a observar a la concurrencia. Durante la velada se había cruzado con una vieja amiga, que por lo visto sí estimaba su compañía, así que… ¿Para qué preocuparse porque una niñata engreída no quisiera bailar con él? Dado que prefería mujeres hechas y derechas quizás hasta debiera estarle agradecido, pensó con cinismo.

Capítulo 3

Tensión en la oficina

Samantha caminaba tranquilamente por los pasillos que conducían hasta su despacho, mientras el ruido del gentío de la planta inferior ocultaba el repiqueteo de sus tacones. Algunos empleados la saludaron con una inclinación de cabeza y ella les respondió del mismo modo. Había aprendido desde pequeña que lo cortés no quita lo valiente y debía tratar a sus subordinados educadamente. Además, antes de que su padre le dejara manejar cuentas importantes, había estado allí, aprendiendo desde abajo el funcionamiento del banco.

Llegó a la oficina principal, la de su padre, la del director general. La que pronto sería suya.

Llamó suavemente, más por educación que por otra cosa, y entró.

Encontró a su padre sentado tras el inmenso escritorio. Y a su lado, cómo no, James revisando unos documentos.

—Hola, señorita Samantha. ¿Le apetece un café?

Ella sonrió a Stuart, el secretario de su padre, que estaba sirviendo un desayuno en la mesa de reuniones.

—Sí, gracias —respondió con una sonrisa. Se acercó hasta la mesa y aceptó una taza de café de las manos del hombre—. ¿Ha terminado su hijo la universidad? —le preguntó mientras inspeccionaba la bandeja de pastas.

—Le falta poco.

—Samantha, ¿recibiste el informe acerca de la cuenta Morrison? —interrumpió su padre, que se acercó también para servirse un café.

—Sí, y lo leí anoche.

—¿Anoche? —preguntó Samuel extrañado.

—Pues sí, cuando llegué a casa. Como no podía dormir me puse con él. Lo terminé a las... —Miró a su padre, que fruncía el ceño, y al pelota de James, que lo hacía divertido—. ¿Qué pasa?

—Cariño, algo debimos hacer mal para que después de una fiesta té acabaras leyendo un aburrido informe. —Samuel se volvió hacia su abogado—. ¿Te das cuenta, James? Mi hija prefiere leer documentos que divertirse con sus amigas.

—Imperdonable —fue el adjetivo escogido por James. A él le importaba un carajo lo que hacía la remilgada de Samantha, pero no iba a expresar su opinión en voz alta. ¡Leer informes! Sí que era aburrida, sí.

—Vi a Sebastian en la fiesta, pensé que te marcharías con él y con Alfred como en otras ocasiones.

—De haberme ido con ellos, probablemente les habría estropeado los planes que ambos tendrían. ¿Podemos dejar el tema?

—Como quieras, aunque siempre he pensado que Sebastian y tú...

—Ya estamos otra vez —se quejó Samantha y miró al abogado pelota. Por lo visto disfrutaba cotilleando, pero le mantuvo la mirada hasta que el imbécil sonrió de medio lado y volvió a sus documentos—. Por mucho que os empeñéis todos, Sebastian y yo somos amigos. ¡Nos conocemos desde críos!

—Sigo pensando que estáis hechos el uno para el otro. ¿Tú qué opinas, James?

James, que estaba acostumbrado a oír conversaciones privadas, sabía que uno de los pasatiempos favoritos de su jefe era ponerle a prueba o intentar pillarle desprevenido. Sin embargo, habituado a ello, siempre sabía estar en su sitio. Y su jefe se lo agradecía. Eso era una de las cosas que más le gustaban de su empleo; no era uno de esos abogados almidonados que se dedicaban a vivir de las rentas, sino uno que día a día podía tener nuevos alicientes.

Ahora bien, cualquier alusión a la vida personal de Samantha era algo que debía manejar con cautela. Pero estando ella delante... toda cautela era poca.

—No tengo elementos suficientes para emitir un veredicto. —Incluso a él le sonó pomposo y ridículo.

—Si me lo permiten —interrumpió Stuart—, la señorita Samantha es lo suficientemente mayorcita como para saber qué quiere.

—Cierto —dijo la aludida—, así que olvidémonos de Sebastian y hablemos del informe Morrison.

—El que leíste anoche —recordó su padre, y parecía triste al hacerlo.

—Ese mismo. —Dejó su taza en la mesa y se acercó al escritorio—. Según el informe, creo que si ampliamos el crédito podemos vernos comprometidos.

—¿Por qué? —preguntó su padre adquiriendo ya un tono totalmente profesional.

—No solo está endeudado con nosotros sino que al parecer quiere hipotecar una propiedad que no le pertenece al cien por cien.

—Es el estilo habitual de Morrison —señaló James ganándose otra mirada enfadada de Samantha por interrumpirla, pero que a él le daba igual.

—Sí, siempre hace lo mismo; no sé cómo lo consigue pero acaba obteniendo la financiación para salir a flote —explicó Samuel.

—Opto por negarle la ampliación del préstamo y, por supuesto, no volver a concederle ninguna más —dijo Samantha.

—Te olvidas de algo muy importante —observó James, y de nuevo se ganó una miradita malhumorada de la joven. Sin embargo, él la obvió.

—¿De qué, si puede saberse? Estuve ayer hasta tarde leyendo esto. —Levantó los documentos para dar más énfasis a su discurso—. Mientras tú… a saber qué estabas haciendo.

Ahí estaba, el ataque personal del día. Primero la mirada severa imitando, sin éxito, a su padre, y después la pulla directa.

Otro se hubiera puesto a la defensiva, pero ¿por qué negarlo? Incluso le parecía divertido entrar al trapo y discutir con ella.

—Desde luego leer informes no, te lo puedo asegurar.

—Me importa muy poco a qué te dedicas por las noches, señor Engels. —Samantha adoptó su actitud preferida respecto a él: bélica—. Únicamente me importa lo que haces o dices en horario de trabajo. ¿Queda claro?

—Clarísimo. Pero eres tú quien ha sacado el tema sobre mis actividades nocturnas.

—¡Ya he dicho que me importan un carajo!

Y lo peor de todo, reflexionó Samuel observando a su hija y a su abogado, era que si bien tenía pensado retirarse, aún le quedaba bastante, por lo que debería buscar alguna forma de soportar a esos dos sin acabar con un dolor de cabeza diario.

—Pues no lo parece —insistió James—; si fuera así no hubieras hecho ese comentario intentando que sonara despectivo.

—¿Podemos volver a concentrarnos en lo esencial?

—Por supuesto.

Samantha ya estaba que echaba humo, y más aún si cabe cuando él sonrió de esa forma tan condescendiente, como si hubiera ganado el asalto.

—Bien. —Samantha respiró antes de continuar—. Como decía, antes de que el señor Engels me interrumpiese... —El aludido arqueó una ceja pero la dejó continuar —. No tenemos otra opción con esa cuenta.

—¿Y tú qué opinas, James?

—A primera vista estoy de acuerdo. —Miró a Samantha. Sin embargo, pensó: «No tan deprisa, guapa; tu victoria es fugaz»—. Pero debo recordar que Morrison tiene voto en el consejo de administración del banco que intentamos controlar, por lo que contrariarle supone el riesgo de perder un voto decisivo.

—Interesante... —murmuró Samuel, que ya conocía ese dato.

—Lo sé —admitió Samantha a regañadientes—, pero no será rentable si seguimos ampliándole el crédito.

—¿Y qué sugieres? ¿Que se vuelva contra nosotros y de paso trate de convencer a otro socio para dejarnos fuera? ¿Perder lo invertido hasta ahora? —James no iba a ceder.

—Pues nada, a seguir abriendo el grifo con Morrison. Ya veremos cómo cobramos las deudas —le espetó con ironía.

—Yo no he dicho que le demos carta blanca, simplemente es mejor renegociar las deudas e intentar que se confíe.

—El caso es poner en práctica algunos de esos truquitos sucios que tanto te gustan, ¿no?

Truquitos sucios, James aguantó la risa. Cuando Samantha quería convencerles de algo siempre recurría a expresiones infantiles, eso sí, dichas con la mayor vehemencia posible. Pero él no iba a ceder tan fácilmente. Y hablando de truquitos sucios, ella no tenía ni idea de lo que ese término podía abarcar.

—Seamos realistas, ¡por favor!

—Soy todo lo realista que quieras, pero no entiendo cómo te atreves a proponer algo así.

—Muy simple, no soy estrecho de miras y no pienso solo en una dirección. —James no podía ser más directo—. Hay que pensar en todos los elementos antes de…

—¿Qué estás insinuando?

Ahora sí estaba enfadada de verdad. Estupendo, pensó él.

—Solamente doy mi punto de vista. Nada más.

—Eres demasiado retorcido como para limitarte a eso. —Samantha siguió al ataque.

—Hay que contemplar todos los frentes —replicó James con tranquilidad, dando muestras de controlar la situación y de paso enervándola aún más.

—¡Siempre igual! —se quejó ella—. Jamás dices las cosas a la cara, piensas que tu idea es mejor y de paso siembras la duda, llamándome, eso sí, con mucha diplomacia, estrecha de miras.

Estrecha a secas, reflexionó él, pero dijo:

—Para eso estamos aquí —arguyó James siguiendo con su tono condescendiente —, para aportar ideas y buscar la solución más viable.

—Ahora no disimules queriendo quedar bien. Si tienes… —Miró un instante a su padre, que observaba toda la escena sin decir ni pío, y respiró para no perder la compostura—… lo que hay que tener, dime lo que realmente piensas y no te andes con subterfugios.

—Creo haber dejado bien clara mi postura al respecto —dijo James adoptando su postura de abogado pomposo.

—No me refiero a eso, y lo sabes —insistió ella.

—Aquí se discuten asuntos profesionales, nada más.

—¡Será posible! —La irritación de Samantha iba en aumento.

Samuel se levantó dispuesto a poner paz y evitar un dolor de cabeza. Miró su reloj de bolsillo, que acarició suavemente, como siempre hacía, pasando el pulgar por la dedicatoria, y buscó una forma de solucionar ese asunto y marcharse cuanto antes, pues había quedado con su esposa para comer.

—Creo que tenemos que encontrar una forma de entretener a Morrison.

Samantha, al oír a su padre, suspiró rendida. Menos mal que ese cretino de James mantuvo la compostura.

—Tenemos una reunión la semana que viene para discutir sobre el asunto.

—Estupendo. Samantha, ¿podrías ocuparte tú del asunto?

—Por supuesto.

—Que James te acompañe, para los detalles legales. Morrison es demasiado listo y buscará alguna forma de enredar las cosas.

Samantha sabía que su padre, al hacer esa recomendación, solo quería lo mejor para todos, pero no por eso dejaba de sentirse molesta. Por no hablar del hecho de llevar como acompañante a James.

Se quedó unos instantes recogiendo los documentos, lo más rápido posible, para evitar entablar cualquier tipo de conversación con James. Una vez lo hubo organizado todo, se dirigió a la puerta.

—Lo creas o no, no tengo nada personal contra ti —dijo James saliendo del despacho principal tras ella.

Samantha se detuvo al oírle, pero lo miró por encima del hombro.

¿Cómo podía ser, además de todo lo ya dicho, tan cínico?

Mejor no enzarzarse en un diálogo de besugos. Aunque le costara admitirlo, él siempre decía la última palabra y ya habían tenido la pelea del día.

Sin dignarse a responderle, se alejó.

Para James, esa actitud tan pueril era una reafirmación de su opinión sobre ella.

Si esa chica fuera un poco menos altiva y un poco más inteligente, se daría cuenta de que él no contradecía sus opiniones por el simple hecho de cabrearla, cosa que también tenía su gracia, sino por el bien del negocio.

Caminó hacia su despacho; tenía documentos que estudiar, información que recoger y poco tiempo como para perderlo pensando en Samantha. Al fin y al cabo, no era más que la hija del jefe.

Capítulo 4

Dudas

Samantha llegó a casa a última hora de la tarde, casi era la hora de la cena y sabía que a sus padres les disgustaba la falta de puntualidad. El único que parecía tener el privilegio de llegar tarde era Alfred, y por su trabajo, aunque sabía que no siempre ese era el motivo, pero jamás delataría a su hermano.

Se cambió de ropa en su dormitorio y bajó al saloncito donde su madre estaba leyendo.

—Hola, mamá. —Se acercó y besó a su madre en la mejilla.

La mujer colocó un marcapáginas y dejó a un lado el libro.

—Hola, cariño.

Samantha se sentó junto a su madre y esta detectó su expresión de abatimiento. Pero conocía a su hija y prefería esperar a que ella hablara.

—Esta tarde ha venido a verme Herbert.

—¿El hijo de los Baxter?

—Sí —respondió suspirando.

—Hace tiempo que os conocéis —dijo su madre con cautela.

—Me ha pedido que me case con él. —Samantha parecía desilusionada.

—Humm… Es un buen partido, no es feo y no creo que a tu padre le disguste.

—¿Y a ti te gusta?

—Si te soy sincera… —Acompañó las palabras con una sonrisa—. Creo que es demasiado moderado. Demasiado tranquilo.

—Pero eso está bien, ¿no? Quiero decir, si voy a tener que

convivir con él, está bien eso de no tener sobresaltos. En eso se basa un buen matrimonio. —Samantha lo expuso desde la ignorancia más absoluta

—No te digo que no —convino su madre—, pero tú te aburrirías, cariño. —Maddy le acarició con ternura la mejilla. Cuanta ingenuidad.

—Papá es así. —Su madre arqueó una ceja—. Tranquilo, quiero decir. Rara vez se enfada o rara vez levanta la voz.

¿Cómo explicarle eso del matrimonio a su hija sin entrar en demasiados detalles?

—Samantha, creo que, en estos momentos, debería hablarte más como mujer que como madre.

—No veo la diferencia.

—Como madre, te aconsejaría un hombre tranquilo, trabajador, de buena educación, atento, respetuoso… —Dejó de hablar para ver si la privilegiada mente de su hija iba asumiendo la idea— … Más o menos como el novio de tu hermana.

—¿Frank? —exclamó haciendo una mueca—. Mamá, por favor, a los dos días pediría el divorcio, diga papá lo que diga.

Y es que en esa casa la palabra «divorcio» estaba tajantemente prohibida.

—A eso me refiero, quizás… —y no lo dijo muy convencida— sea el marido apropiado para Gabrielle, pero tú necesitas a alguien con más estímulos… ejem… intelectuales.

—Tampoco quiero un académico que prefiera los libros a mí.

—De eso estoy hablando.

—Pero sigo sin entenderlo. —Samantha se puso en pie y empezó a pasear por la estancia mientras reflexionaba en voz alta—. Papá es atento, es educado, trabajador y todo eso, ¿verdad, cariño?

—Sí, por supuesto.

—Pero no es aburrido.

—Claro que no.

—¿Y dónde está la diferencia? —preguntó intentando comprender la lógica de su madre.

—¿Piensas que dentro de veinte años estarás con Herbert como si fuera el primer día?

—No. Claro que no, con el tiempo…

—Cariño, convivir con un hombre es muy difícil. Si no encuentras un compañero que te haga esos momentos llevaderos, acabarás amargada.

—De ahí mi firme convicción de no casarme. Quien evita la tentación evita el peligro.

—Es una forma de verlo, desde luego, pero… ¿no tienes curiosidad? —preguntó su madre intentando tocar el tema del sexo.

—¿Curiosidad? ¿Por qué iba yo a tener curiosidad por saber cómo es la vida matrimonial? ¡Por favor, mamá! Acabas de decirme lo difícil que es la convivencia. Además, siempre puedo preguntar a mis amigas casadas.

Maddy puso los ojos en blanco ante la tozudez de su hija mayor.

—Samantha, hay aspectos de la vida conyugal que… —se calló de repente, puede que estuviera dando por sentado muchas cosas y que a estas alturas su hija ya hubiera estado con un hombre. Los jóvenes de hoy en día eran muy diferentes a los de antaño.

—¿Qué aspectos?

Maddy sonrió, se parecía tanto a su padre cuando mantenía una conversación y se negaba a contemplar una versión diferente a la propia.

—La intimidad, cariño. Me refiero a lo que ocurre en la intimidad, a solas.

—¡Mamá! ¿Estás intentando hablarme de… sexo? —inquirió Samantha fingiendo alarmarse.

—Pues sí —respondió su madre aliviada al ver que su hija no se andaba por las ramas.

—Pero para eso no necesito casarme.

Evidentemente no, quiso decir Maddy, pero se abstuvo, pues tampoco quería crear más dudas en la cabeza de su hija.

—Samantha, lo que trato de decirte es que debes tener las cosas claras; tienes la posibilidad de elegir por ti misma al hombre con quien casarte.

—Eso es relativo, papá siempre quiere tener la última palabra —dijo haciendo una mueca.

Maddy se rio, admitiendo en silencio la verdad de esa afirmación.

—Puede que sí —dijo con diplomacia—, pero si tú quieres hacer algo… —Dejó caer la indirecta, pues si Samantha podía presumir de algo era de cabezota.

—Puede que sea cierto, pero… ¿qué hay de malo en no casarse? ¿No acabas de decir que puedo elegir? Pues yo elijo no casarme.

—¿Cómo puedes pensar así? —interrumpió Gabrielle entrando en el saloncito—. Yo sufriría una crisis nerviosa si no pudiera casarme con Frank.

—Hola, cariño —saludó afectuosamente Maddy a su hija pequeña, y esta abrazó a su madre en respuesta.

—Hola, Gaby. ¿Frank ya se ha retirado a estudiar para sacar la mejor nota en las oposiciones a notario? —preguntó Samantha con ironía.

Pero su hermana pequeña, demasiado buena, no captó, o no quiso captar, la pulla y respondió amablemente.

—Por supuesto. Cuanto más estudie, mejor. Así podremos casarnos antes.

Samantha, quien no tenía ganas de seguir con el tema, se levantó y se acercó a la puerta.

—Será mejor que vayamos pasando al comedor. Papá ya estará esperando.

James se levantó de la cama sin mirar ni siquiera a la mujer que estaba allí dormida. Estaba amaneciendo y debía repasar unos informes. Sin embargo, la noche anterior se había encontrado a Rose en su casa, esperándole, y no tuvo valor para echarla. Si bien hacía tiempo que había roto su relación —casi formal— con ella, de vez en cuando se veían; ambos estaban solos y no venía mal un revolcón. Además, en lo que a actividades de dormitorio se refiere, Rose era, por decirlo de alguna manera, la compañera menos problemática que un hombre podría tener. Lástima que una vez que estaba vestida perdía todo su encanto, pues la pobre (un término para nada acertado, pues su marido, ya fallecido, le había dejado una fortuna increíble, que ella no sabía manejar; de ahí que se conocieran) solo tenía como atributos un cuerpo escandalosamente sexual y un guardarropa envidiado por la población femenina.

Rose sabía que al despertar no estaría junto a ella, por lo que ninguno de los dos se hacía reproches y eso le daba una gran ventaja, porque, para un hombre como James, comprometerse con una mujer solo suponía quebraderos de cabeza y conversaciones carentes de toda lógica. Estaba bien como estaba, tenía cubiertas sus necesidades físicas y un cargo además de unos ingresos respetables.

Aunque en pos de la respetabilidad sabía que algún día tendría que casarse, esperaba que fuera lo más tarde posible. Sin embargo, eso de buscar esposa le parecía algo del pasado, a pesar de que en ciertos círculos aún se tuviese en cuenta el estado civil, algo que a él le traía sin cuidado.

Antes de cerrar la puerta miró el cuerpo desnudo de Rose y eso sirvió para mantener su decisión de seguir así, por mucho tiempo.

Llegó a su despacho y encendió la lámpara para comenzar a revisar los documentos. Tenía que acompañar a la hija de su jefe a la reunión con Morrison y no le gustaba que le pillaran desprevenido, en el amplio sentido de la palabra. Si cometía cualquier desliz, o bien algún dato se le escapaba, era consciente de que Samantha lo utilizaría para echárselo en cara, no ante el cliente, por supuesto, pero sí a puerta cerrada, y eso no lo podía consentir. Ninguna niñata mimada iba a dejarle en mal lugar. Además, le pagaban por eso, por tener todos los cabos bien atados.

Esbozó una sonrisa al recordar cómo en la reunión de la mañana ella había intentado tocarle la moral hablando sobre sus actividades nocturnas. Su sonrisa se hizo más amplia y socarrona. Si ella supiera... Pero no, ella no podía ni imaginárselo; pobre chica, en el fondo le daba pena. Claro que, como se decía, por la caridad entra la peste y si se descuidaba ella no dudaría en aprovechar cualquier circunstancia para desacreditarle.

Más le valía que aceptara de una vez una de esas proposiciones de matrimonio que recibía constantemente y dedicara las noches a divertirse en vez de a leer informes. Bueno, en esos momentos él no era el mejor ejemplo, pero por lo menos ya había tenido una buena ración de divertimento.

¿Por qué ella no aceptaba esas propuestas?

«¿Y a mí que me importa?», se respondió.

Sin embargo, sí que le importaba, porque en el supuesto caso de que Samantha se casara con alguno de esos pusilánimes, muchas cosas podrían cambiar. Esos hombres eran, en apariencia, tontos de remate, pero tontos peligrosos, pues en cuanto ella dijese «sí quiero» podrían influir en ella. O, lo que es peor, tratarían de meter mano en los asuntos de negocios. De todos modos, ahí estaba Samuel Boston, para controlarlo todo y parar los pies a quien fuera, aunque… eso no iba a ser para siempre.

Claro que su puesto tampoco iba a ser de por vida, pero le daba pena marcharse de su trabajo. Realmente le importaba mucho lo que hacía. Aunque si se le ocurría insinuar cualquier cosa respecto al posible matrimonio de la heredera, estaba metiéndose en arenas movedizas con la niñata, y, la verdad, él no se pasaba horas y horas trabajando para luego perder el tiempo discutiendo de tonterías. Si, llegado el caso, Samantha le echaba a la calle pues que así fuera. De momento, su lealtad estaba con Samuel Boston.

Capítulo 5

Un encargo especial

—¿*S*amantha?

Al oír su nombre seguido de unos golpecitos en la puerta, levantó la vista de los documentos en los que estaba concentrada y vio a su padre que entraba en su despacho. Se enderezó en el sillón y dejó de escribir.

—¿Cómo es que aún estás aquí? —preguntó sonriendo a su padre—. Según me comentó mamá, hoy la acompañabas a una de esas veladas musicales.

Su padre torció el gesto y ella lo comprendió, porque le gustaban tan poco como a ella, pero su madre tenía en este asunto, y en otros muchos, las de ganar.

—Podría hacerte la misma pregunta, es tardísimo.

—Lo sé —suspiró agotada—, pero en la reunión de mañana con Morrison nos jugamos mucho.

—Respecto a esa reunión…

—¿Qué ha ocurrido?

—He cambiado la hora.

—¿Por qué?

—Ha llegado esto. —Le tendió unos documentos—. Es una información con la que no contábamos y es de suma relevancia; necesitamos todos los datos disponibles, no podemos dejar nada al azar. Nos jugamos mucho, cariño.

—Déjame ver. —Empezó a leer por encima los documentos.

—Como verás, no podemos acudir a esa reunión sin antes estudiar minuciosamente todo esto. Morrison debe intuir algo, de ahí que se precipite.

—Me encargaré esta noche.

—Tenemos poco tiempo, he aplazado la reunión a mañana por la tarde; así James y tú dispondréis de tiempo suficiente para analizarlos.

—¿James? —Su padre asintió—. No es necesario, yo puedo encargarme.

—Él tiene que ver los aspectos legales, Samantha.

—Pues ya se ha ido —anunció satisfecha. James podría ser un buen abogado pero también un pésimo compañero de trabajo.

—Lo sé, vengo de su despacho. Por eso es importante que vayas a su casa y le entregues una copia de todo esto, que lo estudie bien esta noche y mañana por la mañana nos reuniremos antes de que os marchéis.

—¿A su casa?

—No queda más remedio, cariño. Ya sé que para ti supone un gran contratiempo.

Samantha comprendía el interés de su padre por hacer las cosas bien, pero le estaba pidiendo algo muy poco agradable para ella.

—¿Y no podemos esperar a mañana por la mañana?

—No, es mejor que James lo tenga esta misma noche.

—¡Pero es tardísimo!

—No te preocupes, un coche te está esperando fuera. El chófer conoce la dirección de James y luego se encargará de llevarte de vuelta a casa.

—Papá, sabes que no me agrada trabajar con él; podrías mandarle los papeles y…

—No —la interrumpió su padre—, es de vital importancia que os entendáis en este asunto. —Se abstuvo de decir que sería lo mejor en todo—. Tenéis que trabajar al mismo ritmo, hacerlo por separado supondría repasar luego cada punto de vista y andamos justos como para perder tiempo.

—Ya sé que nos jugamos mucho, pero… —Samantha suspiró y miró a su padre; solo por él aceptaría—. Está bien. Pero que conste que no son horas de ir a casa de un hombre soltero —dijo esto último para ver la reacción de su padre; normalmente no ponía muchos obstáculos cuando iba a cenar, o al teatro con sus amigos.

—Confío plenamente en ti. —Se acercó a su hija para darle un abrazo cariñoso y después se encaminó hacia la puerta, pero se dio la vuelta en el último momento—. Y ya que lo mencionas, espero que mañana, cuando vengáis a trabajar, ninguno de los dos tenga marcas o evidencias de que os hayáis peleado. Buenas noches, Samantha.

—Excelente —murmuró ella una vez a solas. Hasta su padre bromeaba respecto a la constante enemistad con James. Pero ¿qué esperaba si un trepa como él se encargaba día sí y día también de dejarla en ridículo?

Volvió a su escritorio; de acuerdo, tendría que hacerlo, pero para evitar riesgos podría ir un paso por delante de él y leerse los documentos; así al menos él no pondría esa cara de sabelotodo cuando ella se entretuviera en algún párrafo complicado.

Decidió que lo mejor era ir tomando notas sobre la marcha, resaltando lo más importante, pues seguramente en esos papeles iba a encontrar datos que ya conocía, y dado que andaban justos de tiempo, no podían entretenerse en nimiedades.

Así que hora y media después de infructuosa lectura, Samantha se frotó las sienes sabiendo que necesitaba un abogado para aclarar ciertos aspectos legales que estaban a punto de causarle un gran dolor de cabeza.

Por desgracia, tanto si le gustaba como si no, James poseía una red de contactos, a cual más increíble, y estaba informado de todos los cotilleos financieros, incluyendo, aparte de los referidos a qué empresa o qué empresario iba a hacer o dejar de hacer, los referentes a sus vidas privadas.

Ella, por supuesto, no estaba conforme con esas estrategias y en más de una ocasión había oído, eso sí, a hurtadillas, pues tanto su padre como James consideraban que algunos de esos chismes no podían llegar a oídos de una mujer, comentarios bastante subidos de tono sobre algunos de los clientes del banco.

Seguía sin comprender cómo el abogado conseguía acceder a toda esa información, y, por supuesto, iba a seguir así, pues preguntárselo suponía aguantar, aún más, su arrogancia.

Recogió todo lo necesario, apagó la luz y salió de su despacho.

A esas horas todo estaba en silencio, y aunque no era la primera vez que se quedaba hasta tan tarde, lo cierto es que echaba de menos el bullicio de la gente, el sonido de las máquinas de escribir… Eran sus compañeros de trabajo, por decirlo de alguna manera. Ahora sus tacones sonaban con más fuerza sobre la madera pulida de la zona de despachos.

Al llegar a la planta baja se dio cuenta de algo imperdonable; en su afán por quedar mejor que James había olvidado que un coche la esperaba. Se apresuró hasta la puerta principal y allí estaba el chófer, esperando tranquilamente encima del nuevo vehículo, un Rover Tourer que su padre, a petición de su madre (una entusiasta de los vehículos de motor), había adquirido recientemente.

A Samantha también le encantaban los vehículos de motor y esperaba convencer a su padre de que la dejara conducir uno. De hecho, junto a su madre, y a escondidas, ya lo había hecho, pero de momento tenía que conformarse con eso.

—Buenas noches, señorita Boston.

El chófer la saludó amablemente y se dispuso a abrirle la puerta rápidamente, Samantha correspondió con una sonrisa de disculpa.

—Lo siento, señor Meyer; tardé más tiempo del que creía.

—No se preocupe, señorita. —El conductor cerró la puerta y después se sentó al volante—. Enseguida llegaremos.

—Gracias.

Samantha se acomodó en el asiento trasero intentado mentalizarse para lo que se avecinaba. Estaba segura de que, a pesar de sus esfuerzos, terminaría enfrentándose con James. Como era el pan nuestro de cada día, no tenía por qué sorprenderse.

A esas horas prácticamente no había un alma por las calles y agradeció el hecho de ir acompañada por el señor Meyer.

En su afán por sacar ventaja al abogado de su padre, había olvidado otro pequeño detalle: la cena. Con un poco de suerte el personal de servicio de James sería amable y le preguntaría si deseaba algo. Aunque podía esperar cualquier cosa.

Mientras el vehículo avanzaba por las calles, se preguntó en qué zona viviría James. Ganaba lo suficiente para permitirse una casa de lujo y, que ella supiera, no tenía familia que mantener.

Sabía que no estaba casado, a no ser que ocultara su estado

civil, vaya usted a saber el porqué. Así que resultaba cuanto menos curioso que, después de cinco años aguantándole, no hubieran intercambiado ni un solo comentario casual sobre su vida privada.

También sabía que en algunas ocasiones había salido a cenar, o a donde quiera que vayan los hombres solteros, con su hermano Alfred, y seguía cuestionándose cómo dos hombres, aparentemente tan diferentes, congeniaban. Disimuladamente intentaba hacer hablar más de la cuenta a su hermano, pues nunca estaba demás obtener alguna información del enemigo. Sin embargo, a pesar de ser un año menor que ella, su hermano siempre la trataba con indulgencia y con la odiosa frasecita de «no son cosas de chicas».

Pero lo curioso del caso es que él sí estaba al tanto de sus idas y venidas, pues en muchas ocasiones los odiosos cazafortunas disfrazados de pretendientes le enviaban a su despacho invitaciones para asistir a eventos. O bien se presentaban educadamente ante su padre. Y, cómo no, James estaba allí, observando en silencio.

A su favor podría decir que nunca opinaba, al menos delante de ella, sobre esos hombres.

Puede que la vida privada del abogado le importara lo mismo que las labores de aguja, pero, y aunque reconocerlo no era plato de buen gusto, a veces sí sentía curiosidad por el pelota, estirado y arrogante abogado de su padre.

Con esos pensamientos en la cabeza, y recriminándose por haber perdido el tiempo en ello, llegó a la dirección de James sin darse cuenta, pero con ganas de acabar cuanto antes y de picar algo, si era posible.

Capítulo 6

Visitas inesperadas

*L*a casa de James estaba en un buen barrio, como ella ya imaginaba, de esos de clase media en los que no hay altercados, y donde, más o menos, uno puede vivir tranquilo. Aun así, estaba a años luz de la mansión familiar donde ella había crecido.

La vivienda no estaba adosada a otros inmuebles y se hallaba rodeada por un muro a media altura con vallas metálicas.

Una forma de mantener la privacidad.

El chófer se detuvo junto a la entrada principal en la calle, ya que no existía acceso para vehículos. Se asomó por la ventanilla antes de moverse para bajar.

—¿Quiere que la acompañe? —sugirió el chófer.

—No, gracias. —Samantha cogió los documentos—. Y tampoco hace falta que te quedes aquí esperando.

—Pero su padre insistió en que…

—No te preocupes, estoy segura de que el señor Engels dispondrá todo lo necesario para que yo pueda volver a casa.

—No sé…

—Señor Meyer, no sé el tiempo que estaré aquí y no tengo corazón para hacerle esperar con lo tarde que es. No se preocupe, estaré bien. —Sonrió al hombre para convencerle.

Samantha se encaminó hacia la puerta principal. Observó como el chófer permanecía a la espera. Seguramente quería asegurarse de que no pasaba nada. Golpeó la gruesa aldaba de latón y esperó a que se abriera la puerta.

Unos interminables segundos después, un hombre, al que Samantha catalogó como el mayordomo, abrió la puerta y sin muchas ceremonias la hizo pasar.

—El señor te está esperando. Acompáñame.

Un «por favor» no habría estado de más, pensó mientras seguía al hombre.

Caminó por un pasillo decorado sencillamente y bien iluminado, con objetos bastante vanguardistas. Por lo visto James tenía gustos similares a los suyos. ¿Quién lo hubiera imaginado?

Cuando abandonaron la planta baja y el mayordomo le indicó que subiera tras él, Samantha se sorprendió, pues, aplicando la lógica, el despacho estaría abajo, pero por lo visto no era así. Bueno, el abogado podía organizar la distribución de su casa como le diera la real gana. Ella no iba a opinar al respecto.

Llegaron a otro pasillo que apenas estaba iluminado.

—Qué roñoso —murmuró ella. Y si el hombre se enteró de su comentario, no dio muestras de ello.

El mayordomo se detuvo delante de una puerta, la cual abrió y, siguiendo su tónica habitual, es decir, no decir ni pío, indicó que entrase.

Samantha, que había esperado un ofrecimiento más educado, se encontró en una estancia oscura, sin posibilidad de pedir una mísera taza de té y a la espera de que apareciera James.

Con la escasa luz y desconociendo la distribución, nadie podía pedir que no tropezara con algo. De todos modos, no quería que el dueño tacaño entrara en la sala y la sorprendiera escondiendo las evidencias de su torpeza bajo la alfombra.

—Por lo menos podían abrir las cortinas y que entrase la luz de la calle —protestó en voz alta sabiendo que era como pedir peras al olmo.

Así que caminó despacio, sujetando bien los documentos que portaba, tanteando con los pies y agudizando la vista hasta detenerse junto a una consola de madera ubicada contra la pared.

Eso no era, ni de lejos, algo parecido a una mesa de despacho para poder trabajar, pero ella era una profesional y si lo que pretendía el abogado era incomodarla iba listo. Como si la obligaba a retroceder veinticinco años en el tiempo y prescindir de la luz eléctrica para volver a las incómodas y peligrosas lámparas de gas. Estaba allí para trabajar, después ya se desquitaría hablando largo y tendido de la racanería de James.

Se quitó la chaqueta de punto, pues por lo visto su anfitrión, que a saber cuándo haría acto de presencia, no abría las ventanas en verano para refrescarse.

No se oía ningún ruido, si acaso el ocasional petardeo de algún vehículo que pasaba por la calle, por lo que se empezó a inquietar.

¿Era alguna especie de táctica desconocida por ella y utilizada por los abogados para desconcertar?

A saber, porque de esa mente retorcida cabía esperar cualquier cosa.

Se fijó en los objetos que descansaban sobre la superficie de madera, los cuales prefirió no tocar. Pasó la mano y aunque no se veía con claridad, quedaba claro que era una exquisita pieza de fina marquetería.

Sí, desde luego tenía gustos caros. Pero eso no es un defecto, pensó ella, en todo caso un problema si no ganas lo suficiente, nada más.

No iba a ponerse nerviosa ni a perder la calma por mucho que él se empeñara en enrarecer el ambiente. No, de ninguna manera. Esperaría, y si su anfitrión tardaba más de lo razonable… ya vería cómo reprochárselo en otra ocasión.

De repente, notó una presencia a su espalda y quiso darse la vuelta. Sin embargo, se dio cuenta de un hecho importante: el mueble bloqueaba por delante cualquier intento de distanciarse por lo que se movió hacia atrás, esperando poder maniobrar. Aun así fracasó, pues quien quiera que fuese el maleducado que la estaba arrinconando, no se apartó.

Los documentos seguían bien sujetos contra el pecho. Inhaló profundamente antes de hablar, pues, a pesar de estar enfadada, primero iba a intentar la vía diplomática.

—Llegas tarde.

Samantha, que iba a pedir educadamente un poco de espacio, no pudo abrir la boca pues una mano la amordazó, dejándola aún más confusa.

Abrió los ojos como platos, pero tampoco iba a ver mucho más.

—No tolero la falta de puntualidad.

¿Pero a qué estaba jugando James?

Conocía su voz, su desquiciante voz de sabelotodo, para ser exactos.

—Y tu comportamiento tendrá consecuencias, no lo dudes.

Pero ahora su voz estaba teñida de algo diferente. ¿Estaría borracho?

Era bien sabido que muchos hombres sabían llevar una doble vida: perfectos caballeros en público y horribles ciudadanos en privado. Sabía que este no era el caso, James siempre resultaba despreciable. Y si a sus censurables y conocidos defectos había que sumar el de la afición por la bebida… tampoco debería sorprenderse por ello.

Samantha emitió un sonido indeterminado al notar cómo algo, y no quería pensar en ese momento qué podía ser, presionaba la parte baja de su espalda.

Harta de todo ese juego se revolvió intentando darse la vuelta y decirle cuatro cositas bien dichas.

—Quieta —dijo él pegado a su oreja sin liberar su boca—. Te va a dar igual; digas lo que digas, no vas a obtener lo que quieras hasta que yo lo decida. ¿Queda claro?

Ella quiso decir: «¡Vete a freír espárragos!» Pero al tener la boca tapada a saber qué entendió él.

—Tenías unas sencillas instrucciones, pero al parecer has optado por contradecirme. Eh, chica mala. —Se frotó descaradamente contra el trasero de ella provocándola—. Quiero ser bueno contigo pero me obligas a disciplinarte.

Ella, que empezaba a pensar que estaba en una especie de pesadilla, intentó de nuevo hablar, pero nada coherente salía de su boca.

De repente notó como con la otra mano él rodeaba su pecho derecho, apretando y soltando. ¡Eso no podía consentirlo!

Sus ininteligibles protestas fueron malinterpretadas.

—No seas impaciente. —Dejó de manosearla de forma brusca para buscar la abertura de su blusa e ir directamente a encontrarse con el pezón.

No podía creerlo. ¿Cómo había caído tan bajo? Intentar seducirla era la última canallada que esperaba de una larga lista de atrocidades que James podía llegar a cometer, con tal de salirse con la suya.

Pero qué bien ponía en práctica sus canalladas.

—Siento cómo tu cuerpo me responde —continuó susurrando en su oído—, cómo, sin palabras, me vas pidiendo más.

—Pellizcó con fuerza para después dejar libre el pezón, duro en respuesta, y mover la mano hasta la unión entre sus muslos, por encima de la falda—. Estoy seguro de que ya notas la humedad. —Presionó con la palma de la mano—. Pero te lo daré cuando lo estime conveniente.

Ella farfulló algo en protesta, pero seguía sin poder vocalizar una palabra.

—Sé que estás caliente —prosiguió él sin dejar de presionar entre sus piernas—, pero no te lo has ganado.

Abandonó la unión entre sus muslos para, sin ningún miramiento, posarla en la parte delantera de su pierna y arrastrar la falda hacia arriba, dejando la piel al descubierto hasta llegar a las ligas que sujetaban la media. Tiró de ellas, seguramente rompiéndolas, y la media, ahora sin sujeción, quedó enredada a la altura de la rodilla.

—Voy a hacer cuanto quiera contigo, con tu cuerpo. Y no pondrás ninguna objeción —prometió dando muestras de esa prepotencia tan característica y tan insoportable de él.

Ahora que su muslo estaba desnudo, la acariciaba con más precisión y con más peligro, pues se encontraba a escasos centímetros de su ropa interior.

Volvió de nuevo a intentar liberarse, apretó las piernas, queriendo así evitar que él posara la mano donde nadie antes lo había hecho. Aunque las caricias desconocidas estaban haciéndola flaquear, pues, si bien eran impuestas, no resultaban desagradables. Más bien todo lo contrario.

Pero ni loca iba a permitirle tales libertades.

—Disfrutaré viendo cómo suplicas, cómo juego con cada uno de los orificios de tu cuerpo, únicamente por y para mi placer.

Samantha ya no podía abrir más los ojos ante lo que estaba oyendo, ante lo que estaba sintiendo, especialmente por la mano de él apartando su ropa interior de seda.

Dio un respingo cuando él apartó la seda y rozó su vello púbico.

—Mmmm, esto yo no lo recordaba tan frondoso —dijo él con voz ronca—. ¿Querías sorprenderme?

Ella no dijo nada, no podía hablar, y el motivo no era que siguiera amordazada.

Pero por lo visto Samantha no iba a salir de su asombro en mucho tiempo, porque él no se conformaba con acariciar su pubis. Sin ningún tipo de restricción separó sus labios vaginales y la penetró con un dedo.

—Estás húmeda, querida. ¿Cuánto tiempo aguantarás sin rogarme que te folle? ¿Sin pedirme de rodillas que acabe con tu agonía?

Samantha gimió con fuerza. Sorprendiéndose por lo que estaba oyendo, pero mucho más estupefacta por cómo su cuerpo iba respondiendo.

—Estoy pensando que quizá, para compensarme, deberías hacerme una buena mamada, de rodillas, con las manos a la espalda, para que no caigas en la tentación de tocarte. —Ya no la penetraba con un dedo, sino con dos—. ¿Con esto es suficiente? —Como ella se revolvía inquieta presionó aún más con su cuerpo para que ella se mantuviera quieta—. Sé lo que necesitas, pero vas a tener que esforzarte mucho más para lograrlo, querida. Me conoces perfectamente y aunque ronronees como una gata en celo no vas a hacerme cambiar de opinión —explicó en tono de burla.

Ella, de haber podido, le hubiese respondido, no con palabras, sino con dos guantazos bien dados. Por engreído.

De repente sacó los dos dedos de su interior dejándola desconcertada, húmeda y aún sin haber recuperado su capacidad de hablar.

Sin embargo, a este paso ella dudaba de que pudiera hacerlo. James levantó su falda, le bajó las bragas hasta medio muslo y palmeó su culo haciéndola gritar.

—Tranquila. —Otra palmada para acompañar a la primera—. Esto no ha hecho más que empezar. —Seguía con ese tono de burla.

Con el tercer azote Samantha no pudo más.

James se quedó inmóvil al oír como algo caía al suelo, junto a sus pies. Soltó a la mujer, que inmediatamente se agachó a coger lo que fuera que había tirado.

Algo no cuadraba.

Dejándola de cualquier manera, se separó de ella y, caminando en penumbra, llegó junto a la puerta.

Buscó el interruptor de la luz situado al lado de la jamba de la puerta y, cuando se iluminó la estancia, se quedó de piedra.

Esa no era Mary Kate Robson. En primer lugar, la mujer que recogía frenéticamente un montón de documentos esparcidos por el suelo era castaña, y no rubia, y vestía de modo conservador.

Se fijó en la media que le había soltado, enrollada sobre su tobillo, y observó cómo seguía con la respiración alterada.

Le daba la espalda, así que no podía saber de quién se trataba con exactitud. Pero estaba claro que no era su cita de esa noche.

No apartó la mirada de la visita inesperada. Se pasó la mano por el pelo, despeinándose. Por la cara, intentando descubrir quién estaba allí y por qué.

No conseguía averiguarlo.

Pero algo le llamó la atención, los documentos que ella guardaba. En todas las hojas se vislumbraba un escudo, un logotipo que él conocía demasiado bien.

La mujer se puso en pie con la carpeta en la mano, se dio la vuelta y lo miró como si fuera la primera vez que coincidían.

Capítulo 7

Ella tiene la sartén por el mango

Si en ese momento el corazón no se le paró ya nada podría hacerlo.

Allí estaba Samantha, mirándole como si fuera poco menos que un monstruo de siete cabezas, con la respiración agitada y colorada como un tomate maduro. Intentando en vano asimilar todo cuanto acababa de oír.

Y él... Él era otra estampa, vestido únicamente con unos pantalones y la camisa medio desabrochada; no podía hacer nada para disimular su abultada erección, pero, llegado el caso, eso sería lo de menos. Lo relevante del momento era que había metido la pata hasta el fondo.

Y para más inri, con la hija de su jefe.

Debía encontrar la forma de minimizar el desastre y salir de esa incómoda situación con más o menos soltura.

Se aclaró la garganta antes de hablar.

Le iba a costar Dios y ayuda salir de este embrollo.

—Esto ha sido un desafortunado error —comenzó él tras aclararse la voz.

Ella siguió callada, lo cual no era buena señal.

Samantha mantenía en todo momento la mirada afilada sobre él.

No, definitivamente no iba a ser fácil.

—Un malentendido —dijo intentándolo de nuevo.

Eso era evidente.

Ella permaneció igual.

James, que normalmente no tenía mayores problemas para

expresarse, dudaba en ese momento de su capacidad de oratoria. Estaba en serios problemas, bien jodido, y Samantha iba a aprovecharse.

—No era mi intención…

Por supuesto que no era su intención meter mano y manosear a la hija del jefe.

¡Por favor! Hasta le molestaba la sola mención de esa posibilidad.

¿Cuántas veces había fantaseado con tenerla en su cama?

Ninguna, esa era la verdad. Sin embargo, allí la tenía, evidentemente excitada, ¡como para no saberlo!

Tenía que encontrar algo jodidamente bueno para que ella pasara este incidente por alto. Tenía que existir una posibilidad. Puede que fuera su caída en desgracia, pero antes de quemar todos los cartuchos siempre podía intentar negociar.

—Me gustaría pedirte disculpas por mi comportamiento. —Hasta él mismo se sorprendió de lo sincero que sonaba—. No te esperaba y… —Mal, así no; ella no tenía la culpa de nada, se reprendió a sí mismo. Por una vez, y sin que sirviera de precedente, se mostraría en primer lugar humilde, y en segundo lugar, dispuesto a asumir toda la responsabilidad de los hechos. De todas formas, siendo objetivo, ella no había hecho nada.

Aunque más tarde averiguaría por qué demonios estaba Samantha en su casa, en esa habitación en concreto y a esas horas. Puede que la remilgada hija del jefe quisiera meter las narices donde no debía, pero en esos instantes, en lo que a meter la pata se refería, él se había llevado el primer premio.

Iba por mal camino, ella seguía callada y eso aumentaba su nerviosismo. En cualquier otra circunstancia ya hubiera empezado el ataque verbal.

Pensó en arrastrarse directamente y en no darle más vueltas.

—Si hay algo que esté en mi mano para que olvidemos este asunto, no tienes más que pedírmelo.

Ya estaba, se lo dejaba en bandeja.

Intentar que ella aceptara sus disculpas sin más estaba claro que era echar margaritas a los cerdos. Y siendo como era un negociador hábil, en este caso sabía que dejar que ella expusiera sus condiciones sería lo más rentable.

Ya vería luego la forma de cumplirlas, si resultaban admisibles, o de rebajar sus peticiones si eran inaceptables.

Samantha había conseguido respirar con algo más de normalidad y escuchaba atentamente cuanto él decía, pero era difícil pasar por alto todas las insinuaciones del abogado.

Nadie antes se había atrevido a tanto.

Ella tardó demasiado en responder, y le estaba desesperando.

—Sí, hay algo —dijo al fin.

—Tú dirás. —Iba a arrojarle directamente a los leones, estaba seguro.

Ella le miró, después se dio la vuelta para depositar en la consola la carpeta con los documentos revueltos. De nuevo frente a él, respiró profundamente.

A James no le gustó nada ver esa expresión, ahora ella iba a rematarle.

—Quiero que cumplas todas y cada una de tus amenazas.

—¿Perdón?

—Me has oído perfectamente.

—Estás bromeando.

Ella negó con la cabeza.

—Eso es… imposible.

—¿Por qué?

¡Maldita sea! Iba a acabar con él. Se supone que debía hacerle olvidar sus insinuaciones y sus toqueteos, no follársela. Además, Samantha no era lo que se dice su ideal de mujer.

A esto último se puede hacer una excepción. En peores plazas había lidiado, pero siempre sería la hija del jefe; eso nunca podía pasarse por alto.

Estaba tramando algo, quizás era una forma de finiquitarle. Ella no era así, tenía una corte de pasmarotes a su alrededor, a cada cual más estúpido. Era obvio que a ella no le iban las mismas perversiones que a él.

¿O sí?

Ese pensamiento reavivó su excitación. ¿Samantha Boston en su cama?

Y, lo que era más desconcertante aún, ¿a su manera?

Esto era un sueño, una pesadilla para ser exactos. No estaba oyendo bien, quizá tantas horas de trabajo acababan por pasarle factura.

Pero, por lo visto, su cuerpo había entendido, y de qué manera, la propuesta de ella. Así que marear la perdiz era torturarse inútilmente, y llegados a este punto, quien torturaba en estos casos era él.

—De acuerdo —aceptó al fin, dudando seriamente de su propia cordura por aceptar algo semejante. Pero estaba claro que no estaba pensando con la cabeza adecuada.

Al día siguiente por la mañana estaría dándose cabezazos contra la pared por haber sido un estúpido e insensato de proporciones bíblicas. De eso estaba seguro.

Pero que no esperase delicadeza, sería todo lo desagradable que pudiera. Con un poco de suerte ella misma se subiría la media caída que le estaba creando toda una serie de imaginativas propuestas y le dejaría a solas.

Hizo un gesto, para nada educado, indicando que le acompañara hasta la cama.

—Date la vuelta —ordenó bruscamente.

Bien podía ser desagradable sin mirarla a la cara.

Sin demasiados miramientos empezó a desabrocharle la blusa y a desnudarla de cintura para arriba. Las prendas interiores también fueron arrancadas de forma expeditiva.

No dijo nada al tocar la delicada seda de la combinación, ya se había dado cuenta de la calidad del tejido cuando le puso la mano entre las piernas.

Iba a darle lo que quería. Samantha no sabía dónde se había metido, pero lo iba a averiguar enseguida.

La rodeó con sus brazos hasta posar ambas manos sobre sus pechos.

La oyó inspirar con fuerza.

Después, y de forma poco delicada, empezó a tironear de sus pezones, consiguiendo la reacción inmediata y esperada.

Ella volvió a coger aire.

—¿Te hago daño? —inquirió siguiendo con su tono brusco. Quería que todo ese capítulo fuera lo más impersonal posible.

Le daba lo mismo, pero el silencio constante de ella le estaba torturando.

—No —murmuró ella sin saber muy bien qué responder.

¿Dolor? Bien podía serlo pero no lo podía asegurar al cien por cien. De momento optó por darle el beneficio de la duda. Ver adónde llegaba. Desde luego, si con cuatro frases dichas en tono imperativo y un manoseo rápido había conseguido llevarla a este punto...

—Joder —siseó entre dientes.

Y para su sorpresa se reclinó sobre él, dejándole bien claro que siguiese, a la par que echaba las manos hacia atrás para agarrarse a sus muslos, clavándole las uñas.

Él, ante ese contacto inesperado, también inhaló sonoramente.

De acuerdo, ella le había descolocado, pero aún podía llevar la voz de mando.

Dejó solo una mano masajeándola en la parte superior para ir descendiendo con la otra, sintiendo bajo su palma la suavidad de la piel femenina.

Ella se agarró con más fuerza a sus piernas, arqueándose aún más para que sus pechos sobresaliesen como nunca.

James tironeó de su falda hasta hacerla caer, por lo que ella quedó tan solo con el liguero sujetando una única media.

Y puede que Samantha jamás hubiera ocupado sus fantasías, pero el cuerpo que ahora tenía delante era muy distinto.

Pese a que por desgracia, e influenciadas por la moda, muchas mujeres recurrían a atuendos más bien masculinos, Samantha no, y eso era de agradecer.

Aunque eso le supusiera un grave conflicto de intereses, no quería que le gustase nada de ella.

Nada.

Dejó el más que duro pezón para con ambas manos apartarla, agarrándola de las muñecas y evitando que ella le clavase, aún más, las uñas.

La cama del cuarto de invitados donde siempre recibía a sus amantes estaba a escasos dos pasos y la empujó hacia delante.

—¡¿Qué...?! —comenzó ella, pero a los tres segundos James estaba encima aplastándola.

Bueno, eso no era desagradable, pues sus manos empezaron a recorrer la línea de su columna vertebral hasta la parte baja de la espalda.

—Aún no tienes el trasero lo suficientemente colorado —sentenció él.

Evidentemente, esa afirmación fue seguida del correspondiente azote, al cual le siguieron tres más, para salir de dudas.

Picaba, cómo picaba, pero también se sentía muy excitada y Samantha notaba cada vez más húmeda su zona genital. No estaba muy segura de dónde iba a llegar pero por instinto se frotó contra el cobertor de la cama, aliviándose un poco.

—Ni se te ocurra —ordenó él—. No vas a correrte. Estás aquí para mi uso y disfrute. ¿Recuerdas?

Otra cosa bien distinta era que él aguantase, pues la escenita de autosatisfacción que le había regalado le estaba mortificando.

Quizá debería dejarse de tanta tontería e ir directamente al grano. Ella dejaba claro con su actitud que no ponía impedimentos a sus avances.

No, de ninguna manera; tenía entre sus manos —bonita paradoja— una oportunidad única e irrepetible.

Y no solo eso; tenía bajo sus manos una piel suave, delicada, como hacía mucho que no tocaba, por lo que pese a su idea inicial de ser lo más rutinario y desapasionado posible, lo cierto era que cada vez le costaba menos dejarse llevar.

Ella se meneó de nuevo y obtuvo la misma respuesta bajo la mano de James.

—Buen culo —murmuró él acariciándola.

Acto seguido se apartó, un poco, para poder separar sus extremidades y tener mejor acceso.

Introdujo desde atrás la mano por debajo de su cuerpo hasta hallar fácilmente su clítoris, el cual, hinchado, reclamaba atención.

Ella se sacudió en respuesta a esa intromisión pero pasada la sorpresa inicial se dejó hacer.

Y no solo eso, sino que además acompañó el toque con un vaivén de caderas; así aumentaba la fricción.

—Te gusta, ¿eh?

—Sí —respondió con sinceridad pese al tonito de él.

Claro que le gustaba, nunca antes había llegado a ese estado. Muchos hombres la invitaban a salir, a cenar, al teatro, a mil y un eventos, a cual más formal y aburrido, pero ninguno a su cama. Claro que ella tampoco estaba por la labor.

James seguía sin poder creérselo, o mejor dicho, sin entender cómo, a pesar de que su lado lógico rechazaba la idea de tenerla en la cama, desnuda para más señas, su cuerpo no solo reaccionara sino que además estaba impaciente por avanzar.

Por supuesto, él no parecía ser el único.

Capítulo 8

Sin vuelta atrás

A pesar de encontrarse en una postura algo incómoda, y especialmente poco favorecedora, estaba más que ansiosa por soportar todas las amenazas de James.

¿Quién lo hubiera imaginado?

¿Cómo podía estar tan loca?

Sonrió contra la arrugada colcha y movió un poco el trasero. Era la primera lección aprendida. La ley de la causa y efecto.

La respuesta de él fue inmediata.

—Por mucho que lo pidas te follaré cuando yo quiera.

—Otra cosa era que la expresión «cuando yo quiera» significase exactamente eso, pues su control iba descendiendo en picado.

Detestaba ser él, precisamente él, quien en ese instante pareciese un inexperto a la hora de manejar la situación.

Para poder seguir llevando los pantalones en esa extraña relación decidió desabrochárselos para conseguir así soportar mejor la presión constante sobre su pene, que por lo visto iba por libre, buscando sin obedecer a nadie el camino natural.

Metió de nuevo la mano entre sus piernas; estaba más que preparada para penetrarla, pero decidió jugar un poco más, insertando sus dedos, evitando deliberadamente el clítoris y sujetándola con la otra mano en la parte baja de la espalda para que se estuviera quieta. Y porque además, ese trasero estaba pidiendo a gritos algo más que la simple observación.

Extendió esa mano de tal forma que su dedo meñique resbaló entre sus glúteos buscado otro de esos orificios en los que pensaba entretenerse.

Ella levantó inmediatamente el culo ante esa intromisión.

—¡No! —jadeó.

—¿No? —preguntó él a su vez con un deje de humor—. Me parece que no estás en disposición de exigir nada... —Y después añadió en tono despectivo—: Querida.

Dicho esto presionó de nuevo y ella aceptó esa invasión. Quizá se había lanzado a la piscina sin saber la profundidad, porque en ese momento empezó a dudar.

Pero... ¿qué sabía ella de estas cosas?

¿Debía protestar ante el tono marcadamente despectivo con el que pronunciaba «querida»?

James sonrió. Vaya con la señorita Boston. Estaba resultando ser toda una caja de sorpresas. Por lo visto también llevaba una doble vida, pues su protesta, poco efusiva, le dejaba claro que estaba disfrutando.

La situación se estaba poniendo la mar de interesante.

Sacó los dedos empapados y se inclinó hacia delante colocándoselos frente a la cara y moviéndolos para que los fluidos femeninos se deslizasen entre sus yemas.

—Te estás deshaciendo, querida; tienes el coño mojado.

Ella no podía rebatir nada a esa afirmación. Estaba demasiado sorprendida, y no solo por las reacciones de su cuerpo sino por ante quién reaccionaba.

No entendía muy bien todo cuanto le estaba pasando, pues hasta la fecha Samantha no tenía esa clase de inquietudes. Pero bienvenidas sean, pensó, si es que lo que le pasaba por la cabeza podía llamarse pensar.

James decidió que ya era hora de desnudarse. A pesar de todos sus intentos por mantenerse distante sin éxito, quería estar piel con piel, no solamente bajo el tacto de sus manos, sino con todo su cuerpo.

Se apartó momentáneamente de ella para desprenderse de los pantalones y la camisa, y ella lo observó por encima del hombro. A pesar de su experiencia, James sintió una especie de intranquilidad; no estaba siendo tan desagradable como quería y ella le miraba de una forma curiosa. Por lo visto la remilgada y estirada señorita Boston no lo era tanto.

Quería disimular su impaciencia y su inexperiencia, aunque por ahora James se estaba comportando con bastante tacto, sin dejarla en evidencia por sus carencias. Hasta el momento el balance era claramente positivo, claro que… cuando lo vio totalmente desnudo debió modificar esa primera valoración.

Las cosas solamente podían ir a mejor.

Por fin libre de ropa se acostó de nuevo encima de ella, obligándola a abrir bien las piernas y a estirar los brazos. Ya era tarde como para buscar algo con qué atarla. A continuación, se colocó tras ella y metió la mano bajo su cuerpo con el fin de colocarla a su antojo.

Ella murmuró algo, pero al estar tumbada boca abajo no se entendían sus palabras.

—Levanta el trasero —ordenó.

Disfrutó viéndola obedecer en el acto y, por supuesto, por la panorámica obtenida.

—¿Así?

Al escucharla con esa voz ronca, desconocida para él, casi se puso en evidencia.

—Sí —respondió medio enfadado; aquello no tenía por qué gustarle. Si no se andaba con ojo ella terminaría por controlar la situación. Y eso sí que no.

Ella intentó buscar una postura algo más cómoda, porque así, con el culo en pompa, sentía algo de vergüenza. De hecho, nunca antes nadie había podido observarla en ese estado y de tan cerca.

Claro que… ¿Ella qué sabía al respecto?

Sus amigas casadas no hablaban de estas cosas y tampoco se podía ir preguntando por ahí.

Además, ¿de qué preocuparse? Todo hasta el momento era agradable. Incluyendo los azotes.

Esa debía de ser la parte dolorosa que algunas comentaban en voz baja. Bueno, pues ella ya había superado la parte dolorosa, y no era para tanto.

—Tienes un trasero de lo más prometedor.

—No sabría decirte —fue su sincera respuesta. Quizá debía mostrarse más coqueta y sacar partido a su retaguardia.

James arqueó una ceja ante esa contestació. No parecía mentir, pero no se fiaba; esa mujer ocultaba algo. Pero, llegado el caso, ¿qué mujer no lo hacía?

Buscó de nuevo la unión entre sus muslos para sentir de

nuevo esa humedad que le estaba trastornando, ella no estaba fingiendo. Impregnó sus dedos del lubricante natural antes de ir moviendo la mano hasta atrás de forma que sus fluidos empaparan el ano.

Realizó varias pasadas notando la impaciencia de ella, cada vez más evidente, pues se movía con descaro, lo cual hizo que él la corrigiese en el acto con un buen azote.

—Deberías estar atada de pies y manos —observó él, aunque en ese instante no quisiera, bajo ningún concepto, perder el contacto y dedicarse a buscar algo para cumplir su vana amenaza.

Al oír aquello, Samantha se quedó boquiabierta a la par que intrigada.

¿A eso se referían cuando decían que algunas lo hacían obligadas?

Esta noche iba a recibir un curso completo de relaciones sexuales.

Él necesitaba buscar la manera de controlarse un poco antes de seguir, pero ese culo respingón hacía estragos. Así que se colocó para penetrarla.

Pensó un instante en protegerse, pero desestimó la idea; no imaginaba a Samantha saltando de cama en cama pillando a saber qué enfermedad, y puesto que la posibilidad de dejarla preñada era inexistente, descartó la idea.

Por no hablar de la atrayente idea de montarla a pelo.

Observó cómo ella agarraba las sábanas con fuerza al sentir el primer contacto. Empujó un poco más y ella respondió cogiendo aire; dejó de hacer el tonto y entró hasta el fondo, sujetándola bien de las caderas para quedar bien anclado.

Ella gimió.

Con fuerza.

—¿Era esto lo que querías? —preguntó con cierto aire chulesco retirándose un poco para volver a introducirse con fuerza.

—Sí —respondió a lo tonto.

Si era o no lo que necesita quedaba fuera de cualquier discusión. Al fin y al cabo ella no podía asegurarlo con exactitud.

Lo que sí podía hacer era moverse, pues cada vez que se contoneaba su zona genital recibía mayor estimulación.

Claro que las palmadas de James en su trasero ayudaban bastante.

Probablemente a la mañana siguiente notaría las secuelas, pero en esos momentos ese aspecto carecía de importancia.

—Joder —siseó él entre dientes; la cosa estaba resultando mucho mejor de lo que esperaba—. Tranquila, esto no ha hecho más que empezar —dijo, aunque en el fondo era más para sí mismo, pues tal y como estaban las cosas no duraría mucho más.

De nuevo buscó entre sus piernas y tanteó con los dedos en su coño húmedo hasta dar con su clítoris. Lo acarició, primero con un ligera presión para después golpearlo con una serie de palmaditas rápidas, muy efectivas a juzgar por los gemidos de ella, algunos amortiguados contra el colchón.

—Eso es. —James no dejaba de espolearla, como si de un caballo de carreras se tratara.

Ella acertó a decir una única palabra:

—Más —suplicó sin saber con exactitud hasta dónde podía conducirla su comportamiento del todo irresponsable y del todo contraproducente. James no era un hombre manejable y quizá se estaba metiendo en un jardín con demasiadas espinas. Sin embargo, por alguna razón inexplicable, no era capaz de negarse, aun sabiendo que él se estaba comportando como un cretino, no por lo que le hacía a su cuerpo sino por su actitud, como si quisiera evitar mirarla a la cara. Pero era lo suficientemente fuerte como para asumir las consecuencias de su decisión, por lo que solo pensó en disfrutar del momento y olvidarse de todo lo demás.

—¿Más? —repitió él sin dejar de moverse.

—Por favor…

Y a él le encantó su petición.

¿Para qué iba a negarlo?

Follarse a la, hasta ahora, remilgada Samantha estaba resultando de lo más satisfactorio.

Siguió embistiéndola de forma constante; el sonido de piel chocando contra piel era lo único que acompañaba a los gemidos de ambos. Seguía golpeando su clítoris y, de haber previsto este desenlace al principio de la noche, se habría provisto de alguno de los falos de imitación con los que podría penetrar ese tentador trasero que se movía al ritmo de sus vaivenes.

Ella no daba crédito a todo cuanto estaba sintiendo, no le daba tiempo a asimilar cada una de las reacciones desconocidas de su propio cuerpo. Y, ya puestos, debería incluso sentirse abochornada por lo que estaba haciendo.

Sin embargo, en esos momentos, en lo que menos pensaba su mente era en separar el bien del mal.

Puede que fuera una inexperta pero su instinto funcionaba a la perfección. Se estaba acercando a algo decididamente excelente.

Se agarró con más fuerza a las sábanas arrugadas y húmedas para intentar contener un grito. Aquello que estaba experimentado era único, por lo que tras intentar ahogar su voz sin éxito, gimió estrepitosamente sin importarle ya nada.

Se había entregado a él, al hombre menos indicado, sin ningún tipo de reservas.

Y ya no fue consciente de nada más.

Capítulo 9

Asumir las consecuencias

*B*ostezó y se estiró en la cama, notando cómo su cuerpo se despertaba. Parpadeó antes de abrir definitivamente los ojos y de repente fue consciente de un hecho, en realidad de varias cosas simultáneamente.

Primero, ¿dónde estaba su fino camisón veraniego? Porque ella nunca dormía desnuda. Segundo, esa no era su alcoba. Y, tercero, y no por ello menos importante, ¿por qué se sentía diferente?

Cerró los ojos, contó hasta diez, con la vaga esperanza de que todo fuera un sueño, pero la realidad seguía ahí.

Y entonces, de repente, fue consciente de lo acontecido la noche anterior, otro hecho que debía asumir.

¿Era ahora cuando aparecían los vestigios de vergüenza?

Porque ella, aun esperándolos, no los sintió.

Porque, inconscientemente o no (eso ya lo analizaría más tarde), se había dejado llevar.

Aunque, si se paraba a pensar…

—Vaya forma de perder la virginidad —murmuró bajito para sí.

Después sonrió como una tonta, relajándose entre las sábanas y dejó de preocuparse para recrear en su cabeza todo lo acontecido. Cerrando los ojos, disfrutando de los recuerdos, tan recientes que se excitó de nuevo.

El chasquido de la cerradura al abrirse hizo que bajara de las nubes para caer de forma abrupta, pues ni más ni menos que el mayordomo antipático entraba en la habitación empujando un carrito con lo que parecía el desayuno.

La miró como si fuera un mueble más; evidentemente estaba más que acostumbrado a ver mujeres desnudas tras pasar la noche con su patrón, supuso. Sin embargo, ella no estaba habituada a que desconocidos la vieran en la cama tapada únicamente con una sábana, muy suave, eso sí.

—Gracias, Johnson, puedes retirarte.

James entró en la alcoba, y tras apartarse para que su mayordomo saliera, no se molestó en cerrar la puerta.

Ella empezó a preocuparse. Había suficiente luz en el cuarto como para verse las caras. Por lo visto, debía tener la culpabilidad y el arrepentimiento pintados en la cara porque él la miraba sin decir nada.

Eso no le gustó nada.

—Desayuna, por favor —dijo él acercando el carrito del desayuno hasta el borde de la cama.

Después se situó junto a la ventana, y sin preocuparse por nada, apartó completamente los visillos, haciendo que entrara más luz y de paso haciéndola sentir más incómoda.

Samantha, agarrando la sábana como si le fuera la vida en ello, intentó maniobrar para, y no en ese orden, servirse un café, no derramarlo, evitar quemarse y no enseñar más de lo necesario.

Él pareció entender su apuro y sin decir palabra llenó una taza, se la acercó y volvió a retirarse.

—Gracias —masculló. Y ya puestos podría haber acercado uno de esos bollos que tenían tan buena pinta, pero no dijo nada.

Mientras daba pequeños sorbos al café, que por cierto estaba como ella lo tomaba habitualmente, le observó. Ahora sí tenía en frente al James de siempre, controlado, sereno, reflexivo… Solo le faltaba el traje de corte impecable, aunque tampoco estaba nada mal así, tan solo con el pantalón y la camisa.

Retrepó en la cama para apoyarse tranquilamente en el cabecero, disimuló al sentir el frío del latón contra su espalda y siguió con la taza entre las manos examinando al abogado.

Evidentemente venía de darse un baño y afeitarse, ya que olía al típico jabón masculino y tenía el cabello húmedo. Tampoco hacía falta ser un sabueso para deducirlo.

Consiguió dejar la taza de nuevo en el carrito y hacerse con uno de esos bollos. Empezó a comérselo a pellizquitos y esperó pacientemente a que él hablara.

Se moría de ganas por saber qué tenía él que decir.

—¿Has acabado? —Ella asintió—. Bien.

James apartó el desayuno y se mantuvo prudencialmente distante, no estaba acostumbrado a dar explicaciones a sus amantes. De hecho, esta iba a ser la primera vez. Se sentía obligado a ello, por extraño que le resultara.

—Lo ocurrido aquí, anoche, es algo que debemos olvidar, para el buen funcionamiento de las cosas —comenzó él—. Es evidente que ambos nos... dejamos llevar. —Unos más que otros, pensó—. No debe volver a repetirse.

—¿Dónde está mi ropa? —preguntó ella desconcertándole, por lo visto no le estaba prestando atención.

—Enseguida te la traerán —aseveró él, impaciente por pasar este trámite—. Como iba diciendo, nadie tiene por qué saber lo que ha pasado. Seremos discretos y...

—¿Qué hora es? —le interrumpió ella.

James inspiró para no perder la calma. ¿Tan difícil era prestarle un poquito de atención?

—Las ocho pasadas. No te preocupes.

Samantha se recolocó de nuevo la sábana. No tenía ganas de escuchar el discursito de él.

—Necesito ir a casa cuanto antes.

—Me ocuparé de ello. —Ella miró a otro lado evidenciando que no le escuchaba—. Esto es importante, Samantha —dijo, con un tono algo tenso. Entonces ella le miró—. Quiero dejar bien claro que esto no debe volver a repetirse. Bajo ninguna circunstancia.

«¿Quién te ha pedido explicaciones, abogado pomposo y engreído?», pensó ella, pero dijo:

—¿Puedes servirme otro café?

Evidentemente él no opuso reparos a su sugerencia.

Quería quitarse de encima cuanto antes la posibilidad de que ella le recriminara algo o le dedicara una rabieta de niña malcriada. Pero por lo visto ella no estaba por la labor de mantener una conversación medianamente aceptable.

—Samantha, debemos afrontar los hechos. Anoche... tú... bueno, los dos, perdimos un poco el norte.

«Te repites», pensó ella.

—¿Y?

—Quiero que todo quede bien claro. En ningún momento pensé que las cosas se descontrolarían de tal forma. Fue un error y me gustaría pasar página lo antes posible.

«Y a mí estamparte la taza de café, con el líquido hirviendo, lógicamente, contra tu bonita cara.»

«Estúpido.»

Samantha hubiera preferido mil veces un: «Buenos días, ¿estás bien?». Es decir, un comportamiento natural. Al fin y al cabo era él quien estaba acostumbrado a esos menesteres ya que ella no tenía experiencia. Sin embargo, el estirado de James siempre optaba por enredar el asunto.

Pasar página, ¿eh? Esas habían sido sus palabras.

Ella, de no haber escuchado ese ridículo intento de salirse por la tangente, se habría limitado a vestirse y no mirar atrás, pero ahora él merecía un poco de su propia medicina.

Bien, solo tenía una carta a la que apostar.

Podría darse un batacazo y salir escaldada.

Pero la posibilidad de darle dónde más le doliera era demasiado atractiva como para dejarlo pasar.

Terminó el bollito y apartó delicadamente las migas de la cama. Como una señorita bien educada.

Después puso una almohada en la espalda para estar más cómoda y sin dejar de mirarle apartó la sábana en un solo y rápido movimiento.

Disimuló su alegría al notar como él dirigía la mirada a su cuerpo desnudo.

«Bien, bien, bien. Eso no te lo esperabas, ¿verdad?»

Pareció recuperarse. Evidentemente ver mujeres desnudas no debía representar ninguna novedad para él.

Bueno, puede que fuera cierto, pensó ella, y para comprobar hasta qué punto estaba acostumbrado al cuerpo femenino al desnudo separó las piernas, abriéndolas en una clara invitación al examen más detallado.

Le oyó inspirar con fuerza.

Permaneció quieta, como la araña espera a su presa tras tejer la telaraña. Puede que al final él terminara riéndose a carcajadas de ella, pero podría superarlo.

Él seguía con la vista clavada en su entrepierna, y ella decidió que era el momento justo de acelerar las cosas.

De forma casual deslizó su dedo índice hasta el ombligo donde empezó a hacer círculos, distraídamente, como para pasar el rato.

Le oyó volver a inspirar; al parecer no se esperaba algo así.

Caminó hasta sentarse a los pies de la cama y por fin la miró a la cara.

Después, con cara de desagradado, se sentó, rodeó ambos tobillos con sus manos y separó aún más sus piernas.

Samantha se sorprendió, no por la brusquedad, sino por lo fácil que había sido. Estaba matando moscas a cañonazos. Hubiera deseado un poquito más de resistencia por parte de él.

—No soy de los que mantengo relaciones estables, ni mucho menos de los que se casan —dijo él al fin.

«Puede que no, reflexionó ella, pero no me quitas ojo de encima.» Aguantó la sonrisa.

—Entiendo.

—No suelo repetir con ninguna mujer. —Eso era una verdad a medias.

Ahora quien cogió aire con fuerza fue ella al notar cómo un dedo explorador empezaba a recorrer sus labios vaginales, separándoselos; ya estaba húmeda, no era de extrañar.

—Pero, y en vista de tu ofrecimiento —continuó él con ese aire de superioridad que la enfermaba—, puedo hacer una excepción.

Dicho esto la penetró, bruscamente, con dos dedos, haciéndola jadear.

—Ya veo —murmuró ella a falta de algo mejor que decir.

—Siempre y cuando… —Se desabrochó los pantalones, pues necesitaba espacio para su erección—. Respetemos unas sencillas reglas.

Ya estamos, pensó ella, intentando conciliar la imagen de James frente a ella, excitado y tocándola, con el otro James, el engreído, el correcto, que se empeñaba en imponer normas a diestro y siniestro.

—Tú dirás. —Llegado el caso siempre podría mandarle a paseo, pero se moría de curiosidad por saber qué tonterías tenía en mente.

—Son unas sencillas normas… —Le estaba costando Dios y ayuda mantener su discurso. ¿Qué demonios tenía Samantha para hacerle caer de esa forma?—. Primero, nos veremos dos noches a la semana. Aquí, y cuando digo aquí me refiero en este dormitorio. Te las arreglarás para pasar la noche fuera de tu casa sin levantar sospechas.

—De acuerdo —aceptó sin ser sincera del todo.

—Segundo, no esperes nada más de mí. Ni regalos, ni flores, ni invitaciones a cenar o a actos públicos. No habrá veladas románticas a la luz de la luna.

«¿Y quién te lo ha pedido?» Pero en ese momento discutir con él era, además de absurdo, una pérdida de tiempo. Le había visto liberarse de sus pantalones y ahora solo deseaba que volviera a tratarla como anoche. Sin estúpidas reglas.

—Bien. Supongo que la cena estará incluida.

Él pasó por alto la estúpida sugerencia.

—Y por último… —James se apartó de ella para desnudarse completamente—. Cuando decidamos poner el punto y final será sin reproches, sin salidas de tono. Ni arrebatos de celos, recriminaciones ni escenas parecidas. Si me aburres, te lo diré.

—¿Y si soy yo quien desea dejarlo?

Él, por primera vez, le dedicó una sonrisa, no de esas cínicas a las que estaba acostumbrada, sino una de esas que te hacen temblar, una de esas que te prometen casi el cielo.

—Mientras seas educada, por mí no hay problema —respondió él.

Y ella fue consciente de que dudaba de esa posibilidad. Pero torres más altas habían caído, pensó ella.

—¿Alguna otra cosa más?

—Fuera de estas cuatro paredes… —mientras hablaba tiró de ella para acostarla y situarse encima— nos comportaremos como hasta ahora. Nada de lo que ocurra aquí influirá en mi comportamiento profesional.

—Para eso nuestra cocinera tiene un refrán muy acertado: donde tengas la olla no metas la polla.

Él arqueó la ceja ante ese comentario tan vulgar como cierto. Bien, no eran sus palabras, pero ella lo había entendido a la perfección.

—Y, por supuesto, si decido mantener relaciones con alguna otra tú no pondrás objeción.

—¿Las reglas son para ambos?

—Sí.

—Trato hecho. —Le tendió la mano y él dudo unos segundos en aceptar.

¿Dónde se estaba metiendo?

Él sonrió de nuevo y estrechó su mano, sellando así su acuerdo. Quizá se había excedido en la forma de plantearle a Samantha las condiciones, pero si algo se aprende a lo largo del camino es a mantener a raya a las amantes para evitar futuros disgustos.

Una vez sellado el pacto se dispuso a encargarse de la parte buena, es decir, del sexo.

Tumbándose encima de ella y acomodándose entre sus muslos, la miró un instante, como si aún no se creyera a quién iba a follarse. Ya no podía valer la excusa de pillarle desprevenido, como la noche anterior, ahora se suponía que lo tenía todo atado y bien atado, pero...

Cuando estaba a punto de penetrarla pensó en el remate de su discurso.

—Una cosa más —dijo apartándose para que ella le prestara atención. De paso, para asegurarse, deslizó la mano entre ambos cuerpos y acarició su vello púbico.

—¿Sí? —Era evidente que no estaba a favor del diálogo en esos instantes.

—Había olvidado mencionar que... —jugueteó con los rizos de su coño— soy partidario de su eliminación.

—Me ocuparé de ello —aseveró visiblemente enojada.

—No. Eso es cosa mía.

Dicho esto, por fin, se decidió a penetrarla como era debido.

Pero...

—Un momento —le interrumpió—. ¿Qué pasa con los documentos que...?

—No hemos empezado todavía y ya estás rompiendo las reglas.

«Pedante.»

—Es importante.

—Por ser la primera vez, y sin que sirva de precedente, lo pasaré por alto. —Sabía que ella esperaba otra respuesta pero bien podía menearse un poco, hacerla jadear y después responder sin evasivas—. Me ocupé de ellos a primera hora.

Samantha no volvió a interrumpir.

Capítulo 10

La vida sigue igual

$\mathcal{A}$lgo más cansada de lo habitual y tras conseguir llegar a su casa, bañarse, cambiarse de ropa, evitar a sus padres y a su hermana menor, desayunar (otra vez) pues estaba famélica y acudir a su trabajo, Samantha se sentó a la gran mesa del despacho y observó la pila de documentos ordenados.

La reunión de la mañana junto a su padre para adoptar una postura frente a Morrison estaba desarrollándose con normalidad. Un par de veces se sintió observada por James, que rápidamente desviaba la mirada y seguía a lo suyo: dar elocuentes discursos sobre lo que se debe o no hacer.

Armada de paciencia había escuchado sus argumentos, pero, si bien tenía razón, lo que la inquietaba era cuándo había tenido tiempo de estudiar toda la documentación.

—¿Samantha?

—¿Decías? —respondió distraída cuando la llamó su padre.

—¿Crees, entonces, que lo mejor es que yo me mantenga al margen para que él se confíe?

—Sí. Por supuesto que sí. —Recolocó las notas que tenía delante, disimulando como pudo. Observó de reojo al abogado que se mantenía impasible. ¿Cómo lo lograba?

—Excelente. Esta tarde, al reuniros con Morrison, dejadle claro que aquí no se cierra la puerta a nadie; simplemente queremos saber quién llama antes de dejarle entrar.

—Por supuesto —aseveró ella y de nuevo miró a James y esta vez sí le pilló observándola fijamente. «¿Qué tramas?», pensó.

—Como es de esperar intentará distraernos, pero procuraremos que se mantenga en su decisión inicial para hacernos con el control del banco.

—Lo sé, pero si intenta algo más sabe que se juega el embargo de sus bienes y eso, a ojos de sus inversores, le perjudicará.

—No te fíes, a la desesperada un hombre puede cometer cualquier locura con tal de salvarse.

—De todas formas he recopilado un interesante informe sobre su vida.

Samantha se preguntaba, y no era la primera vez, a qué fuentes de información recurría James para estar al tanto de todo. Puede que hasta el momento no le inquietara pero ahora bien podía investigarla a ella.

Claro que si lo hacía tampoco debía preocuparse, al fin y al cabo lo más depravado que había hecho hasta el momento había sido en su compañía. Aun así le fastidiaba que metiera las narices en sus asuntos personales. Claro que ya puestos… había metido más cosas en sus asuntos personales.

Tras la reunión Samantha se marchó a comer a su casa y pudo relajarse un poco. Por la tarde tenían esa maldita reunión y quería demostrar, no solo a su padre y a James, sino a sí misma, que era capaz de sacar adelante las negociaciones.

A la hora convenida, en punto, cómo no, James la esperaba a la puerta de su casa.

Ella se subió al automóvil saludándose ambos de forma distraída.

En cuanto a ser profesional, no la ganaba nadie.

Fueron recibidos por el secretario de Morrison que los acompañó hasta un despacho bastante antiguo pero bien conservado, repleto de artículos de caza, que según la opinión de Samantha eran, aparte de mal gusto, bastante desfasados en lo que a decoración se refería.

Charles Morrison no se hizo esperar y entró en la sala.

—Buenas tardes —saludó educadamente invitándoles a sentarse. Como todo un caballero, se adelantó para mover la silla de Samantha.

Esta no se dejó engañar, pues la había mirado como si fuera la hija de un rico, con mucho tiempo libre, jugando a las inversiones y fácil de manipular.

Nada más lejos de la realidad.

—Tranquila —murmuró James a su lado. Y la sorprendió al darle un apretón en la mano.

Ella se volvió como si hubiera visto a un fantasma. Hasta la fecha él jamás la había tocado en público.

—Dejémonos de formalismos —dijo el anfitrión, que sabía que estaba en la cuerda floja. Sin embargo, no podía dejar de mirar a la hija de Samuel Boston, más concretamente al pecho de la señorita Boston.

James, que advirtió el interés de Charles por la anatomía de Samantha, sonrió para sí.

—Como quiera —empezó Samantha esperando a que la mirase a los ojos. Tres, dos, uno… —. Sabe perfectamente cuál es la situación actual de su crédito, señor Morrison y…

—Señorita Boston, ¿le apetece tomar algo?

—No, gracias —respondió algo molesta por la interrupción—. Como decía, su situación financiera actual no nos garantiza…

—¿Señor Morrison? —interrumpió su secretario—. Siento molestar, tiene una llamada urgente.

Charles se puso en pie.

—Si me disculpan…

Una voz a solas Samantha explotó.

—Es un cerdo. No ha dejado de mirarme las tetas. Bueno… los pechos —se corrigió algo avergonzada.

—Ya me he dado cuenta —concordó con ella e intentó ocultar su diversión al respecto.

—Pues me tranquiliza mucho que lo hayas notado —dijo con sarcasmo—. No me respeta, cree que soy…

—Morrison no te cree capacitada para asumir tantas responsabilidades; en realidad considera que ninguna mujer lo está.

—Ya, bueno, no es el único. —Ella tiró a dar.

Pero su dardo envenenado se desvió de la trayectoria.

—Dale la vuelta a la tortilla, saca partido a lo que él cree una debilidad. Deja que te mire las tetas cuanto quiera y tú síguele la corriente, antes de que te des cuenta le tendrás comiendo en tus manos.

—¿Esas son formas de hacer negocios? ¿En qué curso os dan esa lección a los abogados?

—Mira, Samantha, yo no voy a cambiar, por mucho que quieras, la opinión que ese cerdo, como tú misma lo has llamado, tiene de las mujeres en general. Solamente te digo que lo utilices y le devuelvas la pelota.

—Eres retorcido.

Esa afirmación veinticuatro horas antes era una suposición a ciegas, ahora era una definición bastante acertada.

—Eso no es ninguna novedad —aseveró él encogiéndose de hombros.

Pero Samantha se percató de la expresión divertida, a la par que provocadora, que se reflejaba en el rostro de James.

—No sé si seré capaz.

Él no respondió con palabras sino con otro apretón de manos. Y ella volvió a sentirse extraña. Demasiada familiaridad de repente.

Morrison volvió, primero se recreó mirándola y después pareció preocuparse por su situación financiera.

—Les pido disculpas.

Samantha abrió sus documentos y empezó a explicar la situación, así como las opciones más viables para poder mantenerle contento sin que se notara demasiado el verdadero interés.

James permanecía en silencio, a su lado, observando cómo la cabeza de Morrison estaba más pendiente del cuerpo de Samantha que de lo que esta explicaba.

Escribió una nota y se la pasó a ella.

Ella cogió la nota sin entender a qué venía esa interrupción y la leyó.

«Pregúntale por su esposa.»

¿Qué le pasaba a este hombre? ¿A qué venía esa pregunta? ¡Estaban hablando de negocios!

Siguió a lo suyo y cuando dejó que Morrison les aburriera con sus excusas contestó a James.

«¿A mí qué me importa su mujer?»

El abogado mantuvo la compostura mientas escribía de nuevo.

«Es treinta años más joven que él.»

Ella intentó disimular su sorpresa y garabateó:

«¿Y?»

—¿Ocurre algo? —preguntó molesto Morrison.

—No, por supuesto que no —respondió James y trazó unas líneas rápidamente para que ella dejara de cuestionar sus sugerencias.

«Le pone los cuernos un día sí y otro también.»

Samantha tosió para no delatarse y miró de reojo a James, que permanecía impertérrito. Morrison le ofreció un vaso de agua e intentó controlarse.

«Hazlo.»

James la instó a decidirse con un suave codazo.

Respiró profundamente y, haciendo gala de la exquisita educación recibida, disparó.

—Oh, ¡qué modales los míos!

James sonrió, buena chica.

Morrison la miró sin comprender.

—¡Qué desconsiderada! No le he preguntado por su familia.

«Eso es, dale confianza y luego entra a matar.»

—Todos bien, gracias —respondió desconcertado.

—¿Y su mujer?

«Espera y verás», pensó el abogado.

—En casa, como una buena esposa —dijo visiblemente molesto.

A partir de ahí, y bajo la supervisión de James, todo fue sobre ruedas, pues ella no dejó de hacerse la tonta. Cuando alguna respuesta no le convenía se mostraba falsamente confusa y enredaba a su antojo.

Salieron de la reunión bastante satisfechos con los resultados profesionalmente hablando, pero ella estaba que echaba humo.

Cuando salieron al exterior se encaró a él.

—Nunca en mi vida, ¡me oyes! ¡Nunca me he sentido tan estúpida!

—Cálmate, por favor. —James la cogió por el codo para que caminara junto a él y evitar así ser el foco de atención.

—¡Suéltame! —Ella se retorció pero no le sirvió de nada.

—Joder, haz el favor de comportarte —dijo él malhumorado y con vehemencia—. Este no es el lugar indicado. Vamos.

Tiró de nuevo de ella con la esperanza de que entendiera la situación. Una vez que llegaran a un sitio cerrado podría gritarle cuanto quisiera.

Con bastante paciencia consiguió que empezara a andar. Hubiera sido estupendo estar cerca de la oficina pero no era el caso.

James la arrastró hasta la cafetería de un hotel. Con un poco de suerte, si se iban a un lugar público podrían hablar sin levantar la voz.

—¿Qué desean tomar?

—Nada —respondió ella ofuscada.

James, que no estaba por la labor de montar ninguna escena, pidió por los dos. Ganarse otra mirada reprobatoria de ella entraba dentro de sus atribuciones y lo cubría su sueldo.

Una vez servidos, ella, como era de esperar, rechazó su consumición con desdén. James consideró que podrían hablar.

Pero antes dio un sorbo a su café.

—No te vas a salir con la tuya —murmuró ella entre dientes sabiendo que allí no podía gritarle—. Me he sentido como una cualquiera. ¡Y encima, lo que más me molesta, es que tú estabas disfrutando! —le acusó con vehemencia.

—¿Eso es lo que te molesta? —preguntó él con ese aire de indolencia que la enervaba.

—¡Sí! Maldita sea. Ya es difícil que me respeten por el hecho de ser mujer. Sé perfectamente que todos, incluido tú, pensáis que este puesto me viene grande y que debería ser mi hermano quien lo ocupase.

—No tienes ni idea de lo que pienso. —James siguió hablando sosegadamente.

—No hace falta ser ningún lumbrera para darse cuenta. Estoy segura de que si fuera hombre nadie miraría por debajo de mis pantalones para ver lo que tengo o dejo de tener —dijo enfurruñada. ¿Cuándo iban a cambiar las cosas?

Decirle que en algunos casos funcionaba así con algunos clientes, significaría darle más munición para su enfado. Así que optó por intentar suavizar las cosas.

—¿Qué importa cómo lo hayas conseguido? Él cree que eres una cabeza hueca y tú has sabido llevarle a tu terreno.

—¡¿Y eso te parece ético?!

—Si lo analizas en profundidad te darás cuenta de algo muy importante. La idea de esta reunión era engañarle, ¿verdad? —Ella no dijo nada—. O, expresado de otro modo, no decirle toda la verdad. Bien, eso lo hemos logrado. Te has aprovechado de su debilidad.

—No vas a convencerme —murmuró ella que seguía en sus trece—. Por mucho que me esfuerce, con actuaciones como la de hoy nunca me respetarán.

—¿Y de qué te sirve el respeto si el negocio no sale adelante?

—¿Pero tú te estás oyendo?

—Mira, en los asuntos de negocios no puedes andar cuestionando si algo es ético o no, porque tus rivales no van a tener esa clase de consideraciones contigo. Y en tu caso, siendo mujer, lo tienes aún más difícil.

—Claro, con tu inestimable ayuda...

—No te quedes en la superficie, piénsalo bien. Ellos te consideran débil, una intrusa; piensan que tu padre ha perdido la cabeza... ¿A ti qué más te da? Lo que ellos consideran un defecto para ti es una ventaja.

—Sigo sin estar de acuerdo. —Pero ya no mostraba tanta irritación al hablar.

—¿Aprovecharse de las debilidades ajenas no es una táctica habitual? Bien, en este caso contábamos con dos, su opinión sobre las mujeres y el drama conyugal. Y hemos actuado en consecuencia.

—Por cierto, ¿cómo sabías lo de su mujer?

—Mantenerme informado es parte de mi trabajo —respondió con cautela.

—Ya, pero parecías muy interesado en restregarle por la cara sus cuernos. Eso sí, como es habitual en ti, sin hacerlo directamente. —Samantha hizo una pausa para reflexionar—. Hay algo personal en todo esto. ¿Me equivoco?

James se entretuvo llamando al camarero. Si podía evitar responder, mucho mejor, aunque ella le hubiera lanzado una pulla sobre su comportamiento.

—Y, como también es habitual, no contestas.

—Responderte a esa pregunta implica meterme en terreno personal, lo cual no voy a hacer.

—¿Tienes algo que ocultar? —preguntó con malicia, encantada de que fuera cierto y siempre resultara más interesante—. Vaya, señor Engels, lleva una doble vida.

—Tú bien lo sabes.

Donde las dan las toman y callar es bueno.

—Pues entonces pensaré lo peor, y lo que yo sé o dejo de saber sobre tu vida privada, estando como estamos en horario laboral, no viene al caso. ¿O ya queremos romper las reglas?

—Samantha... —James sonrió con malicia—. Las reglas están para romperlas.

A ella ese último comentario, dicho con voz insinuante, le hizo recordar la noche anterior.

—Ya veo —dijo evitando meterse en camisa de once varas.

—Pero, ya puestos, te lo diré: la joven esposa de Morrison es conocida por cambiar de amante como de vestido. Es asidua a fiestas poco recomendables y no escatima esfuerzos por procurarse hombres que suplan las carencias afectivas de su marido.

—Te has acostado con ella —sentenció ella; tanto circunloquio era para despistar. Le conocía muy bien.

Capítulo 11

Dos días a la semana

Siete días después Samantha no sabía muy bien a qué atenerse.

Por un lado las cosas en el trabajo iban más o menos como siempre, nadie sospechaba nada y ella se moría por saber qué dos días a la semana le correspondían.

Había sido una idiota de primer nivel al pensar que podía manejar a un hombre como James.

A última hora de la tarde ya no quedaba prácticamente nadie en las oficinas salvo ella y una visita inesperada.

Seguía repiqueteando con la estilográfica sobre el escritorio mientras escuchaba, sin prestar atención, pero sí murmurando y asintiendo para mantener la compostura, a Justin Castle Taylor, el hijo mayor de un conde que de vez en cuando la visitaba e invitaba a salir. No era mal chico, pero sí lo suficientemente aburrido y clasista para que Samantha optara por rechazarle diplomáticamente.

Además, le constaba que estaba buscando esposa. Aunque al menos sabía que no se trataba de uno de esos cazafortunas. De todos modos, prefería que no le propusiera matrimonio.

Sin embargo, empezó a sentirse incómoda pues la conversación, unilateral por parte de Justin, iba encauzada a declararse.

—Señorita Boston, ¿qué opina usted?

La señorita Boston estaba tan abstraída en sus pensamientos que no sabía cuál era la pregunta.

—Discúlpeme, estaba distraída. —Sonrió para amortiguar un poco su falta de modales.

—Le he preguntado si le gustaría ser mi esposa —dijo de nuevo el hombre mostrando una paciencia infinita.

Ya estaba tardando demasiado, pensó ella. Y en ese instante le vino a la mente una imagen de ella con Justin en la cama, haciendo lo que hacían los casados y casi se atraganta. Su pretendiente no era desagradable, pero si algo había aprendido en su corta, pero intensa, experiencia era que tenía que haber deseo, curiosidad, un no sé qué que la empujara a desnudarse. Y lo cierto era que con el señor Castle Taylor como mucho le apetecía cenar tranquilamente.

—Me siento muy honrada, señor Castle Taylor —empezó ella buscando una salida.

—Samantha... ¿Estás ocupada?

Suspiró aliviada, cualquier otro día hubiera tenido unas palabritas con el abogado por entrar en su despacho sin avisar primero.

—Pasa —dijo indicándole que se adentrara—. Te presento al señor Justin Castle Taylor.

James la miró aguantándose una réplica y ofreció educadamente la mano para saludar al caballero.

—Encantado.

—¿Para qué me buscabas? —preguntó a James intentando no mostrar su ansiedad por librarse de Justin, y a la espera de que el abogado hubiera captado la idea y la ayudara.

—Ha llegado esto. —Y le tendió unos papeles—. Son unas cuentas que tienes que aprobar.

—Humm, de acuerdo.

—Bueno, os dejo; estoy seguro de que tenéis muchas cosas de las que hablar.

«Rata inmunda», pensó ella al verle marchar. ¿Es que no se daba cuenta de su apuro?

Se sentó tras su mesa. Justin esperaba una respuesta y ella no quería decirle abiertamente que no. Porque el hijo mayor y heredero de un condado podría no asumir bien una negativa.

Le sonrió, abrió la carpeta para tener algo que hacer con las manos y casi se sobresalta al ver la nota que le había dejado:

Te espero dentro de una hora. No tolero la falta de puntualidad. Ya lo sabes.

Y estaba sin firmar, aunque Samantha no necesitaba mucho esfuerzo para saber quién era el autor.

—Señor Castle Taylor, ¿podríamos ir a otra parte para poder hablar con tranquilidad?

—Por supuesto, señorita Boston. La invito a cenar.

Tres horas más tarde Samantha llamaba a la puerta, no de su casa, por supuesto, esperando a que el desagradable mayordomo hiciera su trabajo.

Podría encontrarse con la incómoda situación de tener que esperar como una tonta a que el dueño, que estaría visiblemente enfadado, la hiciera esperar a modo de castigo.

Pero ella no iba ser la marioneta que él esperaba, que cuando chasqueaba los dedos allí estaba ella, como una autómata bailando al son que él le impusiera. ¡Ja! Y una mierda.

Sus cálculos habían fallado. Cuando la puerta se abrió, el desagradable mayordomo la miró como si fuera una molestia. Cuadró los hombros, se ajustó el bolso bajo el brazo y entró, como si fuera la dueña y señora. Sus tacones hacían más ruido del normal, pero no importaba.

A esas horas cada uno de sus pasos resonaban al caminar y era de agradecer pues no esperaba ningún tipo de conversación por parte del personal de servicio.

—No es necesario que me acompañe, señor… Conozco el camino. —Ella jamás trataba con esa altivez a los criados pero a este había que demostrarle cuatro cosas, por lo que hablarle de ese modo no resultaba impertinente.

Llegó a la alcoba donde se suponía que la estaría esperando James y donde sin ningún tipo de dudas estaría echando humo. Pues bien, otro tipo que necesitaría un correctivo.

Entró y esta vez no se sorprendió al notar la escasa iluminación, aunque también era cierto que ahora entendía la razón. Sin dudarlo se dirigió hasta el pequeño diván y dejó su bolso, se sentó y empezó a desatarse las hebillas de sus zapatos Mary Jane.

—Llegas considerablemente tarde.

Miró por encima del hombro; sabía a quién pertenecía esa voz, pero no por ello dejó de sobresaltarse. El tono bajo, ronco e insinuante obró estragos en su respiración.

—Un buenas noches no habría estado de más —contestó ella sentándose.

—Y acudir a la hora tampoco.

—Mira...

Ella se detuvo, pues miró en su dirección y se sintió bastante mal al ver la mesa dispuesta para dos. Las velas, ya apagadas, los platos y una única copa, pues la otra estaba en manos de él.

Debería haber llegado a la hora y no intentar dar lecciones de asumir o no órdenes. Por lo visto James se quería mostrar generoso e invitarla a cenar.

Daba la impresión de que sí que había prestado atención a sus sugerencias.

¡Vaya metedura de pata!

—No sabía que...

Él se puso en pie, dio un sorbo a su copa de vino y le dedicó una de esas malditas sonrisas de superioridad, lo cual echó por tierra sus buenos propósitos y decidió que disculparse con alguien así era tirar margaritas a los cerdos.

Pero siempre se puede dar la puntilla.

Caminó hasta la mesa, se sirvió una copa y dijo:

—Buen vino.

—Solo tú podrías beberte un reserva como si fuera agua.

Él caminó hacia ella de esa forma que no presagiaba nada bueno, o sí, nunca se sabe, y ella se quedó quieta, a la espera.

Se limitó a quitarle la copa.

Ella, que no estaba para más tonterías, se dio la vuelta y caminó hacia donde había dejado sus cosas.

—Quizás no ha sido buena idea presentarme aquí después de todo.

James se situó tras ella y le hizo darse la vuelta para tenerla cara a cara. Entonces la sujetó de la barbilla.

—Tienes que aprender a obedecer.

Y, como una tonta, sin voluntad, asintió, porque nadie la hablaba de ese modo.

Entonces la soltó y tomó de nuevo su copa. Adoptando ese aire insufrible que ella detestaba.

«Muy bien, soy una estúpida pero tengo mi dignidad», pensó ella.

Comenzó a desnudarse; primero las medias, metió la mano bajo la falda para desenganchar las ligas y las fue bajando por sus piernas hasta dejarlas perfectamente recogidas.

—Déjalas cerca de la cama, quizás las necesitemos luego —la interrumpió él.

Ella se las lanzó y por supuesto él las atrapó.

Samantha era consciente de que él no se perdía ni uno solo de sus movimientos, así que ralentizó lo que pudo, sin quedar en evidencia, deshacerse del vestido, hasta mostrarse únicamente en combinación.

—Quédate así —ordenó él.

Pero ella, que no estaba por la labor, bajó uno de los tirantes, claro que James fue más rápido e impidió que siguiera.

Se colocó a su espalda y sacó un pañuelo de su bolsillo, el cual colocó frente a sus ojos con la clara intención de vendárselos.

Ella, inmediatamente, levantó ambas manos para evitarlo.

—Déjatelo puesto —susurró él en su oído—. Dentro de poco comprobarás las ventajas de acatar mis deseos.

Ella resopló.

—Eso está por ver. ¿No crees?

Samantha era imposible, resultaba el típico debate entre el quiero y no puedo. Deseaba ser sometida pero se resistía con todas sus fuerzas. Y ese era el principal atractivo de estar con ella.

Ese y el morbo de tener que mantenerse indiferente y correcto durante el día.

Él pasó por alto ese comentario tan poco optimista de ella; todo era cuestión de tiempo, más concretamente de dejar pasar los minutos para que ella se tensara y diera vueltas una y otra vez en su cabeza sobre lo que iba, o no, a pasar en esa alcoba.

Notó que estaba inquieta. Decidió entonces darle un pequeño adelanto, a modo de estímulo, poca cosa. La desnudó de cintura para arriba, ella ayudó moviendo los hombros para que la prenda cayera hasta atascarse en su cintura.

—Veo que estás excitada —murmuró él acariciando sus pezones, que ya se mostraban rígidos. Sonrió satisfecho, si tan solo el hecho de vendarla había producido ese efecto…

Ella retuvo una respuesta oportuna, por dos motivos. Primero, lo que él estaba haciendo era demasiado bueno como para estropearlo con palabras. Y segundo, no tenía cabeza en esos instantes como para construir una réplica acertada.

—Me gusta.

—Lo sé —dijo él con aires de sabelotodo.

—Pero no entiendo a qué viene dar tantos rodeos.

Eso le hizo reír.

—Querida, si llegas, te tumbo en la cama, te desnudo lo imprescindible y te la meto sin preguntar no sería más que simple gimnasia.

—Creía que ese era el ideal de todo hombre.

—No —su respuesta fue contundente—. Hay una diferencia fundamental entre follar y hacer gimnasia genital.

—¿Sí? Pues yo no veo la diferencia.

—Si no hay excitación, deseo, imaginación… no hay nada. Piénsalo, ¿no es a veces más tentador la idea que a uno le ronda en la cabeza, el cómo llevarla a la práctica, que el hecho en sí?

Mientras hablaba no dejaba de acariciarle los pechos, con lentas pasadas, con toques certeros… creando la expectación de la que hablaba.

—Entonces —ella tuvo que hacer una pausa para gemir antes de continuar— es como cuando deseas algo y, al conseguirlo, te das cuenta de que eras más feliz deseándolo que teniéndolo.

Joder, esta no era de las tontas.

—Exacto.

—Bien, deduzco entonces que vas a tenerme expectante hasta que lo consideres oportuno.

—No, voy a tenerte expectante hasta que me supliques que te folle.

—Fóllame.

—Samantha… —sonrió con la libertad que le brindaba el estado de ceguera temporal al que estaba sometida ella—, te adelantas a los acontecimientos.

—Lo deseo —se encogió de hombros.

—¿Y has pensado en ello?

La mano de James avanzó hacia el sur apartando de paso la seda de su combinación y descubriendo unas caderas que se restregaban contra su erección.

—Sí —fue sincera.

Durante la semana anterior, James había evitado deliberadamente fijar una cita con ella, más que nada por temor a dejarse arrastrar. A esas alturas sabía que Samantha podía ser muy peligrosa, por lo que se había conformado con los placeres en solitario. Y aunque podría haberse entretenido con otra mujer, lo había desestimado, por lo que en ese momento si alguien sabía de ideas imaginativas era él.

Ella intentó apartar su molesta ropa, pues prefería estar desnuda, pero él llevaba la voz cantante.

—Me gusta más así.

—Y estoy segura de que… mmm… me vas a dar una explicación coherente, ¿verdad?

—Por supuesto. Al igual que se debe crear expectación también es bueno adornar lo previsible. Ambos acabaremos desnudos, pero… piensa de nuevo. ¿No te resulta más atractivo ir descubriendo poco a poco cada parte del cuerpo?

—Tú te has encargado de que no vea ni un milímetro, así que no puedo comprobar tu teoría.

—Pero te recuerdo que soy yo quien establece las pautas, yo disfruto viéndote así, por lo tanto tú cooperas.

Samantha resopló, podía protestar pero ¿de qué serviría?

Además, él podía creer tener el control.

Bien, dentro de unos pocos milímetros él iba a sorprenderse.

A ideas no la ganaba nadie.

A veces uno debería tragarse sus propias palabras, pues con una mujer como esta costaba Dios y ayuda mantenerse, pero en pos de una noche memorable debía hacerlo.

—¿Qué has hecho? —estalló de repente James al posar la mano donde se suponía que estaba su vello púbico.

Capítulo 12

Imaginación

—¿*Q*ué has hecho? —repitió él enfadado. Muy enfadado.

—Seguir tus... —iba a decir estúpidos consejos pero se calló— reglas.

—No recuerdo ninguna en la que se mencionara este hecho.

—Dejaste claro que eras partidario de su eliminación. Sí, esas fueron tus palabras.

—Prestas atención a lo que te interesa.

—Humm, puede ser; lo que pasa es que en aquel momento estaba más pendiente de otra cosa.

Ahí le habían dado, y eso venía a confirmar una de sus teorías; Samantha era de esa clase de mujeres que actuaban bajo esta premisa: di lo que quieras, que haré lo que me dé la real gana.

Pero eso no podía quedar sin su adecuado correctivo, estaba claro.

—De rodillas —ordenó él.

—¿De rodillas?

—Exactamente.

—Como quieras —murmuró ella sin comprender pero adoptando la posición. A saber qué jueguecito se traía entre manos. Con más dificultad de la prevista por estar vendada consiguió adoptar la postura que él indicó.

James se situó frente a ella y empezó a desprenderse de sus pantalones, su camisa y cualquier otra prenda que llevara encima.

Se agarró la polla con una mano y se la acercó hasta sus labios.

Ella no podía ver sus intenciones pero sí acatar sus peticiones.

—Chúpamela.

Ella escuchó la orden y, la verdad sea dicha, no sabía muy bien qué hacer; no se negaba, pero tampoco quería darle la satisfacción de mostrar su ignorancia.

Con indecisión, pero confiando en su suerte, se humedeció los labios para después con la punta de la lengua buscar su miembro. Porque podía necesitar más práctica, pero no era tan tonta como para no saber qué tenía que chupar.

—Joder —siseó él en respuesta ante el primer y leve contacto.

Ante esa exclamación ella se animó y lo hizo de nuevo. Ahora presionando con más fuerza. Y por supuesto él se lo agradeció con otro gemido.

Quería hacerlo bien, así que tras acariciársela suavemente con tímidas pasadas de la lengua pensó que el verbo «chupar» abarcaba otra acepción.

Se lanzó a la piscina sin saber cómo iba a salir después, pero estaba segura de que él le echaría una mano, ¿no?

Más que nada porque le estaba gustando. Entraba y salía de su boca, a veces provocándole arcadas por la rudeza de sus embestidas.

Para no caerse levantó las manos tanteando en la oscuridad hasta posarlas en sus caderas desnudas y se aferró a ellas.

James seguía penetrándola sin descanso, emitiendo sonidos de satisfacción cada vez más elocuentes.

—Eres jodidamente buena en esto.

Bueno, eso animaba a continuar.

Así que no se limitó a chupársela; movió las manos hacia el centro y empezó a rozar con las yemas de los dedos sus testículos; él embistió con más fuerza, ella cogió aire con fuerza por la nariz, él gruñó sin detenerse, ella no sabía qué más hacer...

Desde luego, cuando él se corrió ella no estaba en absoluto preparada; fue algo tan inesperado... se atragantó, tosió, pero no se retiró, dejó que él eyaculara en su boca, tragándoselo sin preguntar.

—Eso, eso es, querida, todo. No dejes caer ni una gota.

Samantha descansó sobre sus piernas dobladas, dejó caer la cabeza y ni se preocupó de la venda.

Si alguien preguntaba qué acababa de experimentar no podría explicarlo con palabras. Se sentía demasiado extraña, pero satisfecha como para exprimirse la mente en busca de más adjetivos.

James dio un paso atrás, no se lo podía terminar de creer. La distinguida señorita Boston le acababa de hacer una mamada, de rodillas y con las tetas al aire.

Esta era una de esas cosas en la vida en la que jamás hubiera pensado.

Y lo más chocante del caso es que ella no reflejaba en su rostro ni expresión de arrepentimiento, ni de asco, ni de reproche por su comportamiento, sino todo lo contrario; permanecía a la espera.

Estaba claro que era una caja de sorpresas.

Se preguntó quién de la corte de admiradores que tenía Samantha resultaba ser el instructor sexual de ella, pues estas cosas solo se aprendían con la práctica.

—Ven, levántate.

—¿Puedo quitarme ya la venda o todavía queda algo que no deba ver? —Ella se incorporó, frotándose las rodillas y caminó a ciegas, confiando en él.

—Puede que debas permanecer un buen rato más con ella puesta.

—Y puede que me canse y me entre sueño.

—No lo creo —dijo con absoluta seguridad.

Aunque si servía como referencia la noche que habían pasado juntos... nunca conoció a una mujer que se durmiera con tanta facilidad.

La acompañó hasta la cama y antes de tumbarla la desnudó por completo; eso sí, la venda permaneció en su sitio.

Ella se acurrucó de lado, agarró la almohada y le dio la espalda.

—¿Piensas dormirte? —preguntó él con un deje de burla.

—Es tarde, estoy cansada y tengo sueño. —No tuvo que fingir un bostezo para dar más crédito a sus palabras.

—Estoy seguro de que —se pegó a ella por la espalda para poder hablarle al oído— estás húmeda, caliente... —metió la mano como pudo entre sus piernas— y deseosa de que te folle.

—No sé qué decirte. —Bostezó, esta vez sí fue fingido—. Demasiada cháchara. Claro, eres abogado, os encanta dar vueltas y vueltas para no llegar a ninguna parte.

Él se rio discretamente siguiendo el avance entre sus piernas.

—¿Por qué no te tumbas boca arriba… abres bien las piernas… y comprobamos qué más sé hacer con la lengua?

Samantha se preguntó para qué necesitaba usar la lengua. A no ser que…

¡No es posible!

Se giró, algo desorientada pues seguía sin ver. Sin querer chocó con él.

—Si no te atrae la idea de que juegue entre tus piernas solo tienes que decírmelo.

—Lo siento. —Ella se frotó la cabeza—. Pero estoy segura de que si te digo que no a algo te mostrarás mucho más interesado en hacerlo —dijo ella con toda lógica y porque además se moría por saber qué estaba proponiéndole exactamente.

Puede que con preguntarlo bastara, pero basándose en la experiencia, era mejor no ir de frente con él, que siguiera creyendo que tomaba las decisiones y que ella las acataba.

—Veo que vas cogiendo el concepto —murmuró él todo pomposo.

Y ella se mantuvo medianamente seria para no delatarse.

—¿Abro más las piernas o te vale así?

James, no se lo podía creer; joder, si se sentía hasta algo inseguro con esa pregunta. ¿Quién o quiénes habían estado con ella?

—Así es suficiente —dijo por decir algo al situarse entre sus piernas. Debía buscar algo condenadamente bueno para no dejar que ella llevara la voz cantante—. Tenía razón, estás excitada. Miento, muy excitada —añadió más para sí y recorrió su coño rasurado comprobando que estaba bien lubricada.

Agachó la cabeza dispuesto a darse un festín y dejarla totalmente satisfecha.

Ella esperaba impaciente, aunque lo disimulaba, lo que venía a continuación. Puede que los métodos de James para crear expectación fueran poco convencionales y a veces pensaba que no iba a llegar a ninguna parte, pero siendo objetiva —aunque no tenía por qué reconocerlo en voz alta— siempre resultaban increíblemente placenteros. Otra cosa era que por costumbre disfrutara llevándole la contraria.

El primer contacto de su lengua hizo que cerrara las piernas bruscamente, atrapándole entre ellas. Con toda la paciencia que se puede tener en una situación como esa, James las separó de nuevo y le advirtió:

—Querida, si sigues por ese camino vas a dormirte insatisfecha.

Ella, que no era tonta, se relajó lo que pudo, mordiéndose el labio ante lo que se avecinaba.

Y él no la decepcionó.

Presionaba de forma concisa su clítoris para luego atraparlo entre los labios y, tras succionar, lo soltaba para dar unos toques con los dedos. Repetía el proceso haciendo variaciones en cuanto al orden de los factores.

Ella, por su parte, conseguía a duras penas mantenerse quieta y no levantar el trasero buscando frotarse descaradamente contra él. Samantha estiró los brazos y enredó los dedos de sus manos en su cabello, acariciándole, despeinándole…

—Me vas a dejar calvo —protestó él interrumpiendo un instante sus atenciones.

—Perdona —musitó ella, pero cuando él retomó su trabajo no pudo evitarlo—. ¡Oh, Diossssssssssss!

Nadie podía estar preparado para algo así.

Él, a pesar de jugarse la integridad de su pelo, siguió con su tarea de lamerla y volverla loca. Estaba tan mojada que no tuvo dificultad para recoger los fluidos y arrastrarlos hacia atrás, lubricando así su ano.

Se moría por jugar allí.

Y sabía que ella no iba a oponer resistencia.

Samantha se tensó un poco al notar que no solo estimulaban su coño, sino que el dedo de James se acercaba peligrosamente a su trasero y, llegado ese punto, se sintió incómoda.

Por ahí no se podía.

¿O sí?

—¡James! —gritó a pleno pulmón. Todas sus dudas de si se podía o no se despejaron al sentir cómo la penetraba.

—Joder, me muero por follarte por aquí. —Dicho esto volvió a lamerla sin dejar de estimular su ano. De momento debía ir con cuidado, un dedo, solo uno para que se fuera acostumbrando. Puede que esa noche no pasara a mayores pero de la próxima cita no escapaba.

—No... No...

—¿Cómo que no?

—¡Que no me lo puedo creer! —estalló ella al tiempo que él la palmeaba en el clítoris sin piedad.

—Estás a punto, lo noto —le introdujo con más fuerza el dedo por detrás al tiempo que se agachaba de nuevo para dar el toque de gracia con la lengua.

—¡Diosssssssssss!

Ese chillido le dejó claro que Samantha no había fingido su orgasmo.

Gateó sobre su cuerpo hasta alinear completamente sus cuerpos y sin darle tiempo a reaccionar la embistió y buscó su boca. Algunas mujeres rechazaban saborearse a sí mismas en sus labios pero no iba a ser una de ellas.

Al mismo tiempo que su polla disfrutaba del calor de su cuerpo la besó, haciéndola partícipe de lo que acababa de disfrutar entre sus piernas.

Ella ni protestó, ni se apartó, ni disimuló; le aceptó tal cual y volvió a tirarle del pelo.

Capítulo 13

Nada ha cambiado

O eso pensaba Samantha al entrar en casa de sus padres a primera hora de la mañana. Odiaba madrugar, pero no quedaba otra alternativa.

Tenía que darse prisa para presentarse cuanto antes en el banco y hacer como si la noche anterior no hubiese existido.

Lo cual le daba a toda la situación un toque morboso con el que no contaba y de paso provocaba en ella ese hormigueo, a veces demasiado intenso, sobre el próximo encuentro y sus posibilidades.

Lo que estaba sucediendo en esa alcoba era demasiado perverso como para contarlo, pero no lo suficiente como para dejar de hacerlo.

Y, visto lo visto, se moría de ganas por conocer el catálogo completo de perversidades de James.

—Buenos días, cariño.

Samantha se detuvo a mitad de las escaleras, su madre la había pillado.

—Hola, mamá. ¿Cómo estás levantada tan temprano? —Intentó distraer a su madre.

—Revisando unos asuntos. Quiero dejarlo listo antes de marcharnos.

Recordó entonces que sus padres tenían previsto pasar el verano en la costa y se alegró, eso daba vía libre a sus andanzas nocturnas. Ahora tenía que lidiar con la escapada de anoche.

En vista de que mentir no servía de nada...

—He pasado la noche fuera.

—Lo sé —su madre sonrió—, pero a pesar de que te entienda sigo siendo tu madre. En fin, ¿has desayunado ya?

—No. —Con las prisas por llegar a casa no había podido.

—Pues aprovechemos las circunstancias.

Acompañó a su madre hasta el comedor, prefería no discutir a pesar de que iba a llegar tarde.

Tenía que encontrar el modo de manejar este asunto. Desconocía si James se opondría a que llevara sus cosas personales para no tener que andar a salto de mata por las mañanas. Conociéndole, mejor no preguntar.

—¿Café? —preguntó su madre observando el lamentable estado del vestido de su hija.

—Sí, gracias.

Una vez sentadas a la mesa Maddy preguntó:

—¿Has pasado la noche en casa de alguna… amiga?

Samantha disimuló probando su café antes de buscar una respuesta adecuada.

—Sí.

—Ya veo.

Estaba claro que su madre no la creía.

—Mamá, ¿si fuera Alfred quien hubiera pasado la noche fuera estarías así?

—Depende.

—¿De qué?

—Eres mayor de edad, responsable, trabajadora y lista. ¿Por qué me tomas a mí por tonta?

—Hay cosas de las que no podemos hablar —murmuró Samantha.

—Tu hermano no es la cuestión, aquí de lo que se trata es que has pasado la noche fuera y… no me estás diciendo toda la verdad.

—¿Importa con quién haya estado? —preguntó molesta.

—Cariño, claro que importa.

—Mamá, no estoy haciendo nada malo.

—Buenos días. Qué madrugadoras.

Su padre entró en el comedor, besó como siempre a su madre y se sentó con ellas.

—Hola, papá —dijo Samantha y miró a su madre confiando en que no dijera nada.

—El coche está preparado, podemos ir juntos al banco —sugirió él.

—Tengo unos recados que hacer, iré después. —Se levantó para salir corriendo a su habitación y encargarse de esos recados que consistían básicamente en asearse y cambiarse de ropa.

—Como quieras.

Una vez a solas Samuel miró a su esposa en busca de una explicación, pero esta permanecía callada leyendo la prensa.

—¿No tienes nada que contarme? —preguntó esperando tener un poco de suerte.

—No, nada relevante —dijo ella distraída.

Terminó su desayuno y se puso en pie. Antes de salir por la puerta se dio la vuelta y sentenció:

—Pues deberías entonces hablar con tu hija y preocuparte por el estado en que lleva la ropa y el pelo.

—Maldita sea, maldita sea, maldita sea. —Eso era lo más coherente que se le venía a la cabeza mientras caminaba hacia el salón de juntas para enfrentarse a su padre, estaba claro que no se le había pasado por alto su estado a primera hora de la mañana.

Entró, murmuró un buenos días y se sentó. Sin mirar a nadie.

¡Como para poder hacerlo!

Su padre sospechaba algo, pero era demasiado listo como para hablar. Por otro lado estaba James, otro que también se las componía. Solo que en este caso ella era consciente de muchas más cosas que incumbían al abogado.

Genial. Iba a ser una mañana de perros.

—Empecemos —dijo su padre.

—Aquí tengo los informes que nos ha pasado el departamento de contabilidad sobre…

A Samantha seguía sin entrarle en la cabeza de dónde sacaba tiempo este hombre para dedicarle toda la noche y después, fresco como una lechuga, estar al pie del cañón y con los deberes hechos.

Por no mencionar su tranquilidad y aplomo al hablar estando ella presente.

Se relajó en su asiento; ahora tocaba, más o menos, veinte minutos de cháchara sobre las cuentas, su estado, si debían ser aprobadas, sobre el comportamiento del mercado y mil cosas más para las que no tenía cabeza en esos instantes.

Pero debía hacer un esfuerzo. ¿Qué clase de directiva iba a ser si su vida personal influía en su rendimiento?

No podía dejarse llevar por su imaginación ni por otras cuestiones.

Prestó atención y dejó de pensar en lo que podía o no hacerse en su próxima cita.

—Me parece bien —dijo su padre cuando acabó James.

—Sí, está claro que debemos cambiar nuestro sistema contable; resulta bastante complicado manejar algunas cuentas y ralentiza el trabajo —dijo ella.

—Excelente —dijo James.

Y Samuel miró a su hija y a su abogado esperando que de un momento a otro se iniciaran las hostilidades y empezara su dolor de cabeza al escucharles discutir.

—Samantha puede ocuparse de hablar con los dos encargados de la contabilidad y exponerles la situación.

—De acuerdo —aceptó ella—. Aunque el señor Parker, que está a punto de jubilarse, no es el más indicado para esta tarea.

—No, desde luego que no —convino James—, aunque su secretario, el señor Mitchell, está al tanto de todo y ocupará su puesto. Habla con él.

—Muy bien —dijo Samantha y se levantó recogiendo sus papeles—. Estaré en mi despacho por si necesitáis algo.

—Un momento —interrumpió su padre—. Ha llamado el señor Castle Taylor.

—Ah —Samantha evitó mirar a James—. ¿Y qué quería? —preguntó con cierta cautela. Durante la cena había tratado de explicarle, sin ser descortés, que no estaba interesada en casarse con él.

—Me ha pedido tu mano.

Ella hizo una mueca de resignación, Justin no se rendía tan fácilmente.

—¿Has aceptado? —se preparó para lo peor.

—¿Debería?

—¡Papá! No juegues conmigo al despiste —se quejó ella.

—No, no he aceptado.

—Menos mal. —Suspiró aliviada y miró de reojo al abogado que por lo visto encontraba interesantísimo el periódico del día.

—Samantha, el señor Castle Taylor es un joven responsable y me ha dejado claro que te tiene en alta estima.

—Ya lo sé —se dejó caer en el sillón—, pero no me veo preparada para el matrimonio.

James arqueó una ceja sin despegar la vista del periódico.

—¿Por qué no vas a estarlo? —preguntó su padre con preocupación—. Eres guapa, inteligente...

—Y heredera de una gran fortuna —remató ella—. Justin me cae bien pero es... aburrido. —Sí, esa era una buena definición.

—¿Aburrido? Hija, no te entiendo. Cuando tu madre y yo insistimos en que te cases con Sebastian, y no lo puedes tachar de aburrido, dices que no. —Su padre suspiró, a este paso no casaba a su hija mayor—. James, ¿a ti qué opinión te merece el hijo de un conde?

El abogado, como si nada, se puso en pie, miró a Samantha y esta sintió un escalofrío.

—No le conozco lo suficiente. —Ella respiró aliviada—. Pero me parece un hombre sensato, un buen partido.

«Cabrón.»

—No insistas. Además, si me casara tendrías que aguantar a un yerno pomposo queriendo meter las narices en el negocio. —Se acercó a la puerta y la abrió—. Así que dejemos las cosas tal y como están.

—En eso tiene razón —dijo James.

Samantha les dejó en ese instante y Samuel se quedó observando a su abogado. Ambos se habían comportado de forma tan extrañamente educada...

No sabía qué pensar. ¿Intervención divina, quizás? ¿Una tregua temporal?

Algo se estaba cociendo, aunque lo más probable era que su hija no aguantara mucho; terminaría por volver a enfrentarse con el abogado y, de paso, procurarle su habitual dolor de cabeza.

Capítulo 14

Puntualidad

—*L*legas inusualmente a la hora.

Samantha no hizo caso del afilado comentario de James cuando cerró la puerta de la alcoba tras de sí. Su puntualidad podría deberse a la impaciencia, pero, conociéndole, mejor omitir tal información y actuar despreocupadamente.

—Si lo prefieres me marcho y vengo dentro de… ¿Una hora?

—Haz lo que desees.

Ese comentario tenía que ponerla en su sitio, pensó él. Debía aprender a no tomarle el pelo ni a hacerse la graciosa.

—Creo que me quedaré —dijo ella con desdén.

Dejó a un lado sus cosas, principalmente los zapatos que le estaban torturando los pies y, una vez libre de la incomodidad de sus tacones, caminó tranquilamente hasta donde se encontraba él.

Tumbado en la cama, a medio vestir y rodeado de documentos.

—Se supone que no debemos mezclar las cosas —comentó ella arqueando una ceja; no se esperaba de ninguna manera ese tipo de encuentro. Durante su jornada laboral ya había revisado suficientes documentos como para aburrir.

—Basándome en tu problema con la hora de llegada decidí aprovechar el tiempo —dijo sin mirarla. Parecía concentrado de nuevo en sus papeles cuando añadió—: Desnúdate.

—Como quieras —aceptó ella mostrándose indiferente ante la orden. Él quería jugar, otra vez, a eso de aquí ordeno y mando yo. Pues muy bien, le dejaría que se lo creyera.

Ella se sentó en el diván y se quitó la ropa, sin prisas, pues si quería rapidez que lo hubiese indicado; en ningún momento él la miró. Seguía inmerso en la lectura.

Podría haber iniciado una conversación de esas banales mientras se desprendía de la ropa pero prefirió no hacerlo, más que nada porque seguramente él hubiese respondido con monosílabos.

Anduvo desnuda hasta la cama, agradeciendo la suavidad de la alfombra bajo sus pies, se tumbó y esperó a que él hiciese el primer movimiento.

Como al parecer los papeles que leía eran más adictivos que una mujer desnuda y dispuesta, Samantha se puso cómoda, boca abajo con los pies en alto.

—¿Qué estás leyendo?

—El informe sobre Simon Campbell —respondió él mientras hacía unas anotaciones.

—¿El recto, honorable y distinguido señor Campbell?

—Sí, ese mismo. Toma.

Ella aceptó el folio que le entregaba y comenzó a leer. Por lo visto esta era una de las extrañas perversiones de él, ella desnuda haciéndole de secretaria, aunque ella no le veía la gracia. Bueno, podía hacer un esfuerzo y leer un aburrido informe.

Cinco minutos más tarde ella habló de nuevo.

—No he conocido en mi vida a un hombre más aburrido, serio y típico que este. No sé para qué te molestas en investigarle —murmuró ella evidenciando su apatía. Estaba allí para otros menesteres.

—¿Has leído lo que te acabo de dar? —inquirió él mostrándose paciente y dando a entender que estaba pasando por alto algunos aspectos relevantes.

—Por supuesto —contestó algo molesta. ¿Se pensaba que era tonta o qué?—. Aquí describe sus costumbres; aparte de la rutina pública, demasiado conservadora añadiría yo, solo menciona el hecho de pertenecer a un club privado y exclusivo, de esos que vetan la entrada a las mujeres. Nada del otro mundo.

—El Roble Viejo —estuvo a punto de reírse pero se contuvo— no es un club cualquiera.

—Ya, me imagino, pero no me parece nada extraño.

—Solo admiten a hombres —recordó James con cierto tono.

—Pues vaya cosa. No es el único club de ese tipo.

—Allí no se va a hablar de finanzas o de política —siguió soltando miguitas a ver si ella encontraba el camino.

—Ya lo sé, los hombres como Campbell buscan la diversión fuera de casa. Eso no es nada del otro mundo. Que sea un burdel encubierto no supone ninguna novedad.

—No dejan entrar a mujeres, y eso incluye a las putas.

Tras unos segundos reflexionando sobre ese último comentario con retintín de James, Samantha empezaba a ver por dónde iban los tiros.

—¡No! —le miró esperando una confirmación. Y James sonrió—. ¿Me estás diciendo que el señor Campbell…?

—Pues sí. Le gusta follar con otros hombres.

—Vaya… eso sí que es toda una sorpresa…

—Hay que saber leer entre líneas —aconsejó él.

—Esto… y una duda. ¿Cómo lo has averiguado? —preguntó con malicia.

—Hay cosas que terminan por saberse.

—Ya, pero tú te enteras de todo —insistió ella dándole un poco de coba—. Si sabías lo de la mujer de Morrison de primera mano, deduzco que… ¿Este caso es similar? —inquirió con mucha más malicia aún.

Él arqueó una ceja ante tal insinuación.

—Samantha… —James dejó los papeles a un lado.

—Es una pregunta de lo más razonable —argumentó ella sin dar marcha atrás—. Además, teniendo en cuenta tus… ¿rarezas?

—¿Qué insinúas? —Pero él ya lo sabía.

Ella se encogió de hombros y esperó a que él dijese algo.

Sin embargo, se levantó de la cama, recogió los documentos, se desnudó para después acostarse junto a ella, eso sí, de lado y con intención de hacer que pagase caras sus insinuaciones.

—Querida, me gustan demasiado las mujeres como para fijarme en otro hombre —aseveró sonriendo de medio lado. Que ella dudara de su orientación sexual le divertía, no le ofendía de ninguna manera.

—Eso dices —murmuró aguantando la risa al sentir que él comenzaba a acariciarla por los costados—. Pero sigo teniendo una duda, ¿cómo se lo montan? Quiero decir, el tornillo va con la tuerca. ¿Dos tornillos?

Él ahogó la risa.

—¿Tornillo? ¿Tuerca? Solo tú podrías utilizar semejante eufemismo.

Siguió entreteniéndose acariciándola lánguidamente mientras se posicionaba encima de ella. Por supuesto Samantha le facilitó la tarea, aunque no quería dar por finalizada la conversación. Necesitaba aclarar todos los conceptos.

—Sigo sin comprender cómo pueden dos hombres, ya sabes…

—¿Te gustaría verlo? —insinuó él sabiendo de antemano la respuesta.

—Por supuesto —respondió rápidamente—. Supongo que te ofrecerás voluntario, ¿verdad?

—Joder —murmuró antes de besarla en la espalda, recorriendo al tiempo su columna vertebral—. Ya te he dicho que me gustan demasiado las mujeres como para dejar que me enculen.

Samantha hizo una asociación inmediata al escuchar las últimas palabras del abogado.

—¡No puede ser! —exclamó mitad sorprendida mitad intrigada.

Él siguió enredando a su antojo mientras dejaba que su cabeza continuara dándole vueltas al asunto.

Separó sus piernas y desde atrás metió las manos entre ellas para llegar al meollo de la cuestión.

—Por lo visto te pone muy cachonda imaginar a dos hombres follando —murmuró él impregnando sus dedos de los fluidos femeninos.

—Humm, sí —consiguió decir al sentir la invasión de esos dedos en su interior. Con descaro se contoneó para aumentar la fricción.

En cuanto las manos de él la tocaban sus dudas acerca de cómo se lo montaban o dejaban de montar dos hombres pasaron a un segundo plano. Ella no acudía a esas citas para hablar.

—Eso es —canturreó él—, me encanta verte así, desinhibida, dispuesta, receptiva…

Porque él necesitaba tenerla de ese modo, pues quería dar el siguiente paso. Ya había esperado suficiente.

—James… —suplicó ella.

—¿Sí? —preguntó sabiendo exactamente qué le estaba pidiendo con esa voz. Joder, era para dejarse arrastrar y capitular sin condiciones.

Decidió que podía tentarla un poco más, hacer que creyese que conseguía salirse con la suya y de paso calmarse un poco.

Se agarró la polla con una mano y la guio hasta colocarla a la entrada de su vagina, de tal forma que con el mínimo esfuerzo estaría dentro.

Solo iba a darle un poco, que se creara expectativas; al final quien mandaba en el juego era él. No podía dejar que fuera de otro modo. Era peligroso.

—¡Sí! —jadeó ella en respuesta y sintió cómo su cuerpo se iba abriendo. Pero algo no cuadraba. Giró la cabeza y lo miró por encima del hombro antes de preguntar—: ¿Hoy no hay preliminares?

—Estos son los preliminares —respondió él enigmáticamente.

Ella frunció el ceño, pero como lo seguía sintiendo en su interior decidió no molestarle y disfrutar.

Ya la tenía donde quería. Relajada, confiada, despreocupada. Estaba penetrándola deliberadamente despacio, si no quien se correría antes sería él, así que mantuvo ese vaivén mientras su mano se posicionó en su coño, comprobando que la humedad que brotaba era constante y abundante.

Ella, como era de esperar, le agradeció semejante gesto con un gemido más intenso.

Excelente.

Con los dedos impregnados de sus fluidos empezó a lubricar su ano, despacio, como por casualidad, para que ella no se preocupara, aún, de lo que venía a continuación.

Pero lo hizo.

—¡James, no!

—No puedes negarte —aseveró él mientras tanteaba con un dedo.

—¡Sí puedo! —se retorció en protesta y él salió de su cuerpo.

—Quédate quieta. Esto te va a encantar. —«Y a mí mucho más», pensó.

—No estoy segura. —Por su tono de voz era evidente.

—Te prometo que disfrutarás como nunca.

—No sé... no me convence.

—Dame el beneficio de la duda.

Eso era arriesgarse demasiado, razonó ella en silencio. Pero se quedó quieta, a la espera. Por mucho que él insistiera, si se sentía mal o incómoda escaparía de esa cama.

Tras unos minutos dejándole actuar ella se quejó.

—No me gusta. —Intentó apartarse pero él la sujetó con firmeza mientras seguía preparándola, ahora con dos dedos.

—Samantha... —James bajó la voz hasta un tono tan susurrante y erótico que a ella se le pusieron los pelos de punta—. Te lo advertí el primer día. —Él seguía excitándola con paciencia, dejando que se acostumbrara a la invasión de sus dedos, dentro, fuera, lubricando, dejando que los músculos aceptaran cuanto iba sucediendo—. Todos y cada uno de tus orificios, ¿recuerdas? —Sacó los dedos y colocó su glande en la entrada—. Quiero que disfrutes, quiero que chilles, hasta incluso quiero que te duela.

—¡¿Que me duela?! —Ella no podía haber oído bien.

—Exactamente —empujó un poco y notó que ella en respuesta se tensaba aún más, dificultándole la penetración—. No opongas resistencia, déjame entrar. Deja que te la meta en donde nadie antes ha estado —pidió él en ese tono autoritario tan característico.

Samantha procesó esas palabras extrañada, cuando se acostaron el primer día no estaba tan ilusionado con la idea de ser el primero. O por lo menos no lo había mencionado con tanto énfasis. ¿Por qué ahora cambiaba de opinión?

Pero en esos instantes no podía detenerse a analizar ese asunto. Estaba sintiendo cómo su cuerpo se rebelaba ante algo tan sumamente pervertido que seguramente no podría contar a nadie.

No le gustaba.

—¡No sigas! —se quejó.

Intentó apartarse, librarse de esa intromisión para la que no estaba preparada, pero él la tenía bien sujeta; no iba a dejarla escapar.

—Un poco más, querida. —James habló entre dientes, joder, estaba en la gloria. Quería ralentizar el proceso todo cuanto fuera posible, pero su polla parecía tener vida propia, así que embistió con fuerza hasta metérsela completamente. Se estaba arriesgando demasiado, quizás la próxima vez ella rechazaría volver a hacerlo ante la brusquedad de sus movimientos, pero no se le podía pedir a un hombre contención en situaciones como esta.

—¡James! —exclamó sobresaltada, buscando aire que respirar para no perder la conciencia ante lo que estaba sintiendo. Algo insólito, impensable. Y eso que hasta la fecha todo cuanto sucedía en esa alcoba era…

—No… no te imaginas lo increíble que resulta esto.

Ella no dejaba de retorcerse, en primer lugar porque, por mucho que él dijese lo increíble, satisfactorio y placentero que era, ella no podía mostrarse más en desacuerdo. Existían muchas cosas que nunca se hubiera planteado, a pesar de su ignorancia, pero las podía ir asumiendo, en este caso no era posible tal opción.

¿O sí?

El dolor que sentía se empezó a transformar en algo confuso, algo contradictorio. Una curiosa mezcla que desorientaba, desconcertaba. La perplejidad e incomodidad inicial estaban dando paso a otras sensaciones. Igual de oscuras pero con matices diferentes.

Quizá se había precipitado.

Su aturdimiento empezó a complicarse aún más cuando James colocó una mano entre sus muslos, acariciando, presionando simultáneamente, combinando perfectamente la penetración anal y el estímulo de su clítoris.

Dejándola prácticamente sin aliento.

Y para dar más efecto a todo cuanto ocurría en esa alcoba, James no abandonaba el lenguaje obsceno y provocador.

Desde un simple «hazme caso, sé lo que necesitas» hasta «hacía tiempo que no me encontraba con un culo así», pasando por «joder, me vas a dejar la polla en carne viva», sin olvidar:

«cada vez que me haga una paja me acordaré de este momento».

Estaba claro que el almidonado señor Engels conocía un repertorio de lo más ilustrado.

Una nunca imaginó que se pudieran decir tantas palabras indecentes en la misma frase.

Pero, desde luego, surtían efecto.

Vaya si lo hacían.

Lo que comenzó negando acabó por absorberla al completo. Ya no importaba su oposición inicial, era absurdo negar la evidencia y se rindió a la misma.

—James... —jadeó casi a la desesperada, claudicando por completo. Sin espíritu ni defensas para oponerse. Asumiendo lo inevitable.

El orgasmo no la pilló desprevenida, lo que sí lo hizo fue la intensidad, la magnitud de su clímax.

No se preocupó por él; se relajó sobre el colchón, buscando aire con el que llenar los pulmones. Bastante tenía con seguir consciente después de cuanto su cuerpo había asimilado.

Y él, que no se lo podía creer, se corrió con fuerza, eyaculando en su interior, notando cómo el sudor resbalaba por su espalda. Seguía arrodillado tras ella, pero no iba a aguantar mucho más en esa postura. Se dejó caer sobre ella, aplastándola con el peso de su cuerpo. Admitiendo en silencio que empezaba a necesitarla mucho más de lo que quería.

Ese razonamiento le molestó y eclipsó parcialmente su euforia poscoital. Con más rudeza de la que debería en estos casos se puso en pie y fue a asearse, abandonándola en la cama.

¿Por qué cojones se planteaba tan siquiera algo de esa índole? Ella era una más, una amante. Punto. Divertida, receptiva, apasionada, algo protestona... pero una simple mujer con la que mantener encuentros sexuales satisfactorios. Nada más. No era la primera ni la última.

Al sentirse libre, Samantha se volvió en la cama; su respiración así como su ritmo cardíaco ya estaban volviendo a parámetros normales. No así su conciencia.

Pasada la euforia y la ensoñación provocada por el sexo, y que evidentemente no ayudaba a razonar con claridad, su cabeza formuló diferentes cuestiones a considerar.

¿Hasta dónde iba a llevarla James con sus depravadas ideas?

¿Y hasta dónde estaba ella dispuesta a acompañarle?

Por lo visto hasta el final.

Cambió de postura, poniéndose cómoda y en vista de que no tenía nada más a mano se limpió con la sábana. Estaba arrugada, lógico después de todo el trasiego; después tiró de ella hasta dejarla caer en el suelo.

—No creo que al servicio le sorprenda —murmuró somnolienta.

Se cubrió los ojos con el antebrazo; en la habitación no se oía nada, tan solo el ruido del cuarto de baño adyacente.

Él la encontró así, tumbada boca arriba en la cama, con una pierna flexionada como si posara para uno de esos pintores vanguardistas tan aficionados a los desnudos. Quizás debería retratarla, esa imagen iba a quedar grabada en su memoria para siempre.

Se enfadó consigo mismo, otra vez esa maldita voz interior que le impulsaba a salirse del guion marcado y que hasta la fecha tan buenos resultados le había dado.

—Podrías ganarte la vida entre las sábanas —fue el afilado comentario de él al tumbarse de nuevo junto a ella.

Samantha no iba a coger la sartén por dónde más quemaba.

—¿De veras? —preguntó sin mirarle y sin dar mayor importancia a un comentario como ese. Si su intención era molestarla, iba por mal camino.

—Sí. —Ahora más recuperado, no de su esfuerzo físico, sino de su momentánea debilidad sentimental, deslizó las yemas de los dedos por la piel de su estómago disfrutando de la suavidad.

—Vaya… es todo un cumplido. Gracias.

—De nada.

Al ver que ella no entraba al trapo decidió ser él quien entrara, así que sin perder tiempo se situó sobre ella.

Samantha apartó el brazo para mirarle.

¿No iba a dejar que durmiera tranquila?

Él bajó la cabeza con intención de besarla, pues aún no lo había hecho.

Ella le miró diciéndole en silencio: «¿aún quieres más?»

Él se frotó contra ella contestando.

Ella abrió las piernas invitándole a seguir.

—A pesar de lo que puedas pensar, siempre soy partidario de volver a los clásicos de vez en cuando. —Dicho esto la penetró y besó al mismo tiempo.

Ella colocó las manos en sus hombros pero no para sujetarse.

—¿Los clásicos? —preguntó apartándole.

Él sonrió de medio lado pero no le explicó a qué se refería.

Capítulo 15

Algo más

Un mes después de su primer encuentro, Samantha seguía sorprendiéndose con las iniciativas, a cual más escandalosa, que James proponía.

Pero participaba de buen grado en ellas.

Y todo sin salir de aquella habitación.

Cumpliendo escrupulosamente la normas.

Samantha se levantó de la mesa y miró por el gran ventanal, estaba anocheciendo. Durante el verano había días más llevaderos que otros, pero ese no era uno de ellos.

Si permanecía en su despacho era por hacer tiempo hasta la hora convenida con James, el cual, por cierto, llevaba toda la jornada desaparecido. Prefería no pasar por casa y evitar dar explicaciones. Su madre ya se barruntaba algo y su padre... mejor ni pensarlo. Aunque en caso afirmativo era un maestro a la hora de fingir ignorancia. Esperaba que su madre, en caso de corroborar sus sospechas, le echara un cable.

—Me estoy obsesionando —se dijo volviendo a la mesa.

No quería plantearse si, aparte de la implicación sexual, estaba madurando otra muy diferente, pues de ser así ya podía ir empezando a cortarla de raíz.

No quería exponerse.

James había dejado bien claro sus malditas reglas y ella no iba a ser la tonta que terminara rogándole a la desesperada, como sin duda alguna otra había hecho con anterioridad a ella. Quizá por eso él se mostraba claramente interesado en ese aspecto.

No, de ninguna de las maneras. Puede que fuera su primera

aventura y que la inexperiencia jugara en su contra, pero conseguiría comportarse adecuadamente.

Incluso podría plantearse ser ella quien abandonara el barco. Sí, eso le dejaría boquiabierto.

Pero antes de hacer algo tan drástico bien podría agotar el catálogo de maldades que James ponía a su disposición en cada encuentro.

Ya no le cuestionaba abiertamente si lo que él pretendía iba a ser o no de su agrado. Si acaso discutía con él por una simple cuestión de vanidad, por no mostrarse todo lo sumisa que él quería y porque animaba los encuentros.

A él parecían divertirle sus reticencias, ya se había percatado de ese detalle y ella sabía que si se mostraba adecuadamente protestona la cosa se ponía muy interesante. Por no mencionar que una tenía su orgullo y de vez en cuando convenía hacer gala de él.

Unos golpes en la puerta hicieron que abandonase el mundo erótico que se desarrollaba tras las cuatro paredes en casa del abogado, para volver de nuevo al mundo diario.

—¿Se puede?

—¿Qué haces tú aquí?

Se levantó sonriendo para abrazar a Sebastian, al que llevaba sin ver más de un mes. Su eterno prometido respondió efusivamente a su abrazo antes de soltarla.

—Te veo estupendamente, querida.

Ella se hizo la modesta antes de sonreír abiertamente.

—Gracias por el piropo, querido.

—He venido para invitarte a cenar, charlar y pasar un buen rato.

Lo dijo de tal forma que Samantha sospechó al instante. Su amigo no dejaba de sonreír, intentando convencerla, como hacía con todas las féminas que le interesaba conquistar. Sin embargo, ella no pertenecía a ese club y por tanto era inmune a sus efectos.

—Me encanta cenar contigo y que me pongas al día de tus andanzas, pero... me resulta extraño que aparezcas, así de repente. Normalmente tengo que chantajearte para que me invites.

—Me gustaría que no me conocieras tan bien —se quejó y

fingió abatimiento ante la suposición, totalmente cierta, de su amiga.

—Es lo que hay. —Samantha se encogió de hombros—. Desembucha.

—Está bien; además, te vas a enterar de todos modos... Necesito que me vean acompañado, de una mujer, para ser precisos.

—¿El motivo? —inquirió. Claro que iba a serle de ayuda pero bien podía conocer toda la historia.

—Cierta aspirante a actriz quiere... digamos cazarme. —Puso carita de chico inocente y ella sonrió.

—Y tú, mi pobre amigo, no has hecho nada para alentarla, ¿verdad?

—Samantha, necesito una amiga, no una madre regañona.

James se sorprendió, no por saber quién era el acompañante de Samantha, sino por el repentino e injustificado ataque de celos.

Desde que comenzaron su extraña relación había observado impasible que ella seguía con sus reuniones y salidas amistosas sin darle mayor importancia.

Pero ese cabrón de Sebastian Wesley era otra historia. Ambas familias no se cansaban de intentar casarles, por no hablar de las especiales muestras de cariño que ella le dedicaba y a las que él respondía del mismo modo.

Una cosa era patente, Samantha era una amante excepcional y estaba bien instruida. Por lo que seguramente Sebastian era el artífice.

Esta noche tenían programado un encuentro, el segundo en esa semana, tal y como venían haciendo. Hasta ahora nadie sospechaba, nadie había insinuado nada; por lo tanto todo transcurría según sus planes.

Aunque... quizá debería retocar esos planes.

—Te acompaño a casa —dijo Sebastian al salir del restaurante—. No son horas de que andes por ahí sola.

—Esto... no hace falta. —Tenía otras intenciones y su

amigo no podía enterarse. Sebastian podía ser el más comprensivo de los hombres, pero como representante de su especie también podía proclamarse defensor implacable y estropear su salida nocturna.

Él puso esa cara de chico responsable, nada más lejos de la realidad.

—Querida, soy un caballero. —E hizo una mueca ante esa verdad a medias—. ¿Qué pensarán en tu casa si te dejo aquí? Ni hablar, te escoltaré y no descansaré hasta verte entrar por la puerta.

—No seas tonto. —Ella le dio una palmada por pedante—. Soy adulta y no necesito que me protejas de peligros que solo tú imaginas. —Él se mostró inflexible—. Está bien, te lo diré, pero ni una palabra.

—Soy todo oídos.

—Tengo una… cita.

—¿Con quién? ¿Con uno de esos pasmarotes que esperan dar el braguetazo casándose contigo?

—Por suerte, no —respondió haciendo una mueca. La corte de pasmarotes interesados en su persona, por motivos puramente monetarios, no era ningún secreto.

—¡Samantha Boston! —exclamó él fingiendo alarmarse—. ¿Me estás diciendo que tienes una aventura?

—Más o menos —admitió a regañadientes.

—Me muero de ganas por saber quién es el cabrón afortunado.

Por lo visto, y sin saber su identidad, Sebastian definía muy bien a las personas.

—No puedo decírtelo. De verdad que no.

—Qué pena. Pero cuídate, ¿de acuerdo? No quiero verte sufrir, aunque si necesitas un hombro sobre el que llorar aquí me tienes.

—¡No seas gafe! ¿Por qué supones que saldré perjudicada?

—Bueno… normalmente las mujeres os lo tomáis más en serio.

—Pues no es el caso. Ahora, si eres el caballero que dices ser, consígueme un taxi, dame un beso de buenas noches y ve a hacer lo que sea que haces cuando no estás acompañado por una buena amiga.

Υ

No estaba preparada para lo que pasó nada más atravesar la puerta. James no la esperaba tranquilamente tumbado en la cama, con sus malditos papeles en la mano, mostrando esa indiferencia tan odiosa, ni sentado junto a la ventana tomándose una copa...

No pudo ni desprenderse de su bolso cuando él la aplastó contra la pared, metió la mano bajo su falda, apartó la ropa interior a un lado y sin muchos más preámbulos la colocó para penetrarla apenas dos minutos después de su llegada.

Incomprensiblemente se sentía frustrado, irascible, y nada mejor que un polvo rápido y agresivo para liberar testosterona suficiente y quedarse momentáneamente calmado.

Estaba siendo deliberadamente egoísta, pero no le importaba; quería castigarla, volcar en ella todo su cabreo sin pararse a pensar en las consecuencias.

Podía, tras la brusquedad inicial, haberse mostrado más tierno, o por lo menos aminorar el ritmo, pero se mostró ajeno a cualquier emoción que ella pudiera transmitir, o a cualquier palabra que ella pronunciase.

No era un interludio para que ella disfrutase, era simple y llanamente un correctivo. Y, además, merecido.

Cualquier otra consideración no podía ser tenida en cuenta.

Tanta fiereza hizo que ella, desconcertada al máximo, no disfrutara, como era de esperar, del sexo en esa ocasión.

Cuando él se apartó, dejándola insatisfecha y con los muslos pegajosos, Samantha se lo reprochó.

—¿Se puede saber qué te pasa? —preguntó colocándose bien la ropa, molesta por la agresividad, por no hablar de las marcas que seguramente tendría al día siguiente en la espalda.

Él, para aumentar más su enfado, ni siquiera se dignó a mirarla a la cara.

—Nada, es simplemente otra forma de follar —dijo de forma impasible, como si ella fuera una cualquiera.

—Imbécil.

Él le dio la espalda, se abrochó los pantalones y la dejó ahí, con la palabra en la boca.

Pero como era de esperar ella no iba a callarse. Caminó rabiosa y cuando él se detuvo para servirse una copa de vino ella, de un manotazo, propio de la furia que sentía, hizo que cayera al suelo, manchando la moqueta y haciendo añicos el cristal.

—¿Estás loca?

—No, estoy furiosa. ¿Cómo te atreves a tratarme así? —le recriminó, sintiéndose una estúpida de proporciones desconocidas. Se lo tenía merecido, por bajar la guardia, por dejar que un hombre así la tocase. Por ilusa, al creer que ella sería capaz de manejar a un individuo como James.

—Sabes de sobra que no doy explicaciones sobre mi comportamiento. Lo tomas o lo dejas. —Tras decir esto último se sintió como un cabrón y al mismo tiempo se preocupó por la decisión que ella pudiera adoptar.

Y no debería; al fin y al cabo era una más, ¿o no?

—Eres un hijo de… —No pudo seguir porque se sentía mal, nunca antes había sentido la necesidad de abofetear a alguien o de insultarle de esa manera tan vulgar. Claro que con James sus reacciones no eran normales.

—Cálmate. —Rápidamente la rodeó con los brazos. Quería disculparse. Lo curioso del caso es que nunca antes lo había hecho y por lo tanto no sabía cómo.

Las palabras se le atragantaron. Él no era de esos, al igual que tampoco era amigo de arrebatos y peleas de amantes.

Inexplicablemente se sentía obligado a hacerlo.

Pero no con improductivas palabras.

Antes de comportarse como un hijo de puta, había estado preparando lo que sería una agradable sorpresa y, de paso, un comienzo de la velada diferente.

La cuestión no era si ya se aburría o no con ella, que no era el caso, sino la extraña necesidad de sorprenderla, de llevar a cabo con ella distintas fantasías que, o bien se le pasaban por la cabeza, o bien ya había practicado.

—Suéltame, me marcho de aquí —protestó ella. Iba listo si pensaba aplacarla con cuatro mimos.

Ella se revolvió en sus brazos pero James no iba a soltarla. En vez de empezar a discutir sobre si era o no un cabrón de grandes proporciones prefirió volver al plan inicial.

La condujo con paciencia y esfuerzo hasta el fondo de la alcoba, donde había ubicado un espejo de cuerpo entero.

La hizo quedar de frente para que se viera completamente y buscó los botones de su vestido para desnudarla.

—¡Ni hablar! No te lo crees ni tú que vas a tocarme.

—Escúchame. —No quería hablarle con ese tono tan dominante pero si se ablandaba entonces ella terminaría por abandonarle—. Vas a dejar que te desnude frente a ese espejo, vas a dejar que te toque como yo quiera y vas a disfrutar con mis caricias y contemplarte.

—No... —Su protesta no resultó tan vehemente pues la idea de mirarse era realmente excitante.

—Vas a ver cómo trabajan mis manos en tu cuerpo. —Los botones de la espalda ya habían sido desabrochados y él empezaba a deslizar el vestido—. Cómo tus pezones se endurecen cada vez que los pellizque. —Con esas palabras iba despojándola no solo de la ropa sino también de su voluntad.

Y lo peor de todo era que ella estaba dispuesta a dejarse arrastrar. Con tan solo oír una promesa cargada de sensualidad y perversión, ya sentía ese no se qué que impulsa a cometer cualquier locura, dejando a un lado el propósito fallido de la enmienda.

Él, ladino y jugando con ventaja, se ocupó de amansar a la fiera interna de Samantha con palabras provocadoras, palabras que evocaban demasiados placeres como para pasarlos por alto. Como para seguir enfurruñada y huir.

Cuando se atrevió a abrir los ojos, no se reconocía; sí, era su cuerpo, pero ella nunca se dedicaba a contemplarse de esa manera. James estaba colocado detrás de ella. Sus miradas se cruzaron por un momento y él le dedicó una de esas extrañas sonrisas, para nada tranquilizadoras.

—No quiero perderme ni un solo detalle. Cuando follamos estoy demasiado concentrado como para advertir todos los matices, ahora voy a hacer que disfrutes frente a ese espejo. Y voy a ser testigo de primera mano de cómo te deshaces, de cómo gimes, de cómo se te altera la respiración...

Ella se estremeció al percibir como él metía una mano entre sus muslos y buscaba su clítoris, el cual encontró a la primera. En respuesta abrió un poco más las piernas y se recostó contra él.

Resistirse a todo este asalto en regla para sus sentidos era misión imposible.

—No se te ocurra cerrar los ojos —la advirtió él, y su boca empezó a obrar maravillas en su nuca. Con la otra mano levantó uno de sus pechos y lo masajeó—. Mírate y mírame cómo te toco, cómo mis dedos desaparecen en tu coño, cómo vas a ir humedeciéndote cada vez más y más, hasta que tu marea yin se desborde.

Ella parpadeó y al escucharle salió de su aturdimiento.

—¿Marea yin? —preguntó rompiendo de repente el encanto. Se giró para mirarle directamente—. ¿De qué hablas?

—Es una forma de llamarlo —explicó él queriendo dar por zanjado el tema. La cuestión no era ponerse a hablar sino a disfrutar de sus caricias.

—Marea yin... —repitió ella—. Había oído cosas raras pero esto... se lleva la palma. ¿Marea yin? —insistió.

Él suspiró abandonando momentáneamente la idea de disfrutar del espectáculo que suponía Samantha frente al espejo, derritiéndose bajo sus perversiones.

—Y lo dice la de tuerca y tornillo. —Siguió penetrándola con los dedos. Al ver su cara decidió dar una sencilla explicación—. Es una expresión oriental, esa gente tiene un gusto muy particular buscando eufemismos.

—A mí me parece ridículo. —Metió la mano entre los cuerpos y tocó su erección por encima de la ropa—. ¿Y esto? —inquirió aguantando la risa. A saber qué termino lo designaba.

—Samantha... —Ella presionó de nuevo—. Está bien, pero no te rías. —La conocía bastante bien—. El dragón que escupe yang.

Las carcajadas de ella le contagiaron y en vez de seguir con lo que se traía entre manos estuvieron riéndose como niños.

—¡Me estás tomando el pelo! —exclamó entre carcajada y carcajada—. De verdad, James, hay veces que te superas a ti mismo. Mira que dices tonterías.

—No lo son. ¿Por qué iba a hacerlo? Mira, te dejaré un libro que lo explica muy bien. Básicamente dice lo que ya sabemos, que una mujer debe estar bien preparada y húmeda para que el «dragón» absorba esa energía.

—Y luego escupe... ¿Cómo has dicho? —su risa infantil hacía imposible concentrarse.

—Bueno, ahí hay una gran diferencia respecto al pensamiento occidental, el «dragón» debe «escupir» lo menos posible.

Ella se giró bruscamente para mirarle.

—¿Quieres decir que... —apretó su polla— no puedes correrte?

—Debo reservarme lo máximo posible, sí. Pero esa parte no me gusta. —La colocó de nuevo como al principio—. Dejémonos de cháchara y vayamos a lo importante.

—Que me desborde, ¿no? —murmuró ella con humor.

—Exactamente.

Él, que no estaba por la labor de perder más tiempo, no se entretuvo con caricias suaves ni pacientes; se mostró inflexible, vehemente. No dejó que se relajase ni un segundo. La estimuló con los dedos, pellizcó sin piedad un pezón y después otro, lamió la piel de su cuello, de su hombro desnudo... mordió cuando lo consideró oportuno. Todo, hizo de todo para que ella disfrutara, para pedirle perdón con sus acciones, para darle placer, sin reservas.

Samantha, a pesar de la orden, no conseguía mantener los ojos bien abiertos. No se podía creer lo que estaba contemplando a través de sus párpados entrecerrados. Su cuerpo no le pertenecía. James manejaba todos los resortes sin contemplaciones y ella respondía. ¿Debería volver a su idea inicial de no dejarle todo el poder?

Pero lo que más la sorprendió fue la expresión de él, parecía gozar tanto o más que ella.

Él siguió sin dar tregua, alternando penetraciones profundas con dos dedos y presionando el clítoris con el pulgar. Se frotaba su erección, de momento a buen recaudo en los pantalones, de tal forma que ella fuera estimulada sin descanso. Quería verla deleitándose al alcanzar el orgasmo, allí, frente al espejo, de pie, desnuda, sin distracciones.

Solo para él.

Pocas veces sentía la necesidad de complacer de tal forma a una amante, muy pocas. Pero por alguna razón ella era especial.

Arqueó el cuerpo al sentir cómo se acercaba al clímax y él, que debía tener una conexión especial para percibirlo, atacó con más fuerza. Su cuerpo había entrado en barrena, no podía dar marcha atrás; hasta que ya no pudo más y estalló.

James, sintiéndose a gusto con el espectáculo, no dijo nada; solo siguió observando a la mujer, observando los últimos espasmos, la respiración arrítmica volviendo a la normalidad, el cuerpo ahora ya lejos de la tirantez.

Samantha era, entre otras muchas cosas, una mujer capaz de provocar placer a un hombre con la sola contemplación de su orgasmo.

Y eso, él que tenía experiencia, sabía que no era habitual.

La sostuvo en todo momento hasta que pudo abrir los ojos y le sonrió.

—Ahora no me digas que tienes sueño, no hemos hecho más que empezar —dijo él posando ambas manos sobre su ombligo. No iba a dejar que se cayera o, peor aún, que cayera dormida. ¡Qué mujer!

—Todavía le sigo dando vueltas a lo de la marea yin y el dragón —bromeó ella.

—Pues cuando te hable de un par de términos en latín... —insinuó él a sabiendas de que la conversación traería cola—. ¿Qué harás?

—¿En latín?

Él asintió y después la acompañó hasta la cama, donde la dejó un instante para desvestirse antes de reunirse con ella.

—Te sorprenderías de lo versátiles que resultan algunos idiomas para esto del sexo —dijo él colocándose de lado.

—Pero en tu caso no tiene gracia.

—¿Qué quieres decir? —inquirió sin comprender tal aseveración.

—Eres abogado, manejas el latín perfectamente.

Eso le hizo reír.

—Te aseguro que cuando redacto un documento ciertos términos latinos no se me vienen a la cabeza.

Capítulo 16

Toda precaución es poca

—¡*H*ola, hermanita!

—Vaya. ¿Has decidido unirte al negocio familiar? —bromeó ella.

—¡No, por favor! Solo estoy de paso. He venido a recoger unos documentos. Que no quiera asumir el puesto de papá no significa que descuide mis finanzas. Pero, si eres tan amable, no le digas a papá que he estado por aquí, ya sabes cómo es y no quiero darle falsas esperanzas.

—Ya lo sé, tonto. —Y le sonrió afablemente—. Y no me llames «hermanita»; soy mayor que tú.

—Bueno, hermanita. Hace tiempo que no hablamos.

—¿Samantha? —James interrumpió la conversación.

—¡Hola, James! Cuánto tiempo.

—Lo mismo digo, Alfred. ¿Cómo tú por aquí?

—Nada, ejerciendo de hermano en mis ratos libres.

Samantha les observaba a los dos sin decir ni pío. Estaba claro que tenían una buena relación pero… ¿Qué opinaría su hermano si se enteraba de lo que James le hacía a su «hermanita»?

Sonrió para sí, nadie podía llegar a imaginar lo que el serio y trabajador abogado hacía a la heredera. Quizás el muy ladino contaba con ese factor, el de mantener la compostura durante el día para después perderla, o mejor dicho hacérsela perder por la noche. Nunca hubiera pensado que esto de la hipocresía tuviera un componente excitante tan marcado.

Humm, quizás debería planteárselo y jugar en la oficina.

No, mala idea; James se negaría, se corrigió a sí misma. Parecía transformarse al atravesar las puertas del banco. No quedaba ni rastro del hombre pervertido que conseguía hacerla disfrutar como nunca imaginó. Además, tampoco él había fijado las estúpidas reglas. No, no era buena idea. Una pena.

—Tenemos que buscar un hueco —estaba diciendo Alfred.

—Yo no soy quien tiene las noches ocupadas en un hospital haciendo guardias.

—No te preocupes por eso, la semana que viene tengo unos días libres.

—Hecho. —James dejó unos papeles sobre la mesa de Samantha y le dijo—: Te dejo unos documentos para que los revises.

—De acuerdo. —Ella los cogió.

—Hay varios vocablos en latín.

A ella se la disparó el pulso.

—¿Perdón?

—Si necesitas ayuda con la traducción, avísame; estaré encantado de explicarte su significado.

Dicho esto dejó a los hermanos a solas.

—Veo que papá no exageraba.

—¿A qué te refieres? —preguntó ella bebiendo agua e intentando controlarse. Maldito James y sus indirectas.

—Por lo visto ambos habéis decidido no provocarle más dolores de cabeza.

—Ah, bueno. Simplemente James parece haber asumido quién manda aquí —dijo ella tan pancha.

—Me parece estupendo.

Alfred se paseó por la estancia, buscaba la forma de abordar cierto asunto que le preocupaba desde hacía unos días. No era amigo de los chismorreos, pero cuando su hermana mayor era la protagonista la cosa cambiaba.

—No sé cómo decirte esto, Samantha, pero… el otro día hablé con Sebastian y me comentó algo que…

—¡Será cotilla! —le interrumpió en el acto, estaba claro de qué hablaba su hermano.

—¿Es cierto?

—¡Alfred!

—Joder, ¿qué quieres? Me preocupo por ti. Eso de que tengas una aventura… —Negó con la cabeza—. No es tu estilo.

—¿Y se puede saber por qué no es mi estilo? —inquirió molesta, no solo por lo que había dicho sino por cómo lo había dicho.

—No sabría decirte.

—Mira, cuando pille a Sebastian se va a enterar, punto uno. Punto dos, no es de tu incumbencia. Y punto tres, ¿te pregunto yo por tus líos?

—No es lo mismo —dijo en tono paternal.

—¡Lo que me faltaba por oír! —Se levantó enfadada por las insinuaciones de su hermano—. Hasta ahí podíamos llegar.

—Samantha, seamos razonables; eres una mujer y...

—Ya estamos otra vez. Soy lo suficientemente adulta como para saber lo que hago. Tú has tenido innumerables amantes, algunas de las cuales bastante entrometidas y... ¿Te he criticado acaso? ¡No!

—Esa no es la cuestión.

—Me da igual cuál es o deja de ser la cuestión. Es mi vida, no influye en mis asuntos profesionales y no tengo que dar, y menos a ti, explicaciones —se defendió. Qué se había creído su hermano, un año menor, comportándose con un anticuado sentido proteccionista.

—Simplemente me preocupo por ti.

—Pues vaya forma de hacerlo —le reprochó—. Mira, quédate tranquilo. Aparte de cuidar a Sebastian cuando le inflija un castigo por abrir la boca, no debes preocuparte por nada más. —Entonces una duda le hizo temblar—. ¿No habrás hablado con papá de esto?

—Joder, no. Primero porque sé cómo es y me aburriría todos los días para que averiguase de quién se trata y, segundo, porque yo no soy un chivato.

—Menos mal. —Suspiró aliviada—. Alfred, sé lo que hago. Soy responsable y no quiero que te preocupes. —Se acercó a él con intención de mostrarse como una mujer serena y segura de sí misma.

—De acuerdo. Dime su nombre, hablaré con él y me aseguraré de que te trata como a una reina.

—Deja esa pose de gánster, no te va.

—Dime su nombre —insistió Alfred.

—No, y no te empeñes en sonsacármelo.

—Como quieras, pero si me entero de que te hace daño...

—Alfred, cielo. —Abrazó a su hermano, en el fondo era cariñoso y muy protector—. Eres médico, ayudas a la gente a ponerse buena, no podrías hacer daño ni a una mosca.

—No te fíes, sabiendo lo que sé mis golpes pueden ser más letales —dijo él con humor.

—Te creo. Y, ya que estás aquí, ¿por qué no vamos a comer juntos y me explicas qué puntos son letales y cuáles no? —preguntó pensando en cierto amigo aristócrata y cotilla a partes iguales.

Samantha llegó a casa algo más tranquila tras la conversación con su hermano. Le hubiera gustado preguntarle algunas «cosillas», pues como médico estaba segura de que Alfred sabría responder con acierto.

Pero se impuso la prudencia.

Mientras tanto, su hermana Gaby estaba pelando la pava con su eterno prometido, Frank, en la terraza trasera y ella no quería interrumpir. Se dirigió hasta la habitación de su madre, necesitaba a alguien con quien hablar.

Abrió la puerta y entró tranquilamente pero se detuvo en seco.

—¡¿Cuántas veces os tengo dicho que llaméis a la puerta antes de entrar?!

Samantha se volvió mirando hacia la pared, la voz de enfado de su padre hizo que pusiera los ojos en blanco.

Esperó a que estuvieran presentables; no era la primera vez que pillaba a ambos en una situación incómoda, pero ¿a esas horas de la tarde? No quiso pensar más en ello.

—Dile a tu hija —continuó su padre enfadado— que aprenda a respetar unas sencillas normas. ¡Maldita sea!

—No te preocupes, se lo diré. Y ahora déjanos solas.

—Lo siento —murmuró Samantha al ver salir a su padre echando chispas. Después se volvió hacia su madre que se había sentado junto a la ventana—. ¡Mamá! ¿Por qué no echáis la llave?

—Las prisas no son buenas consejeras —respondió. Miró a su hija mayor y cambió su expresión—. ¿Qué te pasa, cariño?

—Necesito hablar con alguien.

—Deduzco que no quieres precisamente que sea una madre.

—Preferiría una amiga.

—Muy bien. Dime lo que te preocupa y veré si puedo olvidar que soy tu madre.

—Prométeme que no le dirás ni una palabra a mi padre.

—De acuerdo.

—Creo que... me he enamorado. —Y dicho esto rompió a llorar.

—Oh, mi niña. —Maddy abrazó a su hija. Era la primera vez que la veía en ese estado.

Dejó que ella se desahogara. Samantha estuvo un buen rato así, hasta que se sintió con fuerzas para hablar.

—Pensarás que soy horrible, porque... yo... verás... sin estar casada... Oh, no puedo hablar de esto contigo, mamá.

—Entiendo. —Maddy relegó su faceta de madre a un segundo plano intentando comprender a su hija. No era fácil—. Y él no te corresponde, ¿verdad?

—Ese no es el problema —explicó limpiándose la nariz.

—¿Ah, no? ¿Entonces?

—Simplemente no quiero estar en este estado, no me gusta. Yo solo quería experimentar, disfrutar. Nada más. —Parecía realmente molesta al decirlo.

—¿Y qué tiene de malo estar enamorada?

—¿De qué sirve eso cuando sé que tarde o temprano todo acabará?

—Ese... hombre, ¿te ha dicho algo? —preguntó con cautela.

—No, ni lo hará. Pero eso no me importa. Lo que quiero es desenamorarme, seguir —dudó un instante antes de avanzar con sus revelaciones— viéndonos como hasta ahora sin más compromisos.

—Samantha, ¿has pensado que a lo mejor él tiene el mismo problema?

¿James enamorado? Sí, claro, y los cerdos vuelan en primavera.

—Eso es imposible —aseveró—. Pensarás que soy lo peor.

—Como madre, me cuesta un poco aceptar el hecho de que

te veas con alguien. Como mujer la cosa cambia, tienes oportunidades que antes no había y si eres adulta para dirigir un banco supongo que también lo eres para llevar tu vida privada.

—¿Sabes? —dijo Samantha limpiándose las lágrimas—. Es lo que necesitaba oír.

Cuando Maddy se quedó a solas no pudo evitar preocuparse por su hija mayor, estaba metida en un buen lío. Evidentemente su padre no podía saber ni una palabra, pero ese no era el problema; su hija iba a sufrir.

Pero ¿quién era el responsable?

Tenía que averiguarlo cuanto antes.

Capítulo 17

No es suficiente

*D*ispuesta a disfrutar de los placeres que James proporcionaba, y resuelta a abandonar ese estúpido enamoramiento, sin duda producto de la inexperiencia, caminó y entró tranquilamente en casa del abogado, como siempre una vez que había oscurecido.

Ya no tenía que llamar a la puerta, James le había entregado una llave, así que evitaba encontrase con el mayordomo desagradable.

Él había asegurado que las cosas fuera de esa habitación no debían cambiar pero lo habían hecho.

Sutiles indirectas, palabras que escuchadas por alguien ajeno a su aventura no representaban ningún peligro, pero que para ella eran sinónimo de promesas a realizar en su próximo encuentro.

Nadie sospechaba nada. ¡Si hasta James la animaba a seguir con sus aburridas citas! ¡Y para más inri hasta se había ofrecido a buscar información de cada uno de sus pretendientes!

Eso era el colmo.

Podría al menos mostrarse un poco molesto, ¿no?

Pero estaba siendo una ilusa, podía esperar sentada a que él mostrara un mínimo de interés fuera de lo que era el ámbito sexual.

«No le des más vueltas —se dijo—. Piensa en lo que va a ocurrir esta noche. En la sorpresa que sin duda te dejará de nuevo exhausta y dulcemente agotada.»

—Hay veces en las que me planteo aleccionarte como si fueras una jovencita díscola.

Fue su rebuscado saludo al verla entrar. Jamás la recibía con un «buenas noches, querida». O «¿te sirvo una copa?». Obviamente, preguntar por su día en el trabajo, además de absurdo, sonaría cínico, pero una frase mínimamente amistosa no costaba tanto, ¿verdad? No, James siempre tenía que ser el mismo.

—Nunca he sido una «jovencita díscola» pero puedo aprender. —Al igual que había aprendido a contestar de forma insolente.

Él cambió de postura en el sillón desde el que la observaba, mostrando en todo momento esa expresión indolente que tanto detestaba.

—Bien, desnúdate, ponte sobre mis rodillas y recibirás la corrección adecuada.

—¿No tengo antes que salirme del redil? —inquirió ella y empezó a desnudarse.

—No te preocupes por eso, ya buscaremos algo para justificar tu castigo.

Se acercó a él y se arrodilló apaciblemente.

—Si sirve, una vez fingí estar enferma para no aguantar a un pelma que quería invitarme a cenar —ofreció ella.

—Me vale —dijo él—. Túmbate sobre mis rodillas. Con el trasero bien expuesto.

—¿Así?

—No, espera. —La apartó un instante para desabrocharse los pantalones y exponer su erección—. Mientras recibes los azotes pertinentes puedes chupármela.

Ella no protestó, y ni siquiera esperó a recibir la primera nalgada.

Si algo había aprendido era a minimizar riesgos y, definitivamente, tener su polla en la boca era una forma como otra cualquiera de tenerlo controlado.

Dejarle creer que se salía con la suya era mucho mejor que ganarle abiertamente.

James se recostó hacia atrás. Sí, tenía que aleccionarla adecuadamente, pero joder, qué bien se estaba así. Perezosamente acariciaba su espalda mientras ella seguía succionándole la polla. Era realmente buena.

Y otra vez las dudas acerca de quiénes habían sido sus amantes anteriores acudieron a su cabeza.

Y lo que era peor, dudas sobre si mantenía simultáneamente relaciones con otros hombres. De hecho, podía hacerlo, él le había dado margen para ello, pero prefería que no fuera así.

¿Demasiado posesivo?

No, se mintió a sí mismo. No era eso, simplemente quería tenerla para él; era jodidamente buena, y la época de compartir amantes quedaba bastante lejos.

Con tantas elucubraciones se estaba olvidando de atizar ese culo tan apetecible.

—Chupa con más fuerza —ordenó él tras la primera palmada—. Y que no tenga que volver a repetírtelo.

¡Oh! Qué imitación más espantosa de profesor severo, pensó ella.

Y, evidentemente, bajó el ritmo.

Y, en consecuencia, fue atizada de nuevo.

—Mañana, cuando no puedas sentarte, te pondrás cachonda recordando el motivo de tener el culo colorado.

Él sonrió ladinamente, joder; disfrutaba enormemente provocándola. Y ella, a momentos ingenua, intentaba hacer como que la cosa no iba con ella. Claro que, de haberse mostrado inusualmente sumisa, hubiera sospechado de inmediato.

Dejó de fustigar su culo y buscó entre sus piernas, indiscutiblemente estaba húmeda y al penetrarla con tan solo un dedo corcoveó encantada.

—Tú sigue disfrutando de mi polla que de esto —curvó el dedo en su interior antes de añadir otro— me encargo yo.

A veces, tanto engreimiento era detestable, pensó ella.

Pero él se encargaba de suplir esa fanfarronería con sus hábiles manos, en este caso con sus dedos aventureros que estaban provocándola sistemáticamente pero no cuanto ella necesitaba.

El muy...

Por supuesto James era consciente de sus exigencias, pero él estaba en la gloria, le racionaba las caricias, sabedor en todo momento de a qué punto llevarla sin dejar que se corriera.

—¿Sabes? Me encanta tenerte así, tan disciplinada, tan obediente. Enteramente sumisa a mis deseos —murmuró él.

Ella no respondió; prefirió hacerle saber de otra manera lo que opinaba al respecto.

Ejerciendo un poco más de presión con sus labios y dejando que sus dientes rozaran «accidentalmente» su miembro.

—¡Joder! —exclamó sobresaltado—. No juegues con eso —advirtió propinándole otro cachete en el culo.

Estaba claro que si no aflojaba un poco ella no iba a corresponderle. Bien, podía ceder lo justo.

Empezó a masturbarla con los dedos, curvándolos en su interior para frotar sin piedad todas y cada una de las terminaciones nerviosas más sensibles en ese momento. Mientras, seguía manoseando su trasero hasta que decidió que bien podía tensar un poco más la cuerda.

—¿Alguna vez te han follado por dos sitios al mismo tiempo?

Ella negó con la cabeza sin dejar de lamer su polla.

¿De qué estaba hablando James?

Con un poco de paciencia lo sabría enseguida.

Compartirla con otro hombre no le atraía en absoluto, lo cual le resultaba extraño; con cualquier otra mujer ni se lo cuestionaría. Así que bien podía recurrir a un pene de cuero.

Sí, joder, la sola idea de follarla simultáneamente con su polla y un artilugio de esos hizo que se estremeciera y arqueara las caderas, corriéndose acto seguido.

Ella, como una buena esclava, dócil y maleable, bien aleccionada, se lo tragó todo y esperó a que él se ocupara de que se corriera.

Ya no tenía motivos para demorarlo más. Se encargó de penetrarla y estimularla hasta que alcanzó el orgasmo sobre sus rodillas.

James, más o menos repuesto, fue el primero en hablar.

—Creo que nuestro acuerdo de dos noches a la semana ya no me satisface.

Al oírlo Samantha sintió una punzada de desilusión. Lo sabía. Sabía que tendría que haber finalizado esta extraña relación antes y no ser ella la rechazada. Se incorporó y se apartó.

Quería mantener un mínimo de dignidad ante él. Nada de escenitas recriminatorias. Dignidad ante todo.

—Como quieras. —Fingió desdén y con la mirada buscó su ropa. Debía salir de allí sin mostrarle a ese hijo de… lo que opinaba y menos aún dándole muestras de su desencanto.

Él se mantuvo en silencio, observándola; definitivamente esa mujer era especial. No debería hacerle daño, pero la tentación y el hábito pudieron con él.

Al final dijo:

—Deberíamos vernos una noche más. Tres en total. Eres buena en la cama y por el momento me encuentro complacido.

Siempre igual, el muy... déspota jugaba con ella.

—Veré lo que puedo hacer —respondió enfadada y no porque él quisiera ampliar sus encuentros sino por la odiosa manera que tenía de comunicar sus ideas.

—Vamos a la cama —pidió él quitándole la ropa que ella tenía en la mano y ofreciéndole la mano.

Samantha pensó en mandarle a freír espárragos, pero estaba cansada; meterse entre las sábanas, aun teniendo que compartirlas con un hombre proclive a intentar dominarla, era, probablemente, la mejor opción.

Unos minutos más tarde ambos se acostaban en el lecho. Como era de esperar ella se acurrucó, en breve caería rendida.

—¿Sabes? Normalmente son los hombres quienes se duermen nada más follar.

—Buenas noches —susurró ella. No estaba con ánimo de conversar. Estaba satisfecha y, como siempre le decían en casa, era de las que se dormían de pie.

James se quedó pensativo; en otras circunstancias le importaba bien poco con quién o quiénes había estado la mujer que se acababa de tirar, pero en este caso, incomprensiblemente, sentía la imperiosa necesidad de averiguarlo.

—¿Samantha? —se inclinó sobre ella.

—¿Humm? —musitó ella más somnolienta.

—Quiero preguntarte algo.

—¿Ahora? —protestó.

—Sí.

—Tengo sueño. Ya hablaremos mañana.

Él pasó por alto sus deseos, como siempre.

—¿Quién, de todos esos pasmarotes con los que sales, te ha enseñado a follar así?

Samantha no comprendió la pregunta. Bueno, tampoco su cerebro estaba ahora en perfecto estado; tenía sueño y él se empeñaba en hablar.

—Pero… ¿qué dices? —medio gruñó, medio preguntó. Jo, qué hombre más perseverante, por Dios.

—Tengo curiosidad, a algunos de esos panolis no me los imagino yo metiéndote mano.

—¿Y por qué iban a hacerlo? —replicó ella suspirando.

—Querida, eres una mujer, y ante ciertos estímulos todos reaccionamos, hasta el más tonto. ¿Quién se ha estado acostando con la señorita Boston? —preguntó él burlón.

—¡No digas bobadas! Esos pasmarotes, como tú dices, no se atreverían a proponerme nada semejante a lo que tú haces y mucho menos a intentarlo. No digas sandeces y déjame dormir. —Esto último lo dijo con voz de niña enfurruñada.

—¿Por qué? —preguntó desconcertado e interesado a partes iguales.

—Muy simple —resopló. James a veces parecía tonto, no darse cuenta de algo tan evidente… —. Me invitan a salir, al teatro, a veladas musicales, a recepciones, todo bien calculado para cazar a la heredera. No van a hacer un movimiento en falso y arruinar sus posibilidades de dar un braguetazo. Quieren meter mano a mi cartera de valores, no entre mis piernas.

James no podía creer la sarta de bobadas que estaba oyendo.

—Vamos a ver, puede que algunos se comporten, pero otros estoy seguro de que…

—Maldita sea. Te he dicho que no. Que ninguno arriesgaría sus opciones llevándome a la cama. Eso quedaría muy mal delante de mi padre cuando van a pedir mi mano. Tienen que comportarse —lo dijo como si recitara una aburrida letanía.

Él notó su amargura al explicar la situación. De acuerdo, descartados los aspirantes a marido, quedaban los amigos.

—Entonces, ¿algún amigo especial? ¿Algún criado dispuesto a ascender?

—James —ella se incorporó enfadada, quería dar por zanjado el tema y dormir—, no sé adónde quieres llegar, pero no me apetece hablar; estoy que me caigo de sueño.

—Venga, querida, puedes contármelo —insistió él con voz falsamente comprensiva—. ¿Con quién follabas antes?

—¿Pero qué tonterías estás diciendo? —saltó exasperada.

—Es una pregunta de lo más normal —argumentó él—, no todos los días se encuentra uno con una mujer tan experimentada.

—Si eso es un cumplido, muchas gracias —dijo sarcástica—. Pero piensa una cosa, ¿no puede ser que simplemente sea buena alumna y aprenda rápido?

—Desde luego, pero necesitas un profesor. Dímelo, Samantha, ¿lo conozco?

Ella quería dormir, arrebujarse en la cama, descansar y no perder el tiempo en conversaciones ridículas. No entendía a cuento de qué James preguntaba esas cosas.

—Samantha, nómbramelos. Seré discreto, no se lo diré a nadie. —Utilizó un tono típico de amigo cómplice.

Ella se dio la vuelta para enfrentarle.

—Mira, no sé qué mosca te ha picado. No ha habido ningún profesor, maldita sea; solo me he acostado con un hombre en mi vida.

Todo lo soltó enfadada. ¿Qué insinuaba James? ¿Que era una mujerzuela? ¿Que se metía en la cama con cualquiera?

Bueno, se había metido en su cama a las primeras de cambio, pero eso era otro cantar.

Enojada con el interrogatorio de James le dio la espalda, agarró la sábana con rabia y se dispuso de una vez por todas a dormir.

No hubo suerte.

Tras analizar todos los sentidos de la última frase él tuvo que preguntar de nuevo. Algo no cuadraba.

—¡Un momento! —exclamó él con voz peligrosa—. ¿Qué es eso de que solamente te has acostado con un hombre?

—¡Estoy hasta el gorro! —gritó exasperada—. ¿Por alguna extraña razón te has empeñado en no dejarme dormir?

—¡Contesta a la jodida pregunta!

—A mí no me hables en ese tono de abogado de tres al cuarto.

—Samantha... —Una idea empezó a tomar forma en su cabeza, transformándose rápidamente en una peligrosa inquietud—. Explica eso de que solo...

—Vamos a ver, es muy sencillo: Solo. Me. He. Acostado. Contigo. ¿Alguna pregunta más?

—¡Joder! ¡Me cago en la puta! —James empezó con su variedad de improperios y se levantó de la cama mirándola como si fuera un demonio—. ¡Una jodida virgen!

Ella, abandonando la bonita idea de dormir, se giró para mirarle y de paso reprenderle por su tontería.

—¿Y? —preguntó ella toda digna. No entendía a qué venía este melodrama.

—¡Eras virgen! —repitió como un tonto—. ¿Por qué narices no me dijiste nada?

—Se supone que los hombres os dais cuenta de esas cosas —argumentó ella—. Pensé que no dijiste nada por educación.

—La madre que me parió. —James no salía de su asombro—. Por educación, dice. Yo no noté nada, joder. —Golpeó el poste de la cama cabreado.

—Bueno... —Ella se encogió de hombros—. Tú eres quien tiene más experiencia en estas cosas —dijo intentando enfriar el ambiente.

—Te follé como un... —No sabía cómo calificarse a sí mismo—. ¿Te hice daño?

—Siempre me duele un poco.

—¿Perdón? —Eso no era posible.

—Pero no me importa, los azotes no me disgustan, puedo soportarlos.

—Samantha, me refiero a cuando... —para ser un hombre, abogado para más señas, que se preciaba de su elocuencia, estaba bien jodido— te penetré.

—Ah, no, entonces no. Bueno, sí, un poco.

—¿En qué cojones quedamos?

—A ver. ¿Cómo te lo explico? —Ella estaba ya hartita del cuestionario—. Cuando te empeñaste en hacerlo por detrás, sí, me dolió, pero al principio.

—Joder, joder, joder. Maldita sea mi estampa. Esto solo me puede pasar a mí. Voy y me tiro a la virginal hija del jefe.

—¡Oye! —le interpeló mosqueada—. Que no te obligué a nada. Si no querías acostarte conmigo solo tenías que decirlo.

—Si llego a saber que eras virgen las cosas hubieran sucedido de otra manera.

—¿Ah, sí? —preguntó mostrando su curiosidad.

—Desde luego. —Él seguía enfadado—. No te hubiera puesto un dedo encima.

Eso dolía. Así que se levantó de la cama hecha una furia, recogió su ropa y empezó a vestirse sin mirar cómo iba quedando su vestido.

—Eres un... cabrón.

Él se sorprendió ante ese vocabulario.

—¿Dónde vas?

—A mi casa. Está claro que hoy no hay quien te aguante.

La detuvo quitándole la ropa y lanzándola a un lado.

—Tú no vas a ninguna parte.

—¡Ja! —Ella intentó zafarse—. A mí nadie me trata de esa manera. ¿Entendido? Hasta hace apenas quince minutos querías que viniera una noche más a la semana. Y ahora, de repente, te pones en un plan inaguantable sobre si era virgen o no. ¿Qué importa eso?

—Importa, y mucho —dijo él sujetándola.

Ella no tenía ni idea de lo que podía significar. Samantha debía ser consciente de que su condición, ahora ex condición virginal, lo cambiaba todo.

Ya no era una niña rica y mimada dispuesta a divertirse con el amante de turno.

Puede que algunas tradiciones estuvieran en desuso pero James sabía que la había metido, y no la pata precisamente, hasta el fondo. Ahora debería afrontar las consecuencias.

Para empezar, tenía que calmarla ya que estaba hecha un basilisco. Así que se empleó a fondo para apaciguarla.

La tumbó en la cama, y, sin perder un segundo, se tumbó encima de ella.

—¡Aparta!

La reacción de ella no le sorprendió.

—No.

—¿Estás de guasa? ¿Encima no pretenderás ahora... —a falta de una palabra mejor— follar conmigo?

—Samantha, no deberías hablar así —la reprendió él.

—¿Por qué? ¡Ah, claro! Solo tú puedes utilizar palabras vulgares, yo soy una señorita bien educada.

Eso le hizo reír.

—No es por eso, querida. Simplemente oírte pronunciar la palabra «follar» hace que se me ponga dura.

«Apuntado queda», pensó ella.

Capítulo 18

Rompiendo las reglas

*N*o debería estar allí, en su cama, después de lo de anoche. James al final se había salido con la suya. Y eso no podía permitirlo.

Acostarse de nuevo con él tras una pelea tenía su encanto. El sexo resultó ciertamente interesante. Especialmente porque él aparcó sus ridículas pretensiones de dominación que intentaba poner en práctica en cada encuentro.

Sí, la diferencia había sido palpable.

Pero, una vez pasada la euforia, debía ser consecuente y empezar a plantearse la retirada.

Levantarse, vestirse y despedirse educadamente era lo que tenía qué hacer.

Algo muy distinto sería cómo lidiar a partir de ahora en el trabajo.

—Buenos días —interrumpió James no solo sus pensamientos, sino también su digna retirada.

Como siempre, a primera hora, aparecía el desagradable mayordomo, dejaba el desayuno y desaparecía; solo que esta vez sí se preocupó de cerrar la puerta.

Samantha se incorporó en la cama; no iba a despreciar un desayuno, no solo porque fuese una falta de consideración sino porque tenía hambre.

James esperó junto a la ventana con las manos en los bolsillos a que ella diera cuenta del café y la bollería.

En silencio, como si ver pasar transeúntes fuera emocionante.

Cuando hubo acabado, él retiró el servicio y se sentó frente a ella.

—Tenemos que hablar.

Esto no le gustaba nada, pensó mirándole con desconfianza. Cuando proponía algo así…

—Es tarde, ya lo haremos en otro momento. —Hizo amago de levantarse pero él se interpuso.

—No te preocupes por eso. —Él rebuscó en su bolsillo y sacó un pequeño estuche, lo abrió y se lo ofreció.

—¿Un regalo? —se aventuró ella al ver el sencillo anillo con un pequeño brillante—. Se supone que no iba a recibir regalos. ¿Ya estamos quebrantando las reglas otra vez?

—No, no es un regalo. —Parecía incómodo y ella lo advirtió.

—¿Entonces?

—Quiero que nos casemos.

—¿Perdón? —dijo ella con voz estridente ante la sorpresa. ¿Casarse? James estaba loco, de remate.

—Es lo adecuado en estos casos —argumentó él.

Ella miró de nuevo el anillo, más que nada para no tener que mirarle a él y respondió:

—No veo la lógica por ninguna parte.

—A mí tampoco me hace gracia, no tenía pensado casarme, pero, dadas las circunstancias, no puedo obrar de otro modo.

Samantha cogió aire, contó hasta diez y volvió a tomar aire profundamente para calmarse. Definitivamente este hombre estaba perdiendo el norte.

—Tú no eres de los que se casan —le recordó ella.

—Lo sé.

Maldita sea, si al menos mostrase un poco más de entusiasmo… Pero no, quería casarse porque se sentía obligado, y no porque se interesara, aunque solo fuera un poquito, por ella.

Era como el resto de sus pretendientes.

Solo existía una diferencia entre ellos y James.

Y se lo hizo notar.

—He recibido las suficientes proposiciones de matrimonio como para tener cierta experiencia. —Se tapó con la sábana en un repentino ataque de castidad—. ¿No podrías, al menos, haber conseguido un anillo más grande? —dijo devolviendo el objeto a su estuche y desdeñándolo como si fuera basura.

—Es difícil encontrar algo adecuado a primera hora de la

mañana —se defendió él molesto—. Pero no te preocupes, tendrás el anillo más basto, chabacano y vulgar que quieras.

—No.

—¿No? ¿No quieres un anillo más grande?

—No, no quiero casarme, y menos contigo.

Consiguió levantarse envuelta en la sábana y caminó hasta recoger su ropa, que estaba doblada sobre el diván.

—Samantha... —Él la siguió con gesto enfadado y, en vez de darle tiempo y no atosigarla, se encaró con ella—. ¡Podrías mostrarte razonable por una puta vez! —Ella lo miró por encima del hombro y empezó a vestirse—. ¿Tienes idea de lo que puede pasar si tu padre se entera?

Ella contó hasta cinco. Qué hombre, tan espabilado para unas cosas y tan anticuado para otras.

—Mira, hasta ahora nadie ha descubierto nada. Solo hay dos personas en el mundo que saben lo que aquí ha ocurrido. Yo no voy a decir nada, así que —se encogió de hombros— si mantienes el pico cerrado todo estará resuelto.

—Tarde o temprano todo saldrá a la luz.

—Eso tiene fácil solución —respondió ella sentándose para colocarse los zapatos.

—Ilumíname, si eres tan amable —sugirió él con sarcasmo.

—Dejemos de vernos.

—Ni hablar —respondió rápidamente, de tal forma que hasta él mismo se sorprendió de la vehemencia con la que hablaba.

Ella se sobresaltó ante tal contundencia, pero, si se mostraba mínimamente indecisa, él se aprovecharía sin dudarlo. A pesar de todo, se moría de ganas de dejarse convencer.

—Es lo más acertado, piénsalo. Nos hemos divertido, he aprendido una barbaridad y —esto último lo dijo para aguijonearle y porque... ¡qué caray!, era cierto— siguiendo tus maravillosas recomendaciones, es mejor ser civilizados y evitar dramas y recriminaciones.

—¡Deja de echarme en cara esas estúpidas reglas!

—¡Pues deja de imponer condiciones a todo!

—No me lo puedo creer, te juro que lo intento pero no sé en qué demonios piensas o qué narices te pasa por la cabeza para actuar de una forma tan inconsciente.

Rara vez lo había visto en tal estado, así que pensó que solo había dos posibilidades. A saber. La primera era que de verdad le importaba pero que al ser hombre no sabía expresar sus sentimientos. En fin, nada extraño. O, simplemente, se trataba de un presuntuoso de tomo y lomo que no sabía aceptar un no por respuesta.

Se inclinaba por la segunda opción.

—Actúo como considero mejor en cada caso —alegó ella de forma cursi—, y no voy a darte explicaciones. De ninguna clase. ¡Faltaría más!

Se acercó al tocador para peinarse o algo parecido con tal de salir de la casa sin parecer una gallina desplumada. Él, siguiendo su tónica habitual de no dejarla ni respirar, se colocó detrás de ella.

—Está bien, ya que me rechazas, ¿podrías darme una explicación, coherente, ante tal negativa? —James intentó otra vía, menos agresiva verbalmente, esperando ser más eficiente.

—Pongamos por caso que hubiese sido al revés. Que tú, aprovechando tus convenientes reglas, decidieses, eso sí, educadamente, darme la patada en el trasero y olvidarte de mí. ¿Cómo se supone que debería reaccionar? —Ella levantó la mano para que no se apresurase a contestar y de paso no estropearse su argumento—. Yo, como mujer adulta que soy, recogería mis cosas y me despediría. ¡Sin armar tanto jaleo!

—Hay que joderse —murmuró él—. Muchas en tu lugar estarían no solo satisfechas de recibir esta proposición sino que además se mostrarían mucho más agradecidas.

—¿Debo recordarte la larga lista de proposiciones que he tenido? —le espetó sabiendo que no estaba bien pasarle por delante de las narices ese dato. Pero si no, James no cedería nunca.

—Gilipollas bien entrenados para meter mano a tu cartera de valores.

¡Maldita sea! Eso pasaba por dar explicaciones. Bien, ese argumento no podía utilizarlo de nuevo, reflexionó ella.

—Puede ser, pero entre ellos se encuentran muchos aristócratas, pertenecientes a familias con apellidos con solera. —Cosa que hasta el momento nunca había tenido en cuenta a la hora de rechazar o aceptar una proposición.

—¿Y has pensado en lo que podrían opinar si conocieran tus, digamos, gustos en la cama?

Ese comentario activó un resorte en la mente de ella.

—¡Eres un hijo de mala madre! —Sin más levantó la mano y le dedicó un buen bofetón en la mejilla, dejándole no solo sorprendido sino también una marca bien visible—. ¿Cómo te atreves?

«Porque soy un hijo de puta y siempre me salgo con la mía», pensó él. ¿Quién mejor que uno mismo para conocerse?

Había jugado sucio con ella. La primera regla no escrita de los amantes era no criticar lo que mutuamente se ha disfrutado, ni mucho menos utilizarlo como arma arrojadiza.

Pero se sentía tan jodido con la reiterada negativa de ella... cosa difícil de explicar. Hasta ahora, cuando alguna mujer le hacía saber que su historia finalizaba, James se encogía de hombros sabiendo que había demasiados peces en el mar como para preocuparse.

Pero para su asombro, no estaba dispuesto a que este pez se soltara del anzuelo.

—Samantha... —No pediría disculpas con palabras vanas, primero porque no era su estilo y segundo porque prefería distraerla y eso sabía bien cómo conseguirlo.

La abrazó desde atrás, pasando por alto su bofetón. Ella tenía derecho a expresar su rabia, admitía que estaba siendo un cabronazo manipulador, pero a ciertas edades es complejo cambiar.

—Ahora no me vengas con arrumacos porque...

—Shsss. Piensa una cosa. —Como todo bastardo manipulador que se precie, empezó por acariciarla en el cuello con suaves besos y manteniendo los brazos alrededor para evitar que otro tortazo se le escapara—. ¿Qué te parecería poder estar todas las noches juntos?

Ella resopló.

—Sin tener que guardar las apariencias —continuó él—. Sin disimulos.

—¿Con cenas románticas y ramos de flores? —preguntó ella en tono de guasa.

—Podría ser —murmuró él pasando por alto el tono irónico; aunque, en pos de la victoria... ¿Qué suponen unas rosas y unas cenas en el restaurante más concurrido de la ciudad?

—Te olvidas de los regalos. —Samantha siguió con su tonito.

—No, no me olvido.

James pensó que el mejor regalo que tenía ahora mismo estaba en sus pantalones, y no se refería al estuche con el ridículo anillo de compromiso.

—No necesito casarme contigo para disfrutar de un par de revolcones a la semana —le espetó como si de una mujer experimentada se tratase.

«¿Y si dejo que me intente convencer, disfruto de una fabulosa despedida y consigo volver a casa sin discutir otra vez?», fue el estudiado pensamiento de ella.

Él sonrió cuanto notó cómo claudicaba. Excelente, Samantha era una de esas mujeres que no tenía miedo a disfrutar de su cuerpo y no escondía sus reacciones.

Con paso lento pero firme la fue conduciendo hasta la alborotada cama y pensó un instante en atarla para ser mucho más exhaustivo en su misión de reconquista, pero, pensándolo bien, prefirió dejar las cuerdas para otro momento.

Una vez tumbada boca arriba en la cama, él metió mano bajo la falda de su vestido e hizo un sonido de aprobación al notar que, con el enfado y con la urgencia por vestirse, ella no se había puesto las medias.

Siguió su ascenso entre las piernas femeninas para llegar a otro oportuno descuido.

—Las prisas nunca son buenas —dijo él acariciando su coño desnudo— pero, en este caso, podemos afirmar lo contrario.

Pensó en desvestirla completamente pero desestimó la idea. Lo cierto era que follársela allí, medio desnuda, levantándole únicamente la falda, tenía un componente adicional muy sugerente.

Resultaba algo tan sumamente sórdido, vulgar y ordinario que le excitó aún más.

Como era de esperar compartió ese pensamiento con ella.

—Querida —contempló la estampa que ella ofrecía—, debo reconocer que tienes un don especial para adaptarte a las situaciones.

—¿A qué situación en concreto? —preguntó lo que ya

intuía, pues no ofrecía una imagen muy elegante en esa pose tan tosca.

—Tienes la asombrosa capacidad de parecer tanto la más elegante de las cortesanas como la más vulgar de las putas.

Samantha no dijo nada y se limitó quedarse a la espera. Iba listo si pensaba que tras ese comentario ella haría algo por él.

Pero por lo visto no era necesario; James se desabrochó los pantalones y se los bajó lo justo para poder maniobrar con el mínimo de precisión.

Ella le apartó un poco la tela más que nada para que no la rozara, pero sin poner mucho empeño.

Y él, que ya sabía lo húmeda que se encontraba, no demoró más la penetración.

Debía reconocerlo, el sexo embotaba el pensamiento, discurrió ella mientras su parte racional se iba de vacaciones a medida que su parte visceral iba tomando el control.

Con cada empuje su cuerpo se movía al son que James marcaba, pero eso no iba a ser más que una victoria pasajera.

Disfrutaría del momento y después, como toda una dama, saldría por esa puerta con la cabeza bien alta.

Aunque con el corazón un poco tocado. Era muy triste estar enamorada.

Más triste aún no ser correspondida.

Pero lo que realmente la desquiciaba era estar enamorada de un bastardo oportunista como él.

—Samantha… —jadeó él incorporándose para mirarla. Ella no estaba poniendo lo que se dice mucha voluntad.

—Sigue. —Ella reaccionó rápidamente.

—Es… una… pena… que no pueda ver… cómo se balancean… tus tetas… cada vez… que te la meto con fuerza.

—Deberías… haberlo… pensado… antes —susurró ella.

—Por… una… vez… y sin… que sirva… de precedente… te doy… la razón.

Ella sonrió y se dedicó a exprimir el último momento junto a él.

Capítulo 19

Sabios consejos

*L*legó a casa echando humo. Enfadada con todo el mundo en general y con un abogado en particular. No podía dar crédito a cómo se estaban complicando las cosas.

Como él mismo había definido hacía una semana tras su desastrosa despedida, se iniciaban las hostilidades.

Creía estar preparada para ellas pero...

Que James jugaba sucio no sorprendía pero que llegara a ser tan ladino... tan taimado y tan rastrero.

Ella hubiese preferido volver a las antiguas disputas, al toma y daca verbal, incluso a soportar esos malditos discursos de superioridad.

Pero no. El maldito abogado siempre tenía un as en la manga.

Desde hacía una semana se comportaba como si fuera su mejor aliado. Respaldaba todas sus opiniones, apoyaba sus decisiones y no solo eso, sino que además alababa su inteligencia y sus conocimientos.

Se mostraba paciente, comprensivo, atento... todo con tal de desquiciarla y sabedor de que ese comportamiento la sacaba de sus casillas, prefería mil veces un enfrentamiento directo. Aunque James era demasiado listo como para eso. A saber qué nuevo plan tramaba con tal de salirse con la suya.

De momento había conseguido que Samantha estuviera malhumorada, no con él solamente, pues eso era comprensible, sino consigo misma, por tonta, por creer que controlaba la situación y por jugar con fuego.

—¡Maldita sea! —exclamó al notar que el tacón de su zapato derecho se quebraba al subir el último escalón de acceso a casa.

Caminó cojeando por el recibidor y, al oír el murmullo de una conversación procedente de la terraza de atrás, anduvo hasta allí.

—¡Hola, cielo! —la saludó su madre al verla acercarse—. ¿Qué te pasa? —inquirió tras observarla. Su hija mayor no traía buena cara. Podía intuir el motivo.

Samantha levantó la pierna y mostró su incidente.

—Con lo monos que son —dijo su hermana.

—Bueno, siempre es bueno tener una excusa para salir de compras.

—Querida Alice, no todas necesitamos ir de compras cada semana —fue el comentario de su madre.

—No te preocupes, tía Alice; mamá y yo no pensamos lo mismo al respecto —dijo Samantha sentándose a la mesa con ellas. A continuación, se quitó los zapatos y se sirvió un refresco.

—Tienes mala cara, cariño —dijo Alice—, y solo hay un motivo por el cual se puede estar así.

Samantha hizo una mueca. Nadie entendía la capacidad de tía Alice para acertar en cuanto al estado de ánimo de quienes la rodeaban.

En realidad la madre de Sebastian no era tía por parentesco, sino una amiga de sus padres. Pero desde niños empezaron a llamarla «tía» y nadie se opuso.

—Samantha trabaja demasiado —apuntó Gaby.

—Eso se arregla con unas vacaciones. No, esa cara es de mal de amores —aseveró Alice.

La aludida resopló.

—Se parece demasiado a su padre, se toma las cosas muy en serio —dijo su madre con cariño, intentando echar un cable a su hija.

—Humm… No, no puede ser. Te digo que es mal de amores —insistió Alice.

—He recibido otra propuesta de matrimonio —dijo al final Samantha al sentirse observada con detenimiento. Muchas veces la verdad resultaba la mejor forma de evadir la cuestión principal.

—¿Veis? Yo tenía razón —dijo Alice dando un sorbo a su bebida convenientemente mezclada.

—Eso no es nada nuevo, Samantha —intervino Gaby—. Yo espero con ansia el día que Frank y yo por fin podamos casarnos.

—Ese hombre no te conviene. —Alice era la única que se atrevía a expresar en voz alta lo que todos pensaban.

—Nos queremos —se defendió Gaby.

—Lo sé, cariño. —Maddy se mostró comprensiva con su hija pequeña y no insistió con el tema. Ahora estaba más preocupada con la mayor.

—Sé que el hijo del barón… ¿Cómo se llama? Ah, sí, el barón Woodward estaba interesado en ti. No me extraña que tengas esa cara, es un hombre difícil de mirar —dijo Alice.

Se echó a reír. ¡Difícil de mirar! Vaya eufemismo para describir a un hombre feo.

—No, no se ha declarado, ni creo que lo haga —explicó Samantha—. La última vez que lo intentó dejé claro que no me interesaba. —Y menos mal que el hombre aceptó la negativa, y no porque simplemente fuera poco agraciado, sino porque era el tipo más soso y sin carácter que había conocido.

—De buena te has librado, querida —aseveró Alice—. Entonces, ¿de quién se trata? No he oído más rumores.

Estaba claro que James no había abierto el pico porque a su querida tía Alice no se le escapaba nada.

—Ese no es el problema —dijo haciendo una mueca.

—¿Cómo que no? —dijo su hermana—. Es muy importante con quién te cases. Es para toda la vida.

Samantha cruzó una mirada con su madre; esta intuía por dónde iban los tiros.

—Interesante teoría —murmuró Alice.

—El problema es que… —Samantha se mordió el labio—. Estoy tentada a aceptar.

—¿De verdad? —Gaby se mostró entusiasmada, todo lo contrario que su hermana mayor.

—Solo que… —Seguía dubitativa. ¿Cómo decir en voz alta que sus dudas provenían de sus experiencias? O mejor dicho, tras sus experiencias.

—¡Chiquilla, no nos tengas en ascuas! —intervino Alice.

—Es que... bueno... —Miró a su hermana menor pues estaba segura de que de las cuatro era la única que no sabía, o mejor dicho, no había experimentado, lo que ocurre entre un hombre y una mujer en la intimidad, por mucho novio que tuviese—. Creo que estoy confundida porque... —respiró profundamente— debido a.... mi comportamiento —dijo a falta de algo más concreto—. He podido dejarme llevar por la... —¿Decir «pasión» era hablar demasiado?—. En resumidas cuentas, creo que mi indecisión es producto del sexo y no del amor. —Así, sin red, dio el triple salto mortal.

Gaby la miró intentando comprender.

Su madre aguantó el tipo.

Tía Alice sonrió.

—Querida niña, ¿estás diciendo que, debido a tus experiencias sexuales, crees estar enamorada de ese hombre y que por lo tanto temes que, una vez que se acabe la pasión, si te casas con él tu matrimonio estará abocado al fracaso?

Nadie podría haberlo expresado mejor.

Gracias, tía Alice.

—¿Has mantenido relaciones íntimas sin estar casada? —exclamó Gaby al entender de qué estaba hablando.

—No es necesario casarse para... —comenzó Alice queriendo dejar claro un concepto básico.

—Alice... —Maddy interrumpió a su amiga. Su hija pequeña aún no estaba preparada para ese tipo de revelaciones. Aunque si la conversación seguía por estos derroteros... seguramente iba a conocer bastantes detalles. Su vieja amiga era de todo menos reservada a la hora de hablar.

—Necesito consejo. —Samantha miró a su progenitora y a su tía—. Pero no quiero que me habléis como dos madres —advirtió. Más que nada porque si lo hacían desde esas posiciones ya se conocía el percal. Necesitaba hablar sin demasiada censura para sacar conclusiones que la ayudaran.

—Tranquila, me hago una idea —dijo Alice comprensiva.

—Lo sé, cariño, pero esto no me resulta nada fácil —murmuró su madre algo más incómoda.

—Yo voy a esperar a mi noche de bodas —apuntó totalmente convencida Gaby—. Frank y yo lo hemos hablado. Me quiere y sabrá contenerse.

Alice puso los ojos en blanco mientras miraba a Maddy. Tarde o temprano alguien tendría que decirle a la pequeña Gaby cuatro cosas sobre su querido Frank.

—No sé qué hacer. Por un lado quiero aceptar, pero por otro... —Negó con la cabeza—. ¿Qué lleva esta limonada? —preguntó tras servirse y probar un sorbo.

—Un toque de ron —explicó Alice.

—Ah, bueno. Cuesta un poco acostumbrarse al principio.

—Hablemos de lo realmente importante aquí. Tu amante.

—Alice... —le advirtió de nuevo Maddy—. Cariño, siempre se tienen dudas. ¿Lo has hablado con él? —preguntó en tono suave.

—No, ni voy a intentarlo siquiera. —Pensó en James y en el discurso que tendría que soportar si se le ocurría mencionar sus inquietudes. Y en cómo, seguramente, zanjaría él la conversación: desnuda, al menos ella, y él llevando la voz de mando. Y eso, a pesar de resultar placentero, no resolvía la cuestión. Por no mencionar que él, al salirse con la suya, se pavonearía aún más, dificultando las cosas hasta un punto casi irreversible.

—¿Por qué? —preguntó su madre.

—Porque los hombres son unos negados en cuanto a temas emocionales se refiere —respondió Alice adelantándose—. Solo saben utilizar la poesía y los requiebros cuando quieren llevarse a una mujer al huerto. Y algunos ni eso.

—Parece mentira que tú, precisamente tú, digas eso —recordó Maddy a su amiga.

—El que esté casada con el único sinvergüenza capaz de expresar sus sentimientos confirma mi teoría —replicó tan pancha.

—Ese tampoco es el problema —prosiguió Samantha cada vez más desanimada porque no llegaban a ninguna conclusión válida.

—¿Él no te quiere? —preguntó Gaby.

Agradeció que su hermana pequeña, la romántica y soñadora de la familia, diera en el clavo.

—¡Acabáramos! —exclamó Alice—. Te ha pedido que te cases con él por interés, ¿no?

Samantha, que hasta el momento no había pensado en esa

opción, se quedó helada al caer en la cuenta. ¡Pues claro! ¿Cómo no había pensado en esa posibilidad?

Peor aún, conociendo la ambición de James en lo que al trabajo se refiere, ¿cómo había sido tan ingenua de pasar ese detalle tan importante por alto?

Al confesarle su condición virginal en su primer encuentro le había servido en bandeja la oportunidad de su vida.

Ni responsabilidades, ni cargos de conciencia, ni tonterías por el estilo. James había visto la ocasión de oro para mantener su puesto, y no solo eso, sino de incrementar su poder e influencia dentro del banco.

¿Quién discutiría al yerno del jefe?

Y cuando este se retirara, ¿quién osaría contradecir al marido de la dueña?

Y lo peor de todo, acabaría arrinconándola hasta ser él quien manejase las riendas.

Si de algo presumía el abogado era de, primero, estar bien informado y, segundo, aprovechar siempre la coyuntura. Y en este caso ella le había abierto no solo las piernas, sino las puertas hacia una posición envidiable dentro del banco.

Y de qué manera.

—¿Samantha?

«Se va a enterar», se dijo. Ese no sabía con quién se la estaba jugando.

Si alguien entendía de marear la perdiz en cuanto a proposiciones de matrimonio se trataba, era ella.

—Entonces, ¿cómo hago para saber el motivo real de su interés por mí? —preguntó a las mujeres. Tenía que encontrar algo realmente bueno para darle donde más doliera: su orgullo.

—Bueno, yo creo que cuando te has acostumbrado… —Alice hizo una pausa buscando un ejemplo lo suficientemente bueno como para hacerse entender, pero no lo bastante explícito (como ella hubiese deseado) para que Maddy lo desaprobase en presencia de Gaby— a comer en el mismo restaurante no sabes cómo cocinan ese plato en otros establecimientos. Así que lo mejor es cambiar de cocinero y ver qué pasa.

—¡Alice! —exclamó Maddy intuyendo lo que iba a decir su amiga.

—Continúa —pidió realmente interesada Samantha. Puede que el tema resultara incómodo en presencia de su madre y su hermana, pero si alguien sabía de estas cosas era su querida tía.

—Una vez que hayas probado cómo cocinan en otro sitio hay tres posibilidades.

—¿Cuáles? —Está vez fue Gabrielle quien se mostró interesada. Puede que no necesitara esos consejos pero nunca estaba de más tener cierta orientación.

—Bien, en primer lugar pruebas ese mismo plato en otro restaurante y caes en la cuenta de que no te ha gustado, que preferías a tu cocinero de siempre. Problema resuelto. —Alice hizo una pausa para servirse más limonada—. La segunda opción es también evidente, resulta que te gusta más el nuevo estilo y desechas el primero. Fin de las dudas.

—¿Y la tercera? —Esta vez fue Maddy quien preguntó. A pesar de los años todavía se sorprendía con la forma de pensar de su amiga y el ingenio con el que se explicaba.

—Esta es la más peligrosa, sin duda alguna. —Hizo una pausa, la concurrencia estaba expectante y ella sonrió—. Has probado otro estilo y no te gusta, pero tampoco te acuerdas del primero, por lo que buscas más opciones y te pasas el día de restaurante en restaurante probando platos.

—Interesante —murmuró Samantha recostándose en su sillón meditando las impagables palabras de Alice.

Su madre la miró. Adoptaba la misma postura que su padre cuando reflexionaba.

—Yo siempre he apostado porque te casaras con mi hijo, pero… —Alice se encogió de hombros—. Cada vez lo veo más difícil. —Miró a Gabrielle—. Querida, ¿por qué no te casas tú con Sebastian y así todo resuelto? —propuso a la pequeña. Era bien sabido que las dos familias deseaban estrechar aún más los lazos.

Si bien, también pensaron que Alfred podía casarse con Elizabeth, la menor de los Wesley y unir definitivamente los dos apellidos. Pero esta se había marchado de casa, con el consiguiente gran disgusto de sus padres, para vivir, malvivir mejor dicho, con un aspirante a poeta, generando un gran escándalo. Alice había intentado por activa y por pasiva convencer a su hija para que al menos no destrozase su vida junto a un hombre veinte años mayor que ella y que no era más que un vividor que pretendía mantenerse a costa de la fortuna de Elizabeth, pero la familia había cortado cualquier vínculo y retirado su asignación.

Pese a todo se mantenía informada de todo cuanto le pasaba a su hija, a espaldas del padre que no perdonaba, esperando que esta recobrase la cordura y abandonase a ese vividor sin escrúpulos, que era capaz de seguir casado al mismo tiempo que se aprovechaba de una joven ingenua.

—Tía Alice, le quiero mucho, pero no le amo. —Fue la respuesta de la hermana pequeña—. A Sebastian siempre lo veré como a mi hermano. —Sonrió.

—En fin, resignación; no me queda otra.

—No te quejes; Sebastian es joven, ya encontrará una buena chica y se casará —dijo Maddy.

—Desde luego no deja de intentarlo porque…

Samantha desconectó de la conversación, únicamente se quedó con un dato de lo más revelador.

«Gracias, tía Alice», pensó.

«Sebastian… Mmmm, quien mejor para mostrarme el mundo culinario y sus matices.»

Capítulo 20

No todo sale según lo previsto

*P*or desgracia, su idea de hablar con Sebastian y poner en práctica la teoría del restaurante no podía llevarse a cabo, ya que en la ecuación fallaba lo más importante: no estaba el cocinero.

Su cocinero suplente se encontraba de viaje por negocios y no regresaría en una semana. Un ligero contratiempo pero no insalvable. Lo curioso era que su mejor amigo siempre aparentaba despreocupación y era el ejemplo andante del hijo de un noble ocioso que se dedicaba a la buena vida. Pero ella lo conocía bien: trabajaba como el que más, aunque prefería que la gente le viera como el cabeza hueca que no era.

—Bueno, lo tomaremos como un aplazamiento —reflexionó en voz alta.

Había quedado para asistir a una exposición con el marqués de Redford. Aunque la idea no le entusiasmaba, había aceptado en un momento de debilidad.

El marqués era viudo, pasaba de los cincuenta y no era lo que se decía la alegría de la huerta, pero en pos de mantener una buena imagen debía acceder a ciertas invitaciones.

Aunque se aburriera y durante toda la velada pensara en cómo, sin ser maleducada, pedirle que pusieran fin a su encuentro.

Aún estaba en su despacho, terminando de leer y revisar unas cuentas. A esas horas prácticamente ya no quedaba un alma en el banco, pues en el mes de agosto la actividad se reducía bastante.

Ella no era de las afortunadas que podían cogerse una tarde libre y pasarla tumbada a la bartola en la terraza de casa y sin pensar en nada. A veces quería ser como Gaby, ingenua, con un novio soso pero tranquilo... A los treinta segundos, desechó la idea. Ella era vital, inquieta, necesitaba retos para superarlos y no ser la esposa de un eterno aspirante a notario sin sangre en las venas.

Oyó ruidos, de alguien caminado por el pasillo. Las tablas de madera eran un excelente chivato.

No eran tacones de zapatos femeninos.

Por lo visto, James regresaba a su despacho.

Se levantó inmediatamente dispuesta a tentar un poco a la bestia y ver cómo reaccionaba.

Qué menos, después del insufrible comportamiento de él.

Cerciorándose de que no andaba nadie más en esa planta, entró en el despacho del abogado y cerró la puerta.

—Necesito ayuda.

Él la miró de reojo, desconfiando, antes de hacer la pregunta evidente.

Por supuesto la hizo esperar.

Se lo merecía por dejarle plantado y creer que iba a salir indemne.

—¿Qué te ocurre?

—Verás, tengo una cita con el marqués de Redford para asistir a una inauguración.

—Ese hombre casi podría ser tu padre.

Eso ya lo había pensado ella, pero ahora no podía escabullirse.

—Me he entretenido más de lo que pensaba y ya no me da tiempo a pasar por casa y arreglarme —dijo ella tranquilamente antes de dar la puntilla—. ¿Puedes comprobar si la costura de mis medias está recta?

Le dio la espalda y levantó la tela de su vestido de forma precisa para que él verificara el estado de sus medias.

Se recostó en su sillón. Excitado ante tal sugerencia e interesado en la propuesta que le acababan de hacer.

Quería jugar.

Excelente.

Nada mejor para poner el broche de oro a una semana de acoso y derribo. Ella solita había caído en la trampa. Pero siempre se puede dar una vuelta más de tuerca.

—Desde aquí no puedo examinarte como es debido. Acércate, por favor. —Nadie podía fiarse de esa voz tan amable.

Y ella lo sabía, pero ese no era el día para empezar a ser precavida.

Ella se colocó a unos nada prudentes cincuenta centímetros y volvió a subirse la falda mostrando sus piernas enfundadas en las finas medias justo hasta el borde donde quedaba la piel expuesta.

James, tras la pertinente inspección visual, siguió con el dedo una de las costuras; estaba perfecta, pero no estaba de más asegurarse.

Hizo lo mismo en la otra pierna pero cuando la fina línea se acabó, continuó hasta el borde de la media y acarició la piel, siendo en todo momento consciente de cómo la respiración de ella iba cambiando.

La de él iba pareja.

—Y dime, ¿cómo es que vas a salir con un cincuentón como el marqués?

Ya tocaba la seda de su ropa interior. Quería ir más allá.

Ella se encogió de hombros.

—No tenía nada mejor que hacer —mintió.

—Ajá.

En vez de apartar la inoportuna seda y tocarla donde ella quería, cambió de idea y recorrió la costura que coincidía con la separación de sus nalgas.

Arriba y abajo. Sin presionar, haciendo que ella tuviera que concentrarse. Nada de un toque directo, algo sutil, leve pero igualmente incendiario.

Samantha respiró y sin venir a cuento dejó caer su vestido, dio un paso adelante y se giró.

—Deduzco, por tu ausencia de críticas, que llevo las medias en perfecto estado de revista. Gracias.

James se agarró al reposabrazos, intentando controlarse mientras la veía salir. ¡La muy desvergonzada!

Cómo le gustaba esa actitud tan descarada.

Cerró como si nada la puerta y lo dejó ahí, completamente empalmado. ¿Quizás esperaba que se mostrase prudente?

Cuando el ruido de los tacones alejándose le indicó que ella le estaba provocando de forma impertinente e insolente, buscando desde luego medidas contundentes, y se había refugiado en su oficina en vez de marcharse a la cita con ese marqués de tres al cuarto, James encendió un cigarrillo y se dispuso a relajarse aspirando el humo. Necesitaba que su excitación volviera a un punto más o menos controlable y de paso, ponerla nerviosa, haciendo que dudara de si su desafío iba a quedar impune.

—Vas a llegar tarde. —La voz claramente burlona de James hablando desde la puerta no hizo sino acrecentar su inquietud.

—Un caballero de verdad sabe que no hay que meter prisa a una dama.

Él no se dio por aludido.

—Yo no quiero precisamente meterte prisa.

—Te agradezco el detalle —le respondió con sorna.

Lo vio adentrarse en su lugar de trabajo y caminar hasta donde ella estaba sentada. A continuación, giró el sillón para tenerla cara a cara y se inclinó apoyando su peso en el reposabrazos.

—Samantha, dime una cosa. Esta noche, cuando vayas del brazo de ese vejestorio, ¿te excitarás pensando en lo que ha ocurrido en el despacho?

Ella parpadeó. Maldita sea. No había sido para tanto, pero James tenía razón.

Prefirió no darle esa satisfacción.

—Exageras. —Él sonrió de medio lado—. He visto cosas mejores —dijo ella con desdén.

—Yo no hablo de lo que ha ocurrido en mi oficina sino de lo que está a punto de ocurrir en la tuya.

Sin tiempo para reaccionar, él se posicionó de rodillas, levantó su falda, metió las manos con aspereza para deshacerse de su ropa interior y le separó bien las piernas.

—Precioso —murmuró él observando su coño—, húmedo, resbaladizo, suave y liso, como a mí me gusta.

Con un dedo separó los labios vaginales y Samantha no pudo reprimir su primer gemido.

Para acceder mejor, él aparcó un instante su deseo de devorarla viva y tiró de ella para que su trasero quedara al borde del sillón, dejándola totalmente expuesta, a su antojo.

Como él deseaba.

—A veces no tengo claro si eres una inconsciente o una pervertida.

Ese comentario no lo esperaba y menos aún lo entendía.

—¿De qué... hablas? —Ella separó aún más las piernas, echó la cabeza hacia atrás y se dispuso a disfrutar de lo que James, a buen seguro, estaba a punto de ofrecerle.

—Aquí, en un lugar público, dejas que casi te desnude y que te saboree.

Ella sintió el primer contacto de su lengua sobre su hinchado clítoris y clavó las uñas en el cuero del sillón.

Ese fue el primero de una serie de perversos y certeros lengüetazos sobre la parte de su cuerpo más necesitada de atención. Hacía demasiados días que James no se enredaba entre sus piernas y, aunque no le gustase reconocerlo, necesitaba ese contacto.

No solo iba a lamerla, también quería oírla gritar al correrse, que se agitara, que se convulsionara y que admitiera de una jodida vez que debían acabar juntos. Para conseguirlo, nada mejor que penetrarla con dos dedos, curvándolos en su interior, y presionar y soltar su clítoris con los labios.

Estaba tan mojada que los fluidos femeninos resbalaban hasta manchar el cuero.

—Hace bastante que no juego por aquí —murmuró él tentando su ano, ahora también lubricado, con el dedo meñique—. ¿No lo echas de menos, querida?

«Vete a freír espárragos», pensó; aunque dijo:

—Sigue...

—Hay dos maneras de hacer esto —continuó él, mientras con determinación implacable la penetraba y succionaba.

—Déjate de tonterías —le pidió ella sabiendo que estaba muy cerca de alcanzar el orgasmo.

—Necesitas correrte, como una loca, y está en mis manos que lo consigas.

—Deja de hablar —casi suplicaba.

Pensó durante un segundo atender sus ruegos, pero entonces sería como quitar la sal a las comidas.

—Vas a tener un orgasmo increíble —ella no le replicó y lo obvió—, y, como la pervertida que creo que eres, gritarás para que nadie tenga dudas sobre lo que está sucediendo aquí.

Ella se tensó aún más. Él estaba siendo deliberadamente astuto estimulándola correctamente pero sin llegar al punto de no retorno.

—Pero, si no lo eres, te morderás el labio y te correrás de forma silenciosa. Sobra decir que me inclino más por la primera opción. Pero tú decides, querida.

—James… —susurró ella debatiéndose. Si algo había aprendido en su cama era a no contenerse. Y él lo sabía muy bien.

Maldita sea, el enemigo disponía de demasiada información para utilizarla en su contra, artillería pesada que no dudaba en usar con tal de alzarse con la victoria.

—Elige, cielo. Yo soy capaz de salir de este despacho como si no hubiera pasado nada.

Tras decir esto último se dejó de disquisiciones ridículas para llevarla al clímax.

Ella consiguió a duras penas no expresar en voz alta lo que sintió al correrse.

Quizás formaba parte de uno de los retorcidos planes de James para dar más alicientes al asunto. ¿Quién sabe?

No le dio tiempo a relajarse ni disfrutar de ni un solo minuto poscoital. Tiró de ella hasta incorporarla, la dobló sobre la mesa, dejó su culo expuesto y con rapidez liberó su polla para penetrarla, así, sin miramientos. No quería que ella rearmase sus defensas y le dejara con un dolor de huevos insufrible. Además, nada mejor que una mujer que aún disfrutaba de los últimos coletazos de su orgasmo para follar con ella.

—Creo que has fracasado estrepitosamente en tu triste intento por disimular lo que estamos haciendo aquí. —James seguía embistiéndola sin perder el ritmo.

—¿Qué dices? —Ella se giró para mirarle, pero tal y como la tenía agarrada era dificilísimo.

—Si no querías que nadie se enterara de lo que te gusta follar en horas de trabajo, deberías haberte cerciorado de si la puerta estaba cerrada o no con llave.

—¡Oh, Diosssssssssss!

—Estaba seguro de que la mención de ese descuido te excitaría aún más. ¿Me equivoco?

Ella negó con la cabeza.

La sola idea de que alguien irrumpiera y la encontrara en semejante aprieto disparó una corriente en su interior llevándola rápidamente al clímax, de tal forma que hasta ella misma se sorprendió.

Él la siguió y se corrió en su interior casi simultáneamente.

Jadeando pero dispuesto a no dejar pasar ni una se apartó y se abrochó los pantalones. Ni siquiera la ayudó a vestirse.

—Esta noche, cuando vayas del brazo del marqués, piensa de quién es el semen que gotea de tu interior —dijo con un aire de odiosa indolencia mientras ella se agachaba para recoger su ropa interior.

Cuando se incorporó con una réplica a punto y las bragas en la mano oyó el clic de la cerradura.

—Definitivamente, cambio de cocinero.

Capítulo 21

Es más fácil decirlo que hacerlo

Samantha quería salir pitando de allí. No soportaba más las muestras de apoyo, de ánimo y de maldita indulgencia con que James se estaba comportando. Mientras trataban asuntos relativos al banco, sentados en la sala de reuniones, él no dejaba de proceder de forma odiosa.

Y sin ningún disimulo, delante incluso de su padre.

—Samantha puede encargarse perfectamente de negociar ese contrato.

—Por supuesto, está muy preparada; además sabe bien aprovecharse de las debilidades de un tipo como Barnes.

La aludida siguió repiqueteando con la pluma sobre la mesa.

El padre de la aludida miró al abogado y a su hija sin entender qué estaba pasando.

El abogado pomposo siguió hablando.

—Sus intereses comerciales le están reportando buenos beneficios, aunque sé de buena tinta que está pensando en retirarse y dejárselo todo a su hijo mayor. —Miró a Samantha—. Por desgracia él solo piensa en divertirse y en gastarse la fortuna de su familia en... —Hizo una pausa, no porque quisiera buscar otro término sino para dar mayor efectividad a su discurso. Pero quedar bien nunca está de más y para que Samantha protestara un poco sacó unos documentos y se los pasó a Samuel.

—Ya veo —dijo Samuel tras leerlos y devolvérselos.

—¿Me dejas...?

—No —respondió su padre—, no es nada del otro mundo —explicó mirando al abogado.

Ella odiaba ese entendimiento tácito tan masculino que la dejaba fuera.

—Ya, claro —murmuró enfadada.

—Tiene derecho a leerlos, al fin y al cabo... cuanto mejor informada esté... —dijo James pidiendo permiso para mostrarle los documentos. No quería arriesgarse y esperó a que Samuel asintiera. De todos modos, Samantha acabaría leyéndolos ya que él se los proporcionaría más tarde.

—Vaya tontería —dijo ella al leerlos—. No es ninguna novedad que le guste despilfarrar dinero en clubes de mala muerte.

—No, no lo es —dijo su padre algo molesto.

—Sigue leyendo —sugirió James.

—Siempre me pregunto cómo consigues averiguar tantas cosas de la gente, de dónde... —Quería aprovecharse de las circunstancias y, de paso, lanzar una indirecta en toda regla, pero se calló al llegar a la parte interesante. Hubiera querido seguir pinchándole un poco, pero no podía dar crédito a lo que estaba leyendo.

Su padre tosió.

Samantha se sonrojó, pero pasada la vergüenza inicial quiso saber más de aquel asunto.

—Comprendo —murmuró finalmente ella.

Por suerte, su padre tuvo que ausentarse para atender una visita y al quedarse a solas con James le preguntó sin perder un segundo:

—¿Le gusta vestirse de mujer? —inquirió en voz baja, como si fuera un preciado secreto que se debía mantener a toda costa.

—Ajá. Y... no solo eso —respondió él, imitando su ridículo tono y dejando la puerta abierta a las especulaciones, para que la mente de ella se pusiera a pensar en ideas a cual más imaginativa.

—No me le imagino actuando de cara al público. —Se rio—. ¿Viene aquí la dirección del club donde trabaja? —preguntó muy interesada echando otro vistazo al informe.

—Ni se te ocurra aparecer por allí. —Ella arqueó una ceja ante esa prohibición—. Al menos, no vayas sola.

James tuvo que utilizar un tono quizás demasiado enérgico pero no quería correr riesgos; esta mujer era capaz de cualquier cosa.

—Para tu información: no necesito una visita guiada, solamente satisfacer mi curiosidad. Aunque... —se mordió el labio— luego me cueste una barbaridad mantenerme seria cuando me reúna con él.

—No insistas. —Y le quitó los papeles para que no se enterara de la ubicación del café-teatro—. Si eres buena chica, hasta puede que te lleve un día.

—Hay algo que deberías saber: yo no necesito hacer la pelota a nadie para conseguir las cosas.

—Pues, y siento tener que contradecirte, en este asunto vas a tener que hacerme mucho más que la pelota —replicó él con tono marcadamente insinuante.

Ella, que todavía estaba pensando en cómo vengarse de él por... bueno, por todo, se limitó a sonreír y levantar un poco la falda, gesto que nunca venía mal.

—Deja esas tácticas de zorra para otro momento —dijo él sonriendo y encantado con la situación, pero hizo un gesto en dirección a la puerta.

En ese instante regresó su padre acompañado.

—¡Samantha, mi amor!

Sebastian, atento como siempre, la rodeó con sus brazos y la abrazó.

—Querido, ¡no sabes cuánto te he echado de menos! —Ella continuó con el tono de falsete como si de un par de tórtolos se tratara.

James los observó callado, hasta que los dos se separaron y Sebastian le saludó con un rápido apretón de manos.

—¿Qué tal tu viaje? —preguntó Samuel, encantado con la visita y el afecto que existía entre los dos jóvenes. Quizás con un poco de suerte...

—Agotador, aburrido, sofocante... Negocios al fin y al cabo. Pero mi padre insiste en que vaya yo para que así él pueda dedicarse a no hacer nada.

—Lo sé —admitió Samuel. Se trataba de su mejor amigo, y ya sabía desde hacía tiempo que había decidido no preocuparse por nada y dejarlo todo en manos de su hijo Sebastian. Con un poco de suerte él podría hacer lo mismo en breve.

—Sebastian, ¿tienes un minuto? Me gustaría comentarte un asunto. A solas —dijo Samantha agarrándole del brazo.

—Cómo no, cielo.

El abogado los siguió con una mirada de desaprobación mientras salían. No le gustaba nada esa familiaridad en el trato. Conocía la reputación de Sebastian y, aunque su parte lógica sabía que eran amigos y que aun contando con el beneplácito de la familia no estaban juntos, su parte visceral le estaba tocando la moral.

Samantha debería estar con él, agarrarle a él del brazo y admitir de una jodida vez que estar juntos era la mejor opción.

Pero la hasta hace poco virgen e inexperta heredera estaba resultando un hueso duro de roer.

Con tanta elucubración no se percató de que su jefe le observaba sin perder detalle.

—Te he echado de menos.

—Y yo a ti. Vas por ahí aparentando despreocupación y luego resulta que trabajas tanto o más que yo.

—No me queda otra —se encogió de hombros—, ya sabes cómo es mi padre. Quiere que no haga el gandul más de lo necesario y que esté preparado para cualquier eventualidad.

—¡Qué me vas a contar que no sepa! —exclamó Samantha riéndose.

—Por cierto, ¿son imaginaciones mías o ahí dentro tengo un enemigo?

Ella, que también se había percatado de la silenciosa tensión, prefirió no adelantar acontecimientos.

Si James quería parecer un perro de presa enfurruñado porque ella saludaba a un amigo de toda la vida como Sebastian con efusividad, era su problema.

Sebastian, que podía hacerse el tonto como nadie cuando le convenía, quería obtener información. Muy bien, podría llegar a un acuerdo con él.

—Invítame a cenar esta noche —sugirió ella con una sugerente sonrisa.

—Hummm, no me fío ni un pelo. ¿Qué pasa?

—¿Sabes? Resulta odioso eso de conocernos tan bien.

—Al grano.

—Sebastian, necesito despejarme, salir por ahí. Hablar con alguien. Conocer nuevos restaurantes.

—Está bien.

—Compartir cotilleos. Tengo uno muy jugoso sobre…

—Te recojo en casa. Me vendrá bien un poco de distracción. Además, quiero que me cuentes hasta el último detalle todo lo que estás haciendo y con quién. Un beso, querida.

Samantha volvió a su despacho mucho más contenta. Con un poco de suerte, iba a matar dos pájaros de un tiro.

Claro que para lograrlo debía plantear muy bien la situación. Conseguir que su amigo cooperara dependía en gran medida de sus dotes —nulas— para el chantaje emocional. Sin embargo, debido a las últimas compañías, estaba aprendiendo a pasos agigantados.

Aunque ese bienestar se disipó bien pronto. Cierto abogado, con ganas de tocar la moral, se empeñó en tenerla ocupada, aunque ella se dio cuenta de que lo que pretendía principalmente era hacerle perder el tiempo.

—Eso puedo hacerlo mañana —se quejó ella intentando contenerse.

—No te digo que no —respondió él en ese tono que decía a las claras que vale, bueno, pero te estás equivocando—. Pero estoy seguro de que sabes que siempre es mejor estar por delante del adversario.

Por supuesto, reflexionó ella falsamente sumisa. Y en cuanto tuvo la oportunidad, se marchó a su casa para prepararse.

Era cierto, hay que estar un paso por delante del adversario. Precisamente, de eso se trataba, entre otras cosas, en la cita de esa noche.

Capítulo 22

¿Puedo contar contigo?

A ninguno de los dos se les pasó por alto las sonrisas de complicidad de la familia cuando salieron juntos de casa de Samantha.

Todos los allí presentes, incluida su hermana, proclamaban a los cuatro vientos la buena pareja que hacían.

—No sé por qué siguen insistiendo —murmuró Sebastian—. Vamos, sube al coche.

Ella no dijo nada, por si acaso.

No es que entre sus planes entrara la idea de cazarle, pero sí de contar con él de un modo muy particular.

—¿Has oído los rumores acerca del hijo de Barnes?

—¿El que se cree una cantante y se está gastando una fortuna en actuar en un teatro de mala muerte?

—¡Maldita sea! Se supone que era un cotilleo jugoso —protestó ella, pues pensaba que tenía un tema interesante para distraerle lo suficiente hasta poder hablarle de lo que realmente quería—. ¿Podríamos ir al...?

—Ni hablar, no voy a llevarte a un club como La Ratita Presumida.

—Bromeas. —Le miró abriendo los ojos como platos—. ¿De verdad se llama así?

—¿Tengo cara de chiste? —replicó él aguantándose la risa.

—No sabría decirte. Y no me distraigas. —Por lo menos había averiguado el nombre del club—. Sabes perfectamente que voy a ir. De ti depende que lo haga acompañada o sola.

—Pasas demasiado tiempo en dudosas compañías —contraatacó él en clara referencia al abogado.

«No lo sabes tú bien.»

—Como quieras... —No insistió más, pues ese asunto podía resolverlo más adelante.

Llegaron al restaurante y él, como siempre, se mostró atento, educado, alegre, buen conversador... Hasta que llegaron a los postres.

—Ha llegado la hora, querida. Confiesa.

—Eres peor que mi hermano imitando a un matón.

—Samantha... —Sebastian se mostraba impaciente por conocer los detalles sobre la aventura de su amiga. Ya no quedaban temas sobre los que hablar.

—Prométeme que pase lo que pase no dirás ni una sola palabra. A nadie.

—¡Cuánto misterio! Está bien. Lo prometo. —Hizo un gesto infantil para dar más énfasis a su promesa—. Pero deja de marear la perdiz. ¿Quién es el bastardo afortunado que va a morir por intentar quitarme a mi querida Samantha?

—No seas bobo —le reprendió riéndose. Después respiró profundamente.

—Samantha...

—Está bien, te lo diré. Se trata de James.

—¿James? ¿Qué James? No me suena.

—¿Te suena más cierto abogado que...?

Su amigo y aspirante a cocinero tardó exactamente dos segundos en procesar la información.

—¡No jodas! —exclamó sorprendido—. Perdón —añadió rápidamente.

—Pues sí —le confirmó ella haciendo una mueca—. Por eso necesito que...

—¡No me lo puedo creer! —la interrumpió él—. De todos los hombres que te rodean. ¿Él? Cariño, no puede ser; ese hombre no te conviene.

—¡Ya lo sé! Pero... en fin, ha pasado.

—Cuando se entere...

—No se va a enterar nadie porque tú no sabes nada. Me lo has prometido.

—Sí, confía en mí. Pero... ¡Joder! ¡Qué cabronazo!

—Y no sabes lo mejor —murmuró ella.

—Déjame tomar al menos un trago para soportarlo —dijo Sebastian teatralmente.

—Me ha pedido que me case con él.

Por poco no escupió todo el vino al oírla. Pero estaban en un lugar muy concurrido y elegante como para llamar la atención de aquella manera.

—No puede ser. ¿Estamos hablando del mismo cabrón? Y perdón por el apelativo, pero no tengo otro a mano.

—Lo sé —murmuró ella abatida, bueno, fingiendo un poquito para salirse con la suya—. También a mí me cuesta aceptarlo.

—Cariño —él se acercó y le agarró la mano—, ¿no te estará obligando a…?

—¡No! —respondió ella enseguida—. ¿Por qué iba a obligarme?

—Bueno —no parecía del todo convencido—, entonces, ¿cuál es el problema? Aunque me cueste Dios y ayuda no romperle la cara, si los dos estáis de acuerdo, sabes que por ti al final lo aceptaré.

—El problema es que no quiero casarme con él.

—¿No? —Él frunció el ceño desconcertado—. ¿Por qué no? —Sebastian pensaba que el noventa y nueve por cierto de las mujeres pensaban en el matrimonio y, por supuesto, incluía a su amiga en esa estadística.

—Antes necesito estar segura de una cosa.

—¿De qué? —Cada vez se mostraba más intrigado.

Samantha miró a su amigo. Vale, más o menos lo tenía controlado; él se interesaba por ella y sabía de qué lado estaba. Solo necesitaba tener un poco más de paciencia para llevarle a su terreno.

Se sentía maquiavélica con tanto tejemaneje, pero debía hacerlo.

—Sé que tienes por aquí cerca un apartamento. ¿Queda muy lejos?

—¿Cómo sabes tú…? Bueno da igual. Sí, lo tengo, pero…

—Es que tengo que hablarte de otro asunto y… aquí… —miró el restaurante—, no me siento cómoda; preferiría ir a un sitio más privado.

Él la miró frunciendo el ceño.

—No voy a llevarte allí. Ni lo sueñes.

Ella sabía por qué. Pero no podía rendirse.

—Sebastian, somos amigos. Sé perfectamente que ese apartamento solo lo utilizas para tus citas. No voy a escandalizarme por eso. —También sabía que su hermano Alfred era asiduo cuando lo necesitaba, pero mejor no molestarle más con ese tema.

—No deberías saber eso —murmuró a la defensiva.

—Da igual. Esta noche tengo que aclarar algunas cosas y es imprescindible que estemos a solas.

Eso le hizo sospechar.

—¿De qué demonios estás hablando?

—Verás, necesito saber si lo que siento por James es producto del... —miró a su alrededor y bajó la voz— sexo o no. ¿Me sigues?

—No creo que deba seguir escuchándote.

—Y para eso están los amigos —continuó ella acercándose demasiado.

—¡No! ¡Ni hablar! —dijo él apartándose y manteniendo la compostura. Miró a su alrededor por si alguien había escuchado algo—. ¿Estás loca?

—No. Solo te estoy pidiendo un favor. ¿Tanto te cuesta acostarte conmigo?

—Vamos. —Se puso en pie, pagó la cuenta y la ayudó a levantarse. Samantha definitivamente estaba mal de la azotea. Con un paseo nocturno y un poco de persuasión terminaría por aceptar que acostarse juntos era la peor de las ideas.

Una vez en el exterior caminaron tranquilamente pero ella no dio su brazo a torcer.

—Sebastian, siempre hemos sido amigos, siempre he podido contar contigo y siempre has estado a mi lado. ¿Por qué te niegas?

—Muy sencillo, querida, porque eres como una hermana para mí.

—Ya, pero por eso si vamos a tu apartamento y apagas las luces, podrías hacer, digo yo, un esfuerzo y pensar que soy una de tantas con las que te diviertes. —Su tono lastimero podía inclinar la balanza a su favor.

—¿Pero sabes lo que estás diciendo? —Se detuvo en medio de la calle y la miró. Por mucha carita de pena y de niña huerfanita, no iba a ceder.

—Sí. Sé perfectamente lo que estoy pidiéndote. Y puedes negarte, claro que sí. —Lo dijo en ese tono que te hace sentir un miserable por darle la espalda, pero Samantha necesitaba convencerle—. Pero ¿a quién quieres que recurra? ¿A un desconocido? —Para esto último fingió horrorizarse.

—No juegues conmigo. —Él reanudó la marcha—. Voy a llevarte a casa y no se hable más del asunto.

—Como quieras. —Se soltó de su brazo—. Estoy segura de que en ese club tan poco recomendable al que no quieres que vaya encontraré a alguien bien dispuesto.

—Hay que joderse —se quejó a nadie en particular.

Caminó con ella pensando mientras se dirigían a su apartamento en cómo convencerla de lo contrario.

¿Acostarse juntos? ¿Pero esta mujer había perdido el norte?

Y todo por culpa de ese abogado de tres al cuarto. Si estaba en su mano haría todo lo posible para evitar que acabaran juntos.

No se le habían pasado desapercibidas las sutiles indirectas sacadas del manual del abogado controlador con el que trabajaba.

—Parece que te has comido un sapo. Tienes una cara…

—Estoy intentando no darte una buena tunda de azotes para que entres en razón.

Él no sabía el error que acababa de cometer.

—¿A ti también te gusta eso? —preguntó ella picarona.

—¡Joder! ¡Lo que me faltaba!

—Oye, ni que fuera un sacrificio hacerlo conmigo. —le recriminó dándole un golpecito en el brazo. Estaba empezando a cansarse de esa actitud tan paternalista.

—Esa no es la cuestión.

—¿Y cuál es, según tú, la cuestión?

—Para empezar, ¿no crees que esa maravillosa idea tuya puede cambiar las cosas entre nosotros?

—¿Y? —Samantha recordó la teoría del restaurante—. No veo el problema, si al final resulta que estamos hechos el uno para el otro… nadie sale perjudicado.

—Ya. —Su tono era claramente escéptico.

—Tu familia y la mía serán felices y todo resuelto —añadió

ella—. Pero… si tras este favor todo sigue igual, tampoco veo el problema. Podemos continuar como hasta ahora.

—Claro. ¿Y si mis padres o ya puestos los tuyos se enteran de esta maravillosa ocurrencia tuya? ¿Sabes lo que pasaría?

—Aparte de llevarse el alegrón del siglo, sí, lo sé. Pero ambos seremos discretos. Nadie sospechará por habernos visto juntos. Confía en mí. Te estoy pidiendo un favor, estaré en deuda contigo de por vida.

—¡Un favor! Lo dices como si me pidieras dinero prestado.

—Sebastian, por favor. —Ella hizo un puchero—. En el fondo, ¿no te pica la curiosidad por verme desnuda?

—Ya te he visto desnuda —contestó intentando no pensar en tal sugerencia.

—Tenía diez años. Eso no cuenta —le replicó ella—. Yo, si te soy sincera, sí tengo curiosidad por ver cómo has cambiado.

Llegaron al portal donde Sebastian tenía su apartamento y abrió la puerta. Hizo memoria pensando en la cantidad de licor que tenía en casa, no para emborracharse él y hacerlo sino para que fuera ella quien acabara como una cuba durmiendo la mona y dejándole tranquilo.

La invitó a pasar y entraron en la salita. El apartamento no era nada del otro mundo, servía para sus propósitos: tener un lugar donde reunirse con sus citas sin que estas le atosigaran pues no se trataba de su residencia habitual.

Se acercó hasta la mesa de los licores y movió las botellas buscando algo que pudiera darle para que cayera redonda cuanto antes. Sirvió dos copas y se giró con ellas en la mano.

No pudo entregarle una…

Samantha, desnuda, caminaba hacia él, contoneándose, sonriéndole y mostrándole cómo había cambiado desde la última vez que la vio sin ropa.

Se paró frente a él, le quitó una copa, dio un sorbo, sonrió, dejó los vasos en la mesita y le rodeó el cuello con los brazos.

—Cierra los ojos —le pidió en un susurro—, piensa que soy una de esas frescas con las que te enredas y todo será más fácil.

Capítulo 23

Deudas entre amigos

*P*ara sorprenderle aún más ella se puso de puntillas y le besó, lamiéndole los labios, instándole a que se rindiera de una vez.

Él gimió sorprendido, no solo por la audacia de ella, tampoco por la visión de ese cuerpo desnudo —sí que había cambiado, sí—, sino por cómo le estaba besando.

Hacía siglos que no besaba a nadie.

No besaba a ninguna mujer en los labios. Evitaba ese contacto desde hacía mucho tiempo.

Según él, implicaba algo mucho más emocional e íntimo que el sexo.

Y estaba besando a su mejor amiga.

Y se estaba excitando en el proceso.

Y empezaba a replantearse su negativa.

Por lo que finalmente mandó al cuerno todos los impedimentos.

—Besas estupendamente —dijo él apartándola un instante para mirarla con más detenimiento.

—¿Te gusta lo que ves? —Ella extendió los brazos posando para él.

—Mucho. —Sus ojos se detuvieron en su pubis perfectamente rasurado—. ¿Y eso?

—Exigencias de mi amante —respondió ella diciendo una verdad a medias.

—Ya veo. —Rodeó su cintura con los brazos y la besó de nuevo.

Quizás ella tenía razón y esto deberían haberlo hecho hacía tiempo. Quizás, y solo era una posibilidad remota, la razón por la que no sentía ningún interés más allá del sexual con ninguna otra mujer era porque la mujer que tenía ahora entre los brazos era realmente la mujer de su vida.

Y quizás, solo quizás, ambos habían desoído las recomendaciones de sus familias y eran la pareja perfecta.

Pero mejor dejar de pensar en tonterías y concentrarse de verdad en ella.

—No voy a fingir que eres una de esas mujeres de las que ni siquiera recuerdo su nombre —murmuró él contra sus labios—. Samantha, eres muy especial para mí.

—Qué bonito —respondió ella con una sonrisa.

Volvió a besarla porque le encantaba, lo disfrutaba. No debía andar con cuidado para luego poder deshacerse de ella a la mañana siguiente. Pasara lo que pasara, él siempre estaría ahí para ella.

—Creo que es el momento de comprobar si el niño delgaducho que recuerdo ha mejorado con el tiempo.

Ella empezó a desnudarle pero él la detuvo.

—Vamos al dormitorio. Si necesitas hacer una comprobación hay que ser rigurosos. —Sonrió—. Follar de pie no entra entre mis preferencias.

—Como quieras —convino ella.

Unos tres minutos más tarde ella comprobaba tumbada en la cama cómo había cambiado Sebastian en estos últimos años. Para mejor, evidentemente.

—¿Cómo lo prefieres, querida? —Se tumbó encima de ella y fue recompensado con una sonrisa cómplice.

—Dame tu… mejor repertorio.

Ambos empezaron a reírse. Si seguían por ese camino acabarían diciendo tonterías en vez de llegar al meollo de la cuestión.

—Muy bien. —Él se desplazó hacia abajo besando sus pezones, bastante tiesos.

—Puedes morderlos, si quieres.

—Veo que te han aleccionado correctamente. —A ninguno de ellos dos se les borraba la sonrisa de la cara.

—O puede que sea una excelente alumna —contraatacó ella. ¿Qué les pasaba a los hombres que siempre pensaban en lo mismo?

Él siguió bajando y se detuvo a observar su ombligo. Presionó con un dedo y empezó a hacerle cosquillas.

—¡Para! ¡No seas ganso! —dijo entre risas—. Vamos a lo importante. —Movió sus caderas invitándole.

—Ya que voy a hacerte un gran favor, me pregunto una cosa. —Ella no le dio una bofetada porque no convenía enfadar al chef—. ¿Necesitas comprobar todos los aspectos de… digamos una relación sexual?

—Deja de parlotear y ataca.

—¿Incluye el sexo oral?

—No necesariamente.

—Pero… yo me pregunto: ¿cómo vas a tener suficientes datos para opinar convenientemente?

—¡Sebastian! —Ella gritó cuando su amigo separó completamente sus piernas y bajó la cabeza para lamerla—. ¡No hace falta! —De verdad que quería protestar, pero la sensación era tan buena…

—Yo creo que sí —dijo él tomándose un respiro.

—Entonces supongo que ya no solo te deberé un favor —bromeó ella.

—Esto es un regalo de la casa.

Las risas de él repercutieron en su entrepierna añadiendo más emoción al asunto.

Samantha se tapó la cara con una mano y se dispuso a disfrutar del «regalo de la casa» mientras con la otra mano le acariciaba, enredando sus dedos en el pelo. Era condenadamente bueno.

Su cuerpo respondía perfectamente a cada una de las excitantes y acertadas caricias; notaba esa extraña sensación cercana a la euforia, previa al orgasmo, que nadie rechazaría, pero… faltaba algo…

—Quizás deberíamos invertir los papeles —sugirió ella—. Ya sabes, lo de comprobar todos los frentes y no dejar ningún cabo suelto.

—O dicho de otro modo, quieres chupármela.

—¿Te supone algún inconveniente?

—Mañana te lo diré. Ahora, no puedo decirte que no.

—Ven aquí. —Ella movió el dedo invitándole a acomodarse, se puso de rodillas y le agarró la polla con la mano—.

Definitivamente no observo ningún inconveniente por tu parte —aseveró ella acariciándole con mimo.

—Me tienes totalmente entregado a tu servicio, querida. —Él continuó con su tono bromista—. Haz las comprobaciones que consideres oportunas.

—Conozco un término latino que seguramente es de tu interés.

Y ella se inclinó, doblándose seductoramente, dejando el culo oportunamente levantado mientras posaba su boca sobre esa erección que deseaba probar.

Sebastian gruñó en respuesta y se contuvo bastante para no embestirla; joder, era condenadamente buena.

Ese cabrón no sabía la suerte que tenía por tener a alguien como ella a su lado. No debería tener ese pensamiento, pero lo cierto era que otro ramalazo de lo que podía ser se le pasó por la cabeza.

—Samantha... para, por lo que más quieras. Para, o las comprobaciones quedarán pendientes.

Ella se incorporó y le miró sonriendo.

—No seas tonto, si te corres podemos repetir, ¿no?

—Humm, sí. Pero... —se inclinó sobre ella haciendo que se tumbase— prefiero, en pos de tu experimento, hacerlo al modo tradicional.

—Como quieras. —Ella volvió a reírse. Si ambos no estuvieran desnudos y excitados parecería que iban a jugar a las cartas o a tomar un refrigerio en vez de acostarse juntos.

Él buscó algo en la mesilla de noche y ella, curiosa, se fijó en el dispositivo que extraía.

Nunca antes había visto algo así.

Y lo que la dejó aún más descolocada fue cuando le observó taparse el pene erecto con esa especie de funda tan extraña.

—¿Qué estás haciendo?

—Querida, puede que hoy, con lo que ha pasado y está a punto de pasar, traspasemos una línea invisible muy complicada, pero no pienso dejarte preñada. Eso sí que no tiene marcha atrás.

—¿Y para eso te tapas la...?

Él frunció el ceño.

—Mi polla es sagrada, no digo que tú tengas alguna enfermedad, pero si no tomo precauciones ve pensando en unir nuestros apellidos.

—Ya, pero ¿eso funciona?

—Pues sí, por lo menos hasta el momento. Oye, estás follando con James y... ¿No utilizáis nada?

Ella negó con la cabeza.

—No sabía que...

—Joder, mira que sois descuidados. Habla con él de esto.

—¿Y no es incómodo?

—Hombre... preferiría no tener que utilizarlo, pero mira lo que les pasó a los soldados estadounidenses durante la Gran Guerra porque uno de sus comandantes era un puritano y prohibió su uso.

—¿Qué les pasó?

—Fue el ejército con más bajas por enfermedades venéreas. Y ahora dejémonos de estadísticas. ¿Preparada?

—Preparadísima.

Ella echó las manos hacia atrás y se agarró al cabecero de la cama, la fuerza de la costumbre.

Él, sin dejar de sonreír, se colocó en posición pero antes de penetrarla quiso besarla de nuevo, no se cansaba de hacerlo.

De todo cuanto iba a hacer con ella esa noche, era lo que más recordaría. Lo a gusto que se sentía compartiendo sus labios.

Y ella resultaba ser estupenda besando.

Samantha cerró los ojos cuando sintió como él la penetraba. Iba con cuidado, no era necesario, pero sí agradable. Quizás una de las cosas que más disfrutaba era ese primer contacto, la primera embestida, cuando el cuerpo se adaptaba para empezar a disfrutar, cuando los dos cuerpos encajaban como un engranaje y comenzaban a funcionar.

—Mmmm —gimió ella encantada. Iba a atesorar ese momento toda su vida.

—¿Voy por buen camino? —preguntó él innecesariamente; la expresión de ella decía a las claras que sí.

Samantha asintió y gimió, solo para regalarle los oídos y porque estaba contenta; se sentía querida y deseada y Sebastian estaba siendo muy atento. Tener un amigo así era un privilegio.

Su cuerpo iba respondiendo como era habitual en estos casos. La excitación en aumento, el sudor de ambos mezclándose, la respiración desigual anunciando lo inevitable... todo, todo estaba funcionando a la perfección. Pero...

Al igual que hacía unos minutos ella se dio cuenta de que faltaba esa conexión entre su cuerpo y su mente, la satisfacción física no encendía esa especie de chispa que sentía cuando era James el que estaba junto a ella en la cama. Faltaba ese componente inexplicable que conectaba las dos partes de un todo.

Estaba cerca, el orgasmo era inminente, su cuerpo se preparaba para el clímax, pero su cabeza seguía sin recibir la conexión.

Cerró los ojos y se dejó llevar.

Capítulo 24

Compartiendo opiniones

Sebastian la besó con fuerza y, tras correrse de una forma bastante fuera de lo habitual —estaba teniendo bastantes revelaciones esa noche—, rodó a un lado, se deshizo del condón y se tumbó junto a ella, esperando el veredicto.

Él, por su parte, había despejado muchas dudas.

—Creo que… —empezó ella mientras se colocaba de costado para mirarle.

—Vas a casarte con él. —Sebastian acabó la frase y ella asintió.

—Que conste que no puedo encontrar ninguna pega en tu actuación, pero… no sé cómo decirlo.

—Te has corrido, ¿verdad? Entonces… no debería haber diferencias.

—Pues las hay.

—Eso son cosas de mujeres —manifestó él—. Follar es follar; si te corres, disfrutas.

—No te estoy diciendo que no haya disfrutado, pero como que le falta algo. Imagina el mejor plato del mejor chef y resulta que cuando lo pruebas está bueno pero te das cuenta de que se le ha olvidado echar sal. ¿Alimenta? Sí, desde luego, pero prefieres agarrar el salero y condimentarlo a tu gusto.

—Pues yo debo estar sin papilas gustativas, porque normalmente me quedo saciado. Unas veces más que otras, por supuesto, pero eso depende de la mujer con quien me acuesto y de sus habilidades. Y tú, querida, eres buena. —La besó en el hombro.

—Cuando conozcas a la mujer de tus sueños lo comprenderás.

—Es una posibilidad muy remota, pero por intentarlo que no quede.

Ella hizo amago de incorporarse.

—¿Dónde vas? —preguntó él extrañado al ver las intenciones de levantarse.

—A vestirme e irme a casa.

—Samantha, es tarde y si fuera un caballero me vestiría y te acompañaría hasta la puerta de tu casa asegurándome de que llegas sana y salva, pero… no lo soy. —Sonrió para dar más efecto a su lado canalla—. Además, después de lo que hemos hecho, quedarte a pasar la noche conmigo podríamos decir que es de lo más inocente.

—Bien mirado, tienes razón. —Ella se acomodó a su lado.

Tras unos minutos en silencio él preguntó:

—¿Cómo acabaste follando con el abogado?

Ella le miró y después le explicó la visita inesperada, la confusión y, omitiendo lo que convenía, lo que ocurrió después.

—Joder, y nadie se ha percatado. ¡Ni mi madre!

—Ya ves.

—Lo que no me explico es que él te haya mantenido en secreto y que tú hayas aceptado sus rarezas. Normalmente le gusta compartir a sus amantes.

—¡¿Compartir?!

—No me mires con esa cara. Sé que disfruta haciendo tríos. Tú debes saberlo mejor que nadie.

Ella abrió los ojos como platos.

—¡¿Tríos?!

—¡Joder! —Él se incorporó de repente mirándola sin pestañear—. No te ha compartido, ¿verdad? —Ella negó con la cabeza—. ¡Joder! —repitió—. ¿Ni te lo ha insinuado? —Ella volvió a negar—. Me parece que la cosa es más seria de lo que pensaba.

—Explícate —pidió ella pinchándole con un dedo.

—Querida, acepta que no solo tú te has enamorado.

—¡Pero qué tonterías dices!

—Cuando un hombre como Engels, acostumbrado a compartir a sus amantes, no lo hace, eso quiere decir dos cosas: la primera es que se está haciendo viejo, y me parece que todavía le queda bastante para la vejez; y la segunda, que realmente le importa la mujer con quien se acuesta.

—Te digo que no. Si quiere casarse conmigo es sencillamente por puro interés.

—Si fuera así, ¿por qué ha esperado tanto en echarte los tejos? Lleva trabajando con tu padre... ¿cuánto? ¿Cuatro? ¿Cinco años?

—Cinco.

—Además, según me has contado, hasta el momento jamás se había insinuado y él no sabía que eras tú cuando te abordó —razonó él para disgusto de ella.

—Te digo que no. Ha visto la oportunidad de mejorar su estatus y no quiere desaprovecharla.

—Yo no estaría tan seguro.

—Lo estoy —dijo ella sonriéndole.

—No creo, tú estás enamorada de ese cabrón y yo seguiré buscando a mi mujer ideal. Pero por la amistad que nos une, que sepas que estaré a tu disposición siempre que quieras.

Eso le valió un golpe con la almohada.

—Y, señor amiguísimo, ¿qué pasaría si necesito reavivar nuestra amistad y tú has encontrado a la mujer de tu vida?

—Dadas las bajas posibilidades, no veo razón para preocuparme. Pero si se diera el caso, remoto, eso sí, pues haremos un trío.

—¡Golfo!

—Por supuesto. No me digas que no te pica la curiosidad.

—Humm, pues ahora que lo dices...

—Joder, ¡he creado un monstruo! —afirmó él riéndose—. Me muero de ganas de ver la cara que pondrá tu abogado cuando se lo pidas. Porque estoy segura de que lo harás.

—¿Y cómo va eso de los tríos?

—Depende. Yo soy partidario de dos mujeres y un hombre, o sea yo. Pero hay quienes prefieren la otra versión: dos más una. Creo que tu futuro marido es de esos.

—¡Qué interesante!

—Mucho. Por cierto, ¿vas a contarle lo nuestro?

—¿Debería?

—Humm, depende. Como en todo, es una forma de averiguar cosas. Yo tengo una teoría.

Qué familia, pensó ella, al oír la palabra «teoría». Aunque ¿quién podía negar su eficacia?

—Te escucho.

—Verás. —Él se encendió un cigarro y ella aceptó otro por probar—. Si él se entera de que le has puesto unos cuernos como una catedral y no le da importancia es que sencillamente confirma tu teoría, poco probable, de que te quiere por interés económico y social. Pero, si le molesta, se enfada, se pone celoso y te lo echa en cara, podemos llegar a la misma conclusión.

—No lo entiendo. Si no dice nada es que no me quiere. Si me monta un escándalo, tampoco me quiere. No veo la lógica por ningún lado.

—Déjame terminar. Si llega a saber este episodio, y de verdad está enamorado de ti, te perdonará. Se tragará su orgullo, incluso vendrá a partirme la cara, pero aceptará que te desea por encima de todo y que tú vales demasiado, como mujer, por supuesto, como para perderte.

—Para asegurar que nunca has estado enamorado sabes mucho de esto.

—¿Quién dice que nunca me he enamorado? Lo que pasa es que no pienso tropezar dos veces con la misma piedra —afirmó él categóricamente.

—De acuerdo. Entonces, ¿debo decírselo?

—Humm, no.

—¿En qué quedamos? —preguntó ella confusa—. Si no lo sabe, no puedo poner en práctica tu maravillosa teoría.

—No seas tonta —dijo con cariño—. Déjalo caer, suelta pequeños detalles. Un hombre como Engels, inteligente y acostumbrado a estos temas, disfruta más con la investigación y con la posibilidad de descubrirte que contándoselo de sopetón.

—¡Ostras! Es cierto —exclamó ella encantada. Esa noche estaba descubriendo muchas cosas. Debería tomar notas para no olvidarse de nada.

—Por no hablar de lo divertido que te va a resultar jugar un poco con él. Incluso puedes entretenerte bastante si sabes utilizar bien la información.

Ese era uno de los mayores pasatiempos de James. Hasta puede que incluso hubiera puesto a alguien para vigilarla. Esa idea la excitó.

En agradecimiento por todos sus consejos y por una noche memorable, se inclinó hacia Sebastian y le besó en los labios.

—Nunca podré agradecerte lo que estás haciendo por mí.

Él le ofreció una sonrisa, así era Samantha.

Sintió de nuevo esa punzada inquietante.

¿Estaba cometiendo el error de su vida dejándola marchar?

Vio como ella se tumbaba, dándole la espalda, y se tapaba con la sábana.

La chiquilla con la que jugaba de pequeño era toda una mujer. Lista, emprendedora, cariñosa y excelente amante.

—¿Samantha?

—Hummm —respondió ella somnolienta.

Sebastian, que la conocía, sabía que se dormía a las primeras de cambio. Se acercó a ella y se pegó a su espalda.

—Has dicho que estarás en deuda conmigo de por vida, ¿verdad?

—Sí, así es —respondió en voz baja.

—Puedo pedirte cualquier cosa y tú me ayudarás.

—Sí —ella bostezó—, lo que necesites. Siempre estaré ahí. Para echarte una mano.

—Solo quería asegurarme.

—Buenas noches —suspiró ella.

Al cabo de diez minutos notó como una parte saliente de su amigo presionaba sobre su trasero. Estaba a punto de caer rendida, pero con semejante amenaza, ¿quién podría?

Se movió para comprobar si era merced a un simple descuido.

No fue así. Él se pegó aún más.

—Estoy pensando… —dijo él rompiendo el silencio.

—¿A estas horas?

—… que creo saber cómo puedes saldar tu deuda conmigo.

Ella no necesitaba más pistas para descubrir la forma de pago, pero, en pos de la diversión, siguió haciéndose la tonta.

—Tú dirás.

—Es tarde, y, normalmente después de follar de forma satisfactoria…

—Gracias.

—… suelo caer rendido, pero… y no me preguntes el porqué, me encuentro inquieto, como desvelado… no sé.

—Si hay algo que esté en mi mano para que puedas dormir, no dudes en decírmelo.

Él maniobró para sacar otro condón de su caja y colocárselo antes de que ella se girara para facilitarle la tarea.

Una vez colocado sobre ella se lanzó directo a su boca. No se cansaba de besarla. A partir de ahora le iba a resultar muy difícil no hacerlo con sus próximas amantes.

—Querida, considera tu deuda como zanjada —murmuró él penetrándola y haciéndola reír.

Capítulo 25

Comprobaciones

$\mathcal{A}$ primera hora de la mañana James se paseaba por el despacho principal como un tigre enjaulado, solo que este tigre debía cuidarse muy mucho de dejar entrever sus preocupaciones.

Samantha llegaba tarde, cosa que en principio carecía de importancia, pero, sabiendo como sabía que la noche anterior había salido a cenar con Sebastian Wesley, la cosa cambiaba y su habitual tranquilidad saltaba por los aires.

Miraba por la ventana del despacho principal, se estaba exponiendo pero no conseguía dominar sus demonios internos. Maldita sea, estaba celoso.

—No sé qué puede resultar tan interesante para que no apartes la vista de la ventana —dijo Samuel a su lado echando también un vistazo.

Buscar una excusa convincente o ponerse a la defensiva solo serviría para levantar sospechas, así que se encogió de hombros.

Cuando pillara a Samantha por banda iba a tener más que palabras.

Algo le llamó la atención, un vehículo conocido se detenía frente a la entrada principal del banco. De él se apeó una mujer.

—La hija pródiga aparece —murmuró Samuel a su lado con sorna.

Pero ninguno de los dos estaba preparado para ver quién acompañaba a la hija pródiga. Claro que las reacciones no podían ser más opuestas.

—Vaya, parece que por fin los dos van entrando en razón.

Ese comentario aparentemente casual le enervó aún más. De sobra era conocida la idea de su jefe de casar a su heredera con el hijo de su mejor amigo, pero esa idea que antes ni se molestaba en considerar ahora le traía por el camino de la amargura.

Pero las sorpresas no acababan ahí.

—Gracias por traerme, Sebastian.

—De nada, querida. —Se situó frente a ella y la miró fijamente. Ese runrún interior que le incordiaba desde anoche diciéndole que Samantha era más que una amiga…—. Soy un caballero. —Ella sonrió—. ¿Quieres que suba contigo?

—No. Ya has hecho bastante por mí.

—Estás decidida a seguir adelante, ¿verdad?

—Ajá. Pero no sufras, tendré cuidado, seguiré tus consejos y al final me saldré con la mía.

—Eres increíble.

—Lo sé —respondió ella sin pizca de modestia.

—Bueno… —Ahora o nunca, pensó él, una última vez, lo necesitaba. Quería hacerlo.

Acunó su rostro, ella mantuvo la sonrisa y se movió para besarla en los labios.

Allí, delante de todos cuantos quisieran contemplarles, sin preocuparse de nada más. Solo de ella, de su querida e intrépida Samantha.

—¿Por qué has hecho eso?

No sonaba enfadada ni molesta. Solo muy sorprendida. Él había insistido tanto en la discreción que no entendía su forma de proceder.

—Necesitas ir soltando miguitas para que te sigan —dijo él mirando hacia arriba, hacia las ventanas desde las que sin duda alguien les observaba.

—Estás corriendo riesgos, ¿qué·pasa si se da cuenta quien no debe?

—Eso hará más emocionante el asunto, ¿no crees? Además, me encanta besarte y quería hacerlo. —Le dio otro beso rápido en los labios, o al menos esa era la intención porque se demoró cuanto quiso—. Definitivamente, me voy o acabaremos montando todo un espectáculo.

Sebastian se despidió con una sonrisa, algo triste, y se marchó en su coche, dejándola sola frente a los leones.

—Bueno —se dijo cuadrando los hombros y caminado hacia el vestíbulo principal—, todo es cuestión de perspectiva.

Unos minutos más tarde entraba tranquilamente en su despacho, recogía los documentos que necesitaba y se encaminaba a la reunión. Sí, llegaba tarde, pero por lo menos tenía los deberes terminados.

—Buenos días. —Saludó alegremente y se acercó hasta su padre para darle un beso en la mejilla.

No se sorprendió cuando este respondió con una sonrisa; había sido testigo de la demostración de afecto de Sebastian y, como era de esperar, se había emocionado reavivando sus esperanzas de verlos juntos.

—¿Empezamos? —sugirió James.

—¿Era Sebastian quien te acompañaba?

—Papá, sabes perfectamente que sí. Bien, aquí tengo las cuentas corregidas de…

—Me alegra saberlo —dijo su padre sin perder la sonrisa, pero tampoco se perdía las reacciones del abogado. Algo se le escapaba.

—No te hagas ilusiones, papá; simplemente salimos a cenar. Como… viejos amigos. —Ella dejó caer la frase. Solo James podía recoger el guante.

—¿Has acabado con las correcciones contables? —inquirió James; no le apetecía en absoluto seguir con el temita.

—Pero si solamente cenaste con él, ¿por qué has pasado la noche fuera de casa?

«Gracias, papá.»

—Se nos hizo tarde, estuvimos… ya sabes, hablando de esto y de lo otro y al final preferí quedarme en su casa. En el apartamento que tiene en el centro —explicó ella en tono cansado, como si fuera un soniquete—. Ya sabes cómo es Sebastian. —«Mira a ver cómo utilizas esa información, abogado arrogante.»

«Sí, claro que lo sé —pensó James—. Ese hijo de la gran puta…»

—Cariño, sé que a veces insisto demasiado, pero tanto sus padres como nosotros estaríamos encantados de veros unidos.

—No funcionaría —respondió Samantha, y miró a James para dar la puntilla—. Nos lo pasamos bien juntos pero eso no es suficiente.

«Cuando te pille a solas…»

James no dejaba de pensar en cómo ponerla de rodillas, obligarla a aceptar su propuesta y a castigarla por pasar la noche con ese tipo. Conociéndole, estaba seguro de que no se habían limitado a contarse cotilleos. Y conociendo a Samantha… la muy provocadora, le estaba retando a hacer algo contundente.

—Antes de que me olvide —interrumpió James—, mañana salgo de viaje. Estaré ausente una semana —miró a Samantha— por motivos personales. Ha sido algo imprevisto.

—No sabía nada, pero no te preocupes —intervino Samuel dando por buena la extraña explicación.

Samantha se mordió la lengua para preguntarle ¿«asuntos personales»? ¡Ja! ¡Y un cuerno! Estaba tramando algo, seguro. Y a pesar de todo, imaginar qué tramaba exactamente resultaba cuanto menos sugestivo.

—Ah, muy bien —dijo ella toda campechana.

—¿Te ha dado tiempo a revisar las cuentas del último mes? —preguntó el abogado intentando pillarla.

—Aquí están. —Ella mostró los documentos pero en vez de pasárselos, como sería lógico, se los dio a su padre.

Y este, sin entender qué estaba pasando delante de sus narices, hizo lo propio y se los entregó a James.

—El error ha sido fácil de detectar —comenzó Samantha—. Al transcribir los apuntes contables confundieron, debido a la mala caligrafía del interventor, los cuatros con los nueves.

—Ya veo… —James no esperaba que ella tuviera el informe a punto.

—Y también he hablado con el responsable para que en el futuro tenga más cuidado. No podemos perder el tiempo en asuntos tan poco importantes.

—Muy bien. ¿Algo más? —preguntó su padre.

—No, por mi parte he acabado. Me marcho.

—¿Adónde? —No debería haber preguntado. Joder, no estaba acostumbrado a que sus emociones tomaran el control. Se estaba exponiendo antes de tiempo.

—No es asunto tuyo —respondió ella a James—, pero no es ningún secreto. Me voy de compras.

Hasta su padre se sorprendió de la respuesta.

Y dando media vuelta, se marchó y los dejó solos.

—Samantha últimamente está muy rara —dijo Samuel esperando que su abogado supiera algo que a él se le escapaba.

—¿En qué sentido? —James optó por la prudencia.

—Está asumiendo muy bien sus responsabilidades, hasta tú mismo lo has reconocido. Pero... —negó con la cabeza— falta algo, no la veo totalmente centrada.

—Es normal —alegó James siguiendo con su cautela. Nada le hubiera gustado más que decirle abiertamente a Samuel las intenciones que tenía respecto a Samantha, pero primero debía dejar las cosas claras con ella.

—Sé que va a sonar mal viniendo de un padre, pero necesita a alguien que la ayude a organizar mejor su vida. No es normal que rechace todas las proposiciones de matrimonio.

—Es lista, sabe que algunos solo lo hacen por interés. —Joder, al decirlo cayó en la cuenta. ¿Y si ella le había metido en el mismo saco?

—Lo sé perfectamente. Como también sé que Sebastian no es uno de ellos. No entiendo a qué juegan esos dos.

«Yo tampoco, pero me voy a enterar hasta el último detalle», pensó.

—Ella parece tenerlo claro.

—No te digo que no, pero después de escenas como las de esta mañana no sé qué pensar. En fin, supongo que mi hija tendrá que decidirse algún día.

—¿Y si escogiera a alguien... digamos inesperado? —James lanzó la pregunta de forma casual, pero la respuesta valía su peso en oro.

Samuel sonrió de medio lado antes de responder.

—¿Cuando dices inesperado te refieres a inconveniente?

—Puede ser.

—No voy a obligarle a aceptar a uno de esos mequetrefes sin sangre que se presentan por aquí y que por tener un apellido noble se creen que pueden vivir sin dar un palo al agua.

Pero está claro que tampoco voy a dejar que mi hija mayor cometa un error al elegir a un don nadie que le prometa el cielo para luego hacerla una desgraciada.

James estaba completamente de acuerdo con su jefe, pero la respuesta era ambigua.

¿Qué era exactamente un don nadie?

¿Un tipo sin respaldo familiar, como él?

¿Un tipo que solamente se ha preocupado de ascender, como él?

De momento no podía mostrar sus cartas, aunque le hubiera gustado sincerarse con su jefe.

Capítulo 26

Juguemos un poco

—*D*efinitivamente voy a optar por no pensar más en él.

Fue el comentario cargado de ironía que Samantha dijo en un suspiro mientras cambiaba de posición en el sillón.

Frente a ella, su amigo, chef, consejero y amante por un día, leía el periódico y sonreía de medio lado. No parecía hacerle mucho caso. Pasó página y siguió sin mirarla.

Si había acudido a verla era porque no tenía otra cosa mejor que hacer y porque, eso no lo iba a admitir en voz alta, se moría de curiosidad por saber cómo acababa la historia. Y, cómo no, por picar un poco al abogado visitando a Samantha.

Su inesperada y extraña punzada de advertencia sobre la conveniencia o no de hacer caso a las familias y plantearse ir en serio con ella, había quedado en agua de borrajas. De hecho, a los tres días ya había retomado su búsqueda de la mujer ideal, como decían quienes le conocían, o sus actividades predilectas para después del trabajo, como las denominaba él. De este modo, había quedado totalmente descartada la posibilidad de que la mujer que estaba enfurruñada frente a él fuera su futura esposa.

Había sentido cierto alivio al respecto, pues si se llegaban a confirmar esos infundados temores tendría que haberse peleado con un abogado y, a su vez, convencer a Samantha.

—No me estás escuchando —le recriminó ella.

—Pues claro que sí —mintió él.

—A ver, ¿qué te estaba diciendo?

—En resumidas cuentas, que tu pretendiente número uno a alzarse con el trofeo ha desaparecido y tú vas a seguir dándole vueltas en la cabeza por mucho que afirmes lo contrario. Y, querida, me resulta un poco… violento hablar de esto.

—No digas sandeces. ¿Por qué?

—No sé si soy lo que se dice objetivo para ayudarte en estos temas, recientemente he tenido la oportunidad de verte desnuda y… —se encogió de hombros— hay cosas que a los hombres se nos quedan marcadas a fuego.

Ella hizo una bola de papel y se la tiró molesta con las palabras de su amigo.

—No tiene gracia.

—Lo sé, perdona —dijo Sebastian para nada arrepentido—. Pero es que me las sirves en bandeja.

—Se supone que estás aquí para ayudarme, no para incordiarme.

—¿Y qué quieres que haga? ¿Que vaya a buscarle y le traiga de las orejas? Joder, Samantha, que hay cosas que por solidaridad masculina no puedo hacer.

—Se ha ido sin avisar. —Ella se puso en pie—. De hecho, llevaba una semana fuera. Ha vuelto esta mañana y ni siquiera me saluda. ¿Qué hago?

—Querida mía, la respuesta es obvia: nada. Si regresa y te encuentra en ese estado se dará cuenta de tu debilidad y se aprovechará. ¿Cómo pretendes hacerle caer de rodillas si ante la primera dificultad te ablandas?

—De acuerdo, está bien. Tienes razón.

En ese instante llamaron a la puerta.

—¡Un minuto! —dijo rápidamente Sebastian mirando divertido a Samantha.

—Adelante —corrigió Samantha a los pocos segundos, tras darse cuenta de lo que implicaba ese minuto, sugerido por Sebastian.

James entró en el despacho y ni se inmutó al verles allí juntos.

—Wesley.

—Engels.

Los dos se saludaron formalmente pero evidenciando su desagrado mutuo.

—¿Qué quieres? —interrumpió Samantha algo acelerada. No podía ser otra visita, no; tenía que ser él.

—Dejarte estos papeles.

¡Papeles, papeles! Estaba hasta la peineta de que siempre hiciese lo mismo. Seguro que encontraba la habitual notita con instrucciones para reunirse más tarde.

¡Ja!

Claro que iban a reunirse, pero no como él esperaba.

—Llegamos tarde —dijo Sebastian y ella le miró sin comprender—. ¡Mujeres! Toda la semana insistiendo para que la lleve a La Ratita Presumida y ahora se olvida.

Ella ahogó un grito. ¡Su amigo se había vuelto loco!

—No conocía esa afición tuya —dijo James con voz monótona, como si le importara un pimiento.

—Ya ves. Nunca digo que no a nuevas experiencias —replicó ella mirándole fijamente.

—Interesante postura, desde luego.

—Hago lo que puedo.

—Todo esfuerzo tiene su recompensa.

—Lo sé.

—Pero siempre hay que superarse a uno mismo.

—Lo intento.

Cansado del partido de tenis verbal que se traían esos dos, y puesto que él sí que se iba a esforzar esa noche, Sebastian se levantó y se acercó a la puerta.

—Querida, mejor lo dejamos para otro día. ¿De acuerdo? —Y ya que ninguno de los dos le prestó atención, ni siquiera se acercó a despedirse de ella con un beso.

Y sin tiempo para que le replicaran, se marchó cerrando suavemente la puerta. Ambos necesitaban, aparte de privacidad, relajarse un poco. Ahora entendía cuando oía a Samuel quejarse de los dolores de cabeza que provocaban esos dos.

—Me parece que tu cita de esta noche te ha fallado —dijo James sentándose en una esquina de la mesa y mirándola de forma indulgente.

—Me parece que puedo ir yo sola —le contradijo ella en un tono un poco cursi.

—Me parece que no.

—Y a mí me parece que te puedes ir a...

Se calló de repente cuando él la agarró de la muñeca tirando de ella hacia sí.

—Samantha, creo que tenemos un serio problema de comunicación.

Ella quería borrarle esa sonrisa de presumido de un tortazo pero primero tenía que regular su presión sanguínea.

—Si lo que quieres es… follar conmigo, vas listo. —¿Para qué andarse con rodeos?

—Ya te advertí una vez sobre lo que me pasa cuando te oigo hablar en esos términos.

—Vete a…

Y de nuevo él se las ingenió para que se callase, besándola de forma bastante brusca. La sujetó por la nuca con una mano para que ella no tuviera oportunidad de soltarse.

¡Cómo la había echado de menos!

En su impuesto exilio por razones de higiene mental, no había hecho otra cosa que reflexionar sobre lo que estaba ocurriendo entre ambos. Si se había precipitado al pedirle que se casara con él o si la estaba presionando.

Puede que de las tres cuestiones la última fuera la más real. Sí, la presionaba y sí, iba a seguir haciéndolo. Y más aún cuando era consciente de que le había salido un importante competidor.

Abandonó su boca y se movió para besuquearla en el cuello, con besos y pequeños mordiscos, hasta llegar al lóbulo de la oreja y atraparlo entre los dientes.

—Tengo algo para ti —susurró él en su oído.

Ella no quería jugar a las adivinanzas en ese instante. Estaba aferrada a las solapas de su chaqueta intentando no caerse de culo y excitada al máximo.

—Un regalito.

—Nada de regalos, ¿recuerdas?

—Nada más verlo pensé en ti.

Ella puso los ojos en blanco.

—Uy, no sabía que tuvieras esa vena romántica —musitó ella queriendo sonar sarcástica, pero no estaba segura de si lo había logrado.

No era nada fácil con los labios de él recorriéndole el cuello.

—Si la ocasión lo requiere y el esfuerzo merece la pena, puedo serlo —murmuró él contra su piel, burlándose de ella.

Ella bufó, se apartó y le miró a los ojos.

Él respondió sonriendo de esa forma que la hacía casi derretirse. Su cuerpo podía permitírselo, pero su orgullo de ninguna manera.

«Sé fuerte», se recordó a sí misma.

—Bueno, ya me has manoseado bastante por hoy.

James arqueó una ceja. Vaya vocabulario estaba adquiriendo la chiquilla. No le disgustaba, desde luego que no, pero le sorprendía.

—Samantha, querida, deja de hablar como si no supieras de qué va el asunto. En primer lugar sabes perfectamente que manosearte o no depende de mi estado de ánimo, en ningún caso de tus deseos.

—Ya empezamos... —resopló ella.

—Y deja de distraerme. —Buscó en el bolsillo de su chaqueta y extrajo una pequeña caja de madera rectangular. Se la mostró.

—¿Un perfume? —inquirió ella al notar el olor que desprendía la madera.

—Me conoces demasiado bien para caer en un tópico tan manido. Prueba otra vez. —Agitó la caja para que escuchara.

El tintineo metálico la despistó aún más.

—Dado tu escaso presupuesto y tu inexistente gusto al adquirir joyas, no creo que ahí dentro haya diamantes. Ni siquiera un triste camafeo.

—Deja el sarcasmo, no te va. —Y agitó de nuevo la dichosa caja.

—Pues deja tú de hacerte el interesante. —En un despiste le arrebató el regalito.

Se alejó de él unos pasos para abrirlo con tranquilidad y lo hizo. Dentro encontró dos bolas de plata, unidas por una fina cadena. Dejó el cofre a un lado sobre el escritorio y examinó el contenido, sopesando el objeto en la mano.

—Lo que yo decía, un gusto pésimo a la hora de elegir un detalle. Seguro que son de hojalata. ¿Para qué quiero yo unos cascabeles tan grandes?

Él se rio de nuevo y se acercó a ella.

—Tú sí que eres una joya, querida, pero con dientes. —Lo que parecía un cumplido con las últimas palabras pasó a ser un velado reproche—. Déjame decirte que esta «chuchería» no es precisamente un objeto para que vayas mostrando en público.

—No me extraña —manifestó ella haciendo una mueca—. Toma, no lo quiero.

Él suspiró, no iba a dar explicaciones. Prefería pasar a la acción.

Así que puso las manos en su trasero…

—¡Eh…!

No hizo caso de su protesta.

Levantó su falda y apartó a un lado sus bragas.

—¿Pero que…?

Rozó su entrepierna varias veces, calentando el metal y excitándola.

Una y otra vez, hasta que ella empezó a ronronear, deshaciéndose en sus brazos. Cuando él sintió el primer tirón en el pelo supo que ya podía insertar la primera bola.

—¡James!

—Shsss. ¿No te parece que mi regalo es íntimo y personal? —preguntó él en voz baja.

—Demasiado… íntimo, diría yo —acertó a decir pasando por alto que volvía a mostrarse romántico.

—Estos… —se rio— cascabeles —introdujo la segunda bola— son para tenerte encendida, caliente, ansiosa, cachonda hasta que confieses.

—Será…, en todo… caso, hasta que… te ruegue, ¿no? —gimió ella llevada por la fuerza de la costumbre.

—Bueno, eso también —respondió él complacido—. Pero primero quiero saber si follaste con Wesley.

Capítulo 27

Dime con quién andas...

—Y ahora veo que estás lista para salir esta noche —dijo él como si fuera una verdad absoluta y todo el mundo debiera creerla a pies juntillas. Recogió el chal de ella y se lo puso encima de los hombros.

—Ni hablar —protestó ella dejando caer el chal de forma poco elegante—. No voy a salir esta noche —sentenció para después moverse inquieta hasta su sillón. Se apresuró a sentarse e intentó controlar el cosquilleo interno que le producían esos malditos cascabeles o como quiera que se llamasen.

Él, de nuevo actuando con esa actitud indiferente que ella odiaba, recogió el estuche de madera, lo cerró y con tranquilidad lo puso a un lado de la mesa, como si de un adorno se tratara.

Ella, en un arranque de a saber qué, pues estaba, entre otras cosas, enfadada, lo cogió de malas maneras para dejarlo dentro de uno de los cajones del escritorio.

—Se nos hace tarde.

—Vete entonces, yo me quedo aquí —replicó ella afianzándose en su posición.

—Samantha —murmuró él con tono de humor—, estoy seguro de que no quieres perder la oportunidad de acudir a cierto local de mala reputación.

Ella abrió los ojos como platos para después entrecerrarlos. ¿A qué se debía ese repentino cambio de actitud? Viniendo de alguien como James, nada bueno, seguro, pero se arriesgó a preguntar.

—¿Ahora sí te parece conveniente que vaya?

—No. —Caminó hasta ella, tiró de sus muñecas y la levantó—. Mi opinión sobre eso no ha cambiado, pero, en vista de que vas a ir, me guste o no, prefiero acompañarte.

Refunfuñando le siguió. Más que nada porque si se mostraba abiertamente conforme con acompañarle él encontraría un modo de atormentarla.

Y ella, ante todo, no quería perder la oportunidad de visitar La Ratita Presumida.

Intentó distraerse con algo, pero el maldito ronroneo del motor y el traqueteo del coche no ayudaban en nada. Sentía una constante caricia interna que si bien no era suficiente para llegar al clímax, sí resultaba inquietante ya que la mantenía en un punto intermedio, totalmente frustrada por no poder seguir hacia delante o dar marcha atrás.

Maldito James con sus regalitos. Él debía saber muy bien qué se sentía y a qué estado conducía el maldito artilugio.

Durante el trayecto en coche hasta una zona de la ciudad poco recomendable, donde la suciedad, el mal estado del adoquinado y los edificios que necesitan ser reparados urgentemente, algunos incluso ser demolidos, ella no habló, solo observó y pudo encontrar un punto de equilibrio bastante inestable pero con el que, por el momento, tenía que conformarse.

James estacionó en una calle lateral, un poco alejada del barullo. Según comentó, era para evitar problemas; nunca se sabía cuándo podía armarse jaleo.

Por el tono utilizado ella dedujo que conocía bien la zona y que lo raro era que no hubiese bronca.

Él la ayudó a bajar del coche, evidentemente con una intención clara. Espachurrarla contra la carrocería nada más poner los dos pies en el suelo.

—¿A qué se debe este ímpetu? —preguntó ella cogiendo aire antes de ser avasallada de nuevo por un abogado besucón.

—Es, simple y llanamente, una forma de hacer los preliminares.

Ella miró a izquierda y derecha. Puede que estuvieran en un barrio de mala muerte pero eso no les libraba del escándalo público si algún agente de la autoridad decidiese, en ese momento, hacer su ronda y fijarse en una pareja que llamaba la atención por ir vestidos de forma poco común en el barrio.

—Aparta. —Y le dio un empujón con ambas manos.

Pero él sonrió y sin saber cómo metió una mano bajo su falda, buscando algo en concreto.

—¿Cómo lo llevas? —inquirió burlón tocándola entre las piernas.

—Bastante bien, gracias —mintió ella y consiguió apartarse de él.

James sonrió como el pervertido que era y no dijo más.

—Pase lo que pase, no te sueltes —recomendó con vehemencia y seriedad cuando cogió su mano y empezaron a caminar.

—¿Tienes miedo a que me escape?

—Me lo agradecerás enseguida —respondió él.

Siempre igual, pensó ella; siempre con medias palabras, con medias verdades. Nunca hablaba claro. ¡Qué manía!

Pero, a pesar de sus protestas mentales, caminó junto a él porque la idea de visitar un club de mala muerte era, sobre todo, más atractiva que pelearse con él.

—Estos tacones no están pensados para andar tan deprisa —dijo ella con la intención de que aminorara un poco y, por qué no decirlo, para pincharle también.

Llegaron a las puertas del club, a juzgar por el letrero. Le faltaban, aparte de una limpieza exhaustiva, varias bombillas. Por lo visto, era un ratita muy pobre, pues aquello era deprimente.

—Entremos —dijo él resignado. Hubiera preferido estar en otro sitio, como por ejemplo su confortable dormitorio. Pero la idea de llevarla a sitios como este le resultaba curioso. Ella tenía derecho a conocer otras ofertas… ¿culturales?

Pasaron a un vestíbulo mal iluminado donde un hombre que hacía las veces de conserje, tras guardarse el dinero que James le entregó, les abrió la puerta que conducía a la sala.

Bajaron por unas escaleras de madera. A medida que se adentraban, el olor a tabaco y el ruido se hacían notar mucho más. Al mismo tiempo otros asistentes subían y bajaban sin consideración ni educación, empujándoles una y otra vez.

Samantha se quedó absorta cuando llegaron al último peldaño. Una nube de humo hacía que respirar supusiera más esfuerzo del habitual. La luz seguía siendo escasa y la ventilación dejaba mucho que desear, pues mezclado con el humo de los puros y cigarrillos se apreciaba un tufo a sudor y a alcohol, todo mezclado.

—Podían abrir un poco las ventanas, ¿no? —le susurró sin soltarse de su mano.

—¿Ves alguna por aquí? —preguntó él sin mirarla; intentaba localizar una mesa, a ser posible en un lateral para evitar percances.

Tiró de ella al localizar una mesa en la parte derecha del pequeño escenario, y se encaminó rápidamente antes de que alguien les quitara el sitio.

Ella, mientras avanzaba, no quitó ojo de la tarima central, donde una mujer, entrada en carnes y pintada como una puerta, intentaba entretener al público situado en las primeras filas. Estaba compuesto por hombres en distintos grados de embriaguez, a juzgar por el color de sus mejillas y las palabras soeces que le dedicaban a la artista.

La mujer se afanaba por esquivar las manazas de los hombres y por cantar, pero el ruido de aquellos tipos ahogaba cualquier intento.

Samantha no comprendía para qué lo intentaba, y menos aún cuando les distraía enseñándoles más piel de la que debería. De esa forma, en su opinión, solo conseguiría excitarles más.

Cuando se sentaron, ella prefirió no pensar en la mugre acumulada a su alrededor. James llamó por señas a un hombre que, paradójicamente, vestía como un camarero en toda regla, incluido un inmaculado mandil blanco. El camarero tomó nota del pedido y se marchó.

—¿Y bien? —preguntó él sin separarse ni un milímetro, no quería arriesgarse a que alguno de aquellos borrachos salidos confundiese a Samantha. Para enfatizar su postura pasó un brazo por detrás de sus hombros. Toda precaución era poca.

—¿Qué quieres que te diga? —murmuró ella distraída, pues no dejaba de mirar a su alrededor. Allí había todo un muestrario de gente variopinta.

—Esto no se parece en nada a un salón de té —aseveró él mirándola.

Era digna de admirar, allí, sentada junto a él, en un antro de mala muerte, vestida de forma sobria, pero demasiado elegante, dadas las circunstancias. Una mujer educada en los mejores colegios, heredera de un gran patrimonio, sentada junto a vagos y gente de mal vivir sin poner cara de asco, solo de curiosidad por la novedad de cuanto veía.

No dejaba de observar a las distintas mujeres que se paseaban por la sala y que evidenciaban su profesión claramente, sentándose encima de clientes y sonriendo exageradamente.

También se fijó en otras asistentes, que como ella, permanecían calladas y sentadas. Otra cosa muy distinta era la pinta que tenían. Algunas de ellas eran demasiado mayores para fumar como chimeneas y no soltar su vaso de a saber qué bebida.

—Son antiguas trabajadoras —murmuró James a su lado al ver que ella las miraba fijamente.

—¿Y vienen aquí? No lo comprendo, si yo hubiese trabajado aquí me alegraría enormemente de no volver a pisarlo.

—Algunas aún se sacan un dinero de vez en cuando. —Ella le miró sin comprender y James tuvo que olvidarse de las buenas maneras para explicárselo—. Son exprostitutas, por supuesto no por decisión propia. Pero todavía cazan a algún incauto de vez en cuando.

Ella estaba procesando tanta información que prefirió no preguntarle cómo sabía tanto del asunto; era mejor no perder detalle.

Cuando la mujer del escenario, acabado su intento de interpretación, se retiró, salió un hombre, vestido de esmoquin pero...

Ella se inclinó hacia delante para asegurarse.

—¿Va maquillado?

El camarero dejó una botella y dos vasos en la mesa. Sin decir nada, James sacó su cartera y le pagó.

Otro indicativo más de que no era la primera vez que pisaba ese antro.

—Sí.

—¿Y por qué?

—Forma parte del espectáculo.

—Ah.

Era cuanto podía decir sin parecer más tonta, así que dio un sorbo a su bebida y esperó a ver qué pasaba.

No tuvo que esperar mucho pues el hombre se dirigió al piano y comenzó a tocar. Inmediatamente una mujer, vestida con un voluminoso vestido de los que hacía más de treinta años nadie usaba, se situó en medio del escenario.

—Ahí lo tienes —indicó James.

Cuando entonó la primera nota, los alborotadores se unieron al espectáculo.

—¡Maricón!

—¿He oído bien?

—¡Maricón!

—Pues sí, he oído bien. —Ella misma se respondió al escuchar el coro no autorizado de admiradores.

—No me extraña que se gaste una fortuna —comentó James entre maricón y sarasa—, aunque el único contento es el dueño, claro está.

—Pues no lo entiendo.

—¡Baja aquí y verás cómo te enderezamos!

—¡Mariconazo!

—¿El qué?

—El que se atreva a salir así para que lo insulten.

—Algunos días es peor. —James dio un trago.

—¿Peor?

—Si termina la noche tan solo oyendo insultos, puede darse por satisfecho. Ha habido ocasiones en las que le han dado una buena paliza al salir del club.

—¿Por qué? ¿Por cantar tan mal? ¿Por vestirse como una abuela?

—Por ser homosexual —le explicó él.

—Humm, no lo entiendo.

—¡Gilipollas! ¡Ven aquí que te vamos a quitar esa manía a hostias!

El pianista maquillado miró enfadado a los alborotadores y les hizo un gesto muy feo con el dedo, pero que, en ese ambiente, hasta podía darse por bueno.

—Hay hombres a los que acostarse con una mujer no les gusta, prefieren a otros hombres.

—¡Qué interesante! —exclamó ella verdaderamente sorprendida. Y parcialmente interesada en averiguar más acerca de eso.

—¿Y por qué no les gustan las mujeres?

James se encogió de hombros.

—No sabría decirte, hay diversas teorías. Yo no lo entiendo, pero como tampoco me molestan no voy a ir señalando a nadie.

—¿Hay muchos?

—¡Ven aquí, sarasa de mierda! ¡Baja que te vamos a curar hoy mismo!

—Unos cuantos, pero no lo dicen, se arriesgan a ser detenidos e ir a la cárcel.

—Vaya estupidez. Con la cantidad de delincuentes que hay por ahí sueltos... —recriminó con la cabeza—. Meter a un tipo en prisión por eso me parece una pérdida de tiempo y dinero.

—A algunos los internan en psiquiátricos, donde reciben terapias bastante agresivas para curarles.

—¡Qué horror! No conozco a nadie que haya entrado en una institución de esas que consiga sanarse. ¡Ahí te vuelven tarumba si no lo estás!

—Pero son las normas —aseveró él sin entrar en más detalles legales.

—¡Mariconazo!

—Qué desagradables son esos tipos. No entiendo cómo esas chicas están con ellos.

—Son putas, Samantha; intentan ganarse un dinero.

—Pues con lo borrachos que están... me parece a mí que poco van a ganar.

—Todo lo contrario —sonrió ante la ingenuidad de ella—. Cuanto más borrachos, más imbéciles. Y cuanto más imbéciles antes caen para dormir la mona y antes les limpian la cartera, sin tener que ejercer su oficio, o como mucho algún que otro manoseo.

—Vaya... no lo había pensado así. —Y tras reflexionarlo durante un minuto, añadió—: Ya les está bien, por ser unos idiotas y unos maleducados.

—Será mejor que pensemos en la retirada.

Y no era mal consejo. Se iba liar una muy gorda pues el pianista, que, según la información que manejaba James —y que, por lo que Samantha había podido comprobar, hasta ahora había sido bastante fiable—, era el amante de la artista, harto de los insultos y vejaciones, había abandonado las teclas para decirle cuatro cosas a uno de los más activos vocingleros. Y este, ayudado y coreado por sus amigotes y envalentonado por el alcohol, se encaró con él volviendo a repetir, eso sí, de forma menos entendible, los insultos a los que parecían tan aficionados.

—Me parece que tienes razón —murmuró ella incorporándose.

Los gritos, insultos y demás gestos obscenos dedicados al artista continuaban, uniéndose cada vez más público en diferentes grados de embriaguez. Estaba claro que aquello iba a derivar en una batalla campal.

Samantha, con lo que había observado, tenía más que suficiente para hacerse una idea bastante aproximada de lo que ocurría en los locales de dudosa o nula reputación.

Aunque si de ella dependiera volvería, quizás otro día en que los ánimos estuvieran menos alterados, pero mejor no compartir esos pensamientos con el hombre que tiraba de ella para sacarla de La Ratita Presumida.

Mientras abandonaban el local, con intención de llegar a las escaleras, ella no dejó de mirar la trifulca que se estaba armando y lamentó no poder presenciarla hasta el final. Hubiera deseado que a esos alborotadores les dieran su merecido.

Capítulo 28

Extraños en la noche

Cuando estuvieron en el exterior y puesto que hacía una noche agradable, James decidió que una vez abandonadas las peores calles, bien podían dar un paseo. Después ya volverían a recoger su coche.

James enlazó su mano con la de ella.

Era un gesto bastante extraño viniendo de él, pero al surgir de forma espontánea no le dio más vueltas. Si lo hacía, y no quería, le entrarían otra vez dudas acerca de lo que empezaba a sentir por ella, y quería relegar ese sentimiento lo máximo posible en el baúl de los sentimientos, y mantenerlo cerrado a cal y canto bajo siete cerraduras.

—Ya no corro peligro —dijo ella soltándose. ¿A santo de qué venía esa actitud ahora?

Pero él volvió a agarrarla.

—Calla un poco.

Samantha le obedeció y caminó a su lado, unidos, sin rechistar. Por suerte él estableció un ritmo adecuado para sus tacones y no tuvo que protestar. Dos minutos más tarde pensó en lo inusual que resultaba todo aquello y, a pesar de lo compartido hasta ahora, en lo íntimo que era estar junto a él, cogidos simplemente de la mano y paseando de noche.

Otra vez volvía a ablandarse, pero… ¿quién no lo haría?

Resultaba desconcertante la actitud de este hombre. Siempre a la defensiva, siempre quedándose con la última palabra… y de repente la cogía de la mano como uno de esos chicos formales. Nunca imaginó al abogado soberbio teniendo un gesto tan simple. «Si hasta puede que sea tierno y amable como el novio de mi hermana.» No compartió esa observación, mejor en otra ocasión más propicia para el sarcasmo.

Apuntado quedaba.

Estaba a gusto y por el momento no iba a estropear esa buena sintonía.

Pero él no debía pensar lo mismo.

Sin venir a cuento, al pasar junto a un callejón, a salvo de miradas indiscretas, tiró de ella, la empujó contra la pared y en uno de esos arrebatos a los que ya empezaba a acostumbrarse la besó de forma abrupta antes de, como siempre, culparla por algo de lo que no tenía constancia.

—Me estás volviendo loco —gruñó, y se abalanzó de nuevo.

Ella lo acogió sin protestar, porque sería de hipócritas el no reconocer que se sentía igual, quizás peor, con esas malditas bolas jugando en su interior.

No discutió, ni dijo nada; se limitó a acompañarle, a besarle con la misma pasión. Sin cuestionar nada. Ahora no era tiempo de pedir explicaciones.

—James…

—Me muero por follarte, aquí, en este maloliente callejón.

Y parecía desesperado al decirlo.

Ella se asustó, puede que desde la calle principal no los viera nadie pero eso no significaba que estuvieran a salvo de algún curioso visitante.

—No podemos… —Ella intentó ser la voz de la razón, pero era una ardua tarea con las manos de James metiéndose bajo su falda.

—Lo sé —acordó él, aunque solo de palabra, pues sus acciones lo traicionaban—. Pero la idea de hacerlo en un lugar así te excita tanto como a mí. —Ella no lo negó y le acarició por encima de los pantalones—. Podría darte la vuelta, apoyarte contra esa pared y así dejarte indefensa ante lo que se me ocurra hacerte —inspiró profundamente—. Imagina que te abro la blusa… —ella gimió con fuerza— para dejar tus pechos al aire. —Ella le bajó la cremallera de la bragueta. James tuvo que detenerse al notar cómo ella hurgaba entre su ropa interior hasta encontrar lo que buscaba—. Cada vez que empujo dentro de ti… joder… —notó el mordisco de ella en el cuello—, tus pezones se frotan contra esos ladrillos… rozándolos por mí.

Ella se quedó un instante sin respiración al oír las extrañas sugerencias de él. ¡Se le ocurría cada cosa a este hombre!

La situación se estaba desmadrando, iba perdiendo el control de forma inexorable, en plena calle, como una cualquiera, como una de esas mujeres que había visto en La Ratita Presumida. Y lo peor del caso es que ni se sentía mal ni se avergonzaba de ello.

—¿No te parece buena idea? —Las manos de él amasaron sus pechos por encima de la tela, posponiendo, por el momento, su atrevida sugerencia. La observó un instante, sonrojada, con los ojos entrecerrados—. Joder, estoy seguro de que me lo permitirías.

—¿Y?

—Será mejor que volvamos al coche. —No parecía encantado con la idea, pero debían hacerlo.

Se apartó lo suficiente para que pudiera arreglarse y así mantener las manos alejadas de ella. Definitivamente, esta mujer podía con él.

O dicho de otro modo: era la mujer perfecta para él.

—Podrías echarme una mano —sugirió ella incómoda, adecentándose de forma acelerada para volver a la vía pública.

—No quiero ponerte las manos encima. No respondo.

Ella no tenía nada que decir a eso. Le creía y ya se había expuesto demasiado. Sí, volver al coche sería lo mejor.

Respecto a cómo se encontraba entre el manoseo y las bolas tocando sus paredes internas, mejor no hacer ningún comentario por si acaso.

De nuevo él la cogió de la mano para llegar al coche, el aire nocturno debía hacer su trabajo y calmarles a los dos.

Esta vez ya no caminaban dando un paseo, andaban más rápido.

—No dejo de darle vueltas en la cabeza a lo que hemos visto esta noche. —Ella inició una conversación mientras caminaban, aparentemente olvidando lo que acababa de suceder en el callejón.

—Hay muchas cosas que no has visto.

—Lo sé —dijo con pesar—, muchos lugares no se incluyen en el programa de visitas de la escuela.

Él sonrió y la miró de reojo.

—¿Me estás pidiendo un *tour* por los locales más sórdidos de la ciudad?

—¿Lo harías?

—¿Follaste con Wesley?

—¿Ya estamos otra vez con eso?

—Tú contesta y yo pensaré en qué sitios podemos visitar. —Tras decirlo se dio cuenta de algo importante. En un error de bulto. Si quería que Samantha cediera, y no solo en lo referente a averiguar qué había pasado con ese cabrón, una opción aparentemente ingenua para que ella se sintiera más comprometida podía ser dejarse ver en lugares públicos, eso sí, decentes, acordes con su posición.

—No importa. —Ella intentó cambiar de tema.

—Samantha, podría hacer muchas cosas por ti.

Ella le miró y por un instante estuvo a punto de mandar todo al cuerno y decirle que sí. Esa declaración, aunque distaba mucho de ser la que ella esperaba, sí era lo más parecido a lo que necesitaba. Pero no debía fiarse.

Quería la rendición total, no unas palabras que podían abarcar demasiados significados, lo cual le daría a James un amplio margen de maniobra en caso de que quisiera hacerlo, y ella no debía dejar ningún cabo suelto.

—No necesito que hagas nada por mí —contestó ella, y se arrepintió en la forma en que había pronunciado esas palabras. Así que intentó volver a sentir lo mismo que había experimentado al salir del club cuando él la tomó de la mano. Un gesto sencillo pero muy íntimo—. Hace buena noche, podríamos pasear.

—Por si no te has dado cuenta, es lo que estamos haciendo.

Lo había dicho con una sonrisa, de un modo afable, por lo que no estaba burlándose de ella. Por tanto, podía pasarlo por alto.

—¿Y no te resulta raro? —Él la miró al principio sin entender tal comentario, por lo que ella se apresuró a aclarar—: Quiero decir, normalmente estamos metidos en la oficina; después, por lo menos yo, acudo a eventos en los que básicamente voy para ver y dejarme ver y en los cuales me aburro la mayoría de las veces. Y, salvo algunas noches, siempre es lo mismo. Algo tan sencillo como pasear no parece estar a mi alcance.

—Te comprendo. —Apretó su mano, ella estaba siendo amable, bien podía corresponderla.

Y, a medida que caminaban y conversaban sobre cosas sin importancia, cogidos de la mano, se dio cuenta de que no suponía ningún esfuerzo complacerla. Es más, se sentía relajado, a gusto con la situación.

Para él también resultaba un lujo disponer de tiempo para caminar tranquilamente.

También se dio cuenta de que esa era una razón más para casarse con ella. De hecho, no dejaba de sorprenderse. Tras el arrebato de responsabilidad inicial al saber que Samantha no era simplemente la hija del jefe con ganas de darse un revolcón, él había actuado llevado por unos anticuados y oxidados principios que pensaba que no tenía. Pero poco a poco había ido descubriendo a la mujer que le hablaba en ese momento del lamentable estado de algunos edificios, o de lo complicado que le resultaba a una mujer como ella tener tiempo libre para disfrutar con un simple paseo.

—La próxima vez que el alcalde me invite a bailar le voy a decir cuatro cositas —aseveró ella frunciendo el ceño al ver el estado de un solar que se suponía que era un parque.

Él también se fijó. No podía estar más de acuerdo.

—No creo que le guste tu sugerencia, pero hazlo. A ese pretencioso le viene bien de vez un cuando un poco de realidad.

Volvió a apretar su mano en señal de apoyo y experimentó esa extraña sensación a la que de momento no quería dar nombre.

¿Por miedo?

Probablemente, él no era un hombre sentimental; nunca lo había sido. Los sentimientos no te dan de comer ni te pagan el alquiler.

A su edad no iba a cambiar, podía intentarlo, pero sería un esfuerzo en vano. Había hábitos adquiridos demasiado arraigados como para arrancarlos.

No, él no iba a empezar ahora. De todas formas ella sospecharía si de repente se volviera uno de esos hombres que siempre sabían ser lo suficientemente zalameros como para engañar a una mujer.

Puede que no hubiera comenzado con buen pie en su empeño por convencer a Samantha Boston. Pero si algo podía hacer era mejorar su estrategia.

Dar un paseo con ella de noche, como una pareja de esas que tanto mostraban su afecto en público, no iba en contra de sus ideas prácticas.

Y, ¿por qué negarlo?, se sentía bien haciéndolo.

Claro que no iba a dejar pasar la oportunidad de pasar el resto de la noche con ella. Y, con toda probabilidad, de una forma menos aceptable para el común de los mortales.

Divisó su coche, y sintiéndose por una noche un caballero, la acompañó hasta la puerta del pasajero, se la abrió y la ayudó a que se acomodara en el asiento.

Pero él mejor que nadie sabía que la etiqueta de caballero era tan solo una apariencia muy fácil de falsificar cuando a uno le conviene, por lo que una vez sentada, metió una mano entre sus piernas.

—Definitivamente voy a tener problemas esta noche.

Ella, apretando las piernas, con la mano de él entre ellas, por supuesto, arqueó una ceja ante ese comentario tan ambiguo.

—¿Problemas?

—Sí, me está trastornando la sola idea de saber lo excitada que voy a encontrarte.

—El que evita la tentación, evita el peligro —sentenció ella y apartó su mano para sentarse más recatadamente—. Haberlo pensado antes.

Él se apartó sonriendo y ella cerró de un portazo.

Capítulo 29

Escándalo público

Arrancó el motor sin borrar la sonrisa de su cara. Menuda era Samantha, su Samantha.

A veces todavía dudaba de que esa mujer fuera la misma con la que hasta no hacía mucho se peleaba sin más, pensando que era poco menos que un estorbo y un dolor de huevos para cualquier hombre.

Y él era el número uno de esa lista.

Pero ahora las cosas habían tomado tal rumbo que nadie, ni el más estrafalario de los novelistas, podría haber imaginado.

—Preferiría que me llevases a mi casa —solicitó ella interrumpiendo sus divagaciones.

—Faltaría más.

Ella arqueó una ceja, le miró entrecerrando los ojos y se volvió en el asiento para comprobar si el muy cínico se estaba riendo.

No podía ser de otro modo.

—Samantha, a tu casa es el último lugar donde te llevaría hoy. Y menos aún sabiendo lo que hay entre tus piernas.

—¿Quieres dejar ya ese tema? —se removió inquieta. ¿Hasta cuándo iba a durar la bromita—. No estoy para tonterías. Quiero irme a casa —le exigió.

—Claro, para que nada más llegar te escondas en tu dormitorio y te alivies tú sola. ¿Me ves cara de tonto, querida?

—No estaba pensando precisamente en eso —murmuró ella muy digna—, pero, ya que lo sugieres, me parece una magnífica idea. —Otra cosa muy distinta era que lo hiciera, pero ante las insinuaciones de James siempre respondería de la misma forma.

—Ni hablar.

—Pues te vas a quedar con las ganas —aseveró ella, sabiendo de antemano que con un mínimo de persuasión caería. Sin embargo, con la provocación de pincharle un poco, cualquier barrera siempre venía bien.

Cansado de tanto rifirrafe verbal, James dio un volantazo y se adentró en una calle secundaria, no muy lejos de su residencia. La cuestión era que las cosas se estaban poniendo demasiado tensas como para perder veinte minutos conduciendo.

Ella estaba en plan guerrera, excelente. Así resultaría más divertido.

—¿Estás loco? —exclamó ella, llevando las manos hacia delante para sostenerse al sentir el brusco frenazo.

James apagó el motor, miró un instante la calle y, al no ver a ningún transeúnte, se giró rápidamente hacia ella. Pero no se detuvo ahí; se abalanzó literalmente sobre ella. Ya estaba bien de perder el tiempo con tonterías.

—Ha llegado el momento.

Quien daba primero, daba dos veces. Y esta vez no iba a ser diferente. De nuevo con una mano entre sus piernas, apartó sin demora la seda de sus bragas para meter un dedo y tirar de la primera bola.

—Esto no entraba en mis planes —murmuró antes de devorarle la boca—. Pero no puedo esperar más.

—¡¿No te atreverás a...?!

Preguntarle era como hablarle a un sordo, la respuesta estaba entre sus muslos. Sintió cómo extraía el segundo de los cascabeles, oyó cómo caían en el suelo enmoquetado del coche. No había vuelta atrás. Ella se recostó como pudo en el asiento. Iba a pasar, le gustase o no.

Pero le gustaba.

—¡Estás loco! —gritó ella a medio camino entre la estupefacción y la diversión.

—No lo niego.

Forcejear en un espacio tan reducido, eliminar la ropa necesaria para tenerla a punto y desabrocharse la bragueta para liberar su erección, requerían una habilidad especial, que por lo visto formaba parte del conjunto de conocimientos de él.

—Como alguien nos sorprenda... —advirtió ella dejándole maniobrar.

—Sé que te excita esa posibilidad. —La besó de nuevo porque no quería pensar en el lío en el que podían meterse.

Ella llevaba bastante tiempo en ese estado, así que no sabría decir con exactitud si hacerlo en un coche, aun siendo de noche, afectaba a su libido.

Seguramente sí, pero ahora no estaba para esas disquisiciones.

—No voy a decirte que no, pero… ¡Ay! Cuidado.

—Deja de moverte tanto. ¿Preparada?

—¿Desde cuándo preguntas?

Él sonrió y se colocó de tal forma que con un empujón pudiera penetrarla. Pero sus cálculos fallaron.

—Espera, muévete un poco hacia abajo. Así, muy bien.

—¡Date prisa!

—Hago lo que puedo. Joder, ¡sí!

Ella cerró los ojos ante la primera embestida, brusca, como era de prever, pero tan intensa y esperada que nada podía ensombrecer sus sensaciones.

—¡Diosssssssssssss!

—Llevo toda la noche pensando en ello —jadeó entre empujón y empujón—. Tenía la polla demasiado dura como para concentrarme al volante.

—La culpa es tuya —susurró ella.

Podía ser, pero el resultado estaba ahí, así que no podía arrepentirse de ninguno de los pasos dados durante la noche.

—Nos estamos jugando mucho follando en el coche.

—Cállate.

—Imagina que alguien pasa y se da cuenta de lo que ocurre…

—Sigue, no te detengas.

—Ese alguien golpea el cristal y, al ver que no contestamos, se asoma…

—No pierdas el tiempo… hablando.

—Y avisa a algún agente.

—Deja de decir tonterías.

—Terminaríamos detenidos.

—¡Oh, dios mío!

—En comisaría.

—Tú… tú eres abogado.

—Detenidos por escándalo público.

—¡Eres un gafe!

—Ya me imagino los titulares…

—¡No se te ocurra decirlo!

Samantha no podía creer que él fuera tan ruin como para decir en voz alta lo que ella estaba pensando. Pero como siempre pasaba cuando estaba con él, su cordura se había ido de vacaciones y terminaba haciendo lo que él quería, sin detenerse a pensar en las consecuencias.

—Rica heredera sorprendida con…

Ella le tapó la boca con una mano y eso a él le encantó.

—Abogado de prestigio…

—No pecas de falsa modestia.

—En actitud… ¿cariñosa te parece bien?

—¡No seas ganso!

Si a ella toda la situación la excitaba no se podía hacer idea de lo que a él le producía.

Era cierto que ni el más hábil de los abogados, ni la más importante de las influencias podrían sacarles de aquel embrollo si alguien les descubría.

Pero como pasa siempre, el morbo de lo ilícito, de lo prohibido es un potente afrodisíaco para la mente. Y él no iba a dejar pasar esa oportunidad.

Ella, por cómo gemía y se retorcía bajo su cuerpo, era de la misma opinión.

De repente, una luz inundó el habitáculo haciendo que ambos se tensaran. Él se incorporó sobre sus brazos y la miró. Ambos tenían la misma expresión, a medio camino entre el temor y la excitación plena. Pero el vehículo que circulaba a esas horas de la noche pasó de largo dejándoles de nuevo a oscuras.

—Estás tan resbaladiza, tan húmeda… Joder, metértela es una delicia.

Ella no iba a refutar esa descripción. Era cien por cien cierta.

Se agarró a él, desesperada por correrse, por terminar, quedar saciada y volver a casa. Se la estaban jugando de una manera…

Ahora entendía por qué algunos decían que la pasión puede volver loca a una persona.

Ella era un ejemplo jadeante de esa teoría.

—James —imploró ella tirando de su camisa.

—Lo sé, cariño, lo sé —dijo él moviéndose para poder tocarla donde ella necesitaba. En concreto buscó uno de sus pechos. No podía ser todo lo preciso que hubiese querido pero ella se lo agradeció tensándose aún más, acogiéndole entre sus piernas y acercándole al clímax.

Cuando sintió un pequeño mordisco en su hombro supo que ella se había corrido y que ese gesto era simplemente una forma de no gritar, cosa que él apreciaba e incluso siempre la animaba a no reprimirse, pero entendía las circunstancias.

—Joder… —fue la observación de James tras eyacular en su interior para después dejarse caer como un peso muerto sobre ella—. Creo que me estoy haciendo viejo —murmuró y ella se echó a reír.

—No puedo… ¡Ay! ¡Maldita sea! —se quejó ella intentando encontrar una postura que no perjudicara su columna, más en todo caso de lo que ya lo había hecho.

—El que diseñó este coche estoy seguro que no tuvo en cuenta sus otros posibles usos —aseveró él incorporándose para dejarla libre y arreglarse los pantalones.

Una vez se hubo adecentado, se sentó frente al volante y recogió las bolas tiradas. De ninguna manera podía olvidarse ese detalle en el coche, y no solo porque alguien podía verlas si se subía, sino porque habían resultado la mar de efectivas.

—Aparta eso de mi vista —dijo Samantha arrugando la cara con evidente disgusto—. No lo he pasado tan mal en mi vida.

—Tan mal… tan mal… Querida, no creo que esa sea una descripción exacta —se excusó él guiñándole un ojo.

Y ella no quiso darle la razón, así que se calló, se sentó correctamente y miró por la ventanilla.

«Quien calla otorga», pensó él.

Capítulo 30

Descubrimientos

*E*ntraron en casa de James y, ella sin decir nada, se dirigió al dormitorio en el que siempre se reunían. Estaba agotada y discutir para que la llevase a su casa teniendo tanto sueño se le antojaba absurdo, así que con un poco de suerte podría tumbarse rápidamente y descansar.

—No, por ahí no —dijo él deteniéndola.

—¿Perdón? —Podía estar cansada pero tanto como para no recordar dónde se ubicaba la alcoba…

—Vamos a mi dormitorio —explicó él.

Ella le miró sin comprender. ¿Su dormitorio? ¿Su dormitorio? ¿De qué demonios hablaba?

—Hoy no me apetece discutir —resopló ella—, pero no entiendo qué has querido decir.

—A partir de hoy vendrás a mi habitación, conmigo, en mi cama.

—¿La otra cama era del vecino?

—Sígueme.

Ella se encogió de hombros, cualquiera se planteaba a esas horas el razonamiento de James. Necesitaba una cama para dormir así que caminó sin más. Pero cuando llegaron a la alcoba, sentía curiosidad por ese extraño cambio de última hora así que se lo preguntó:

—¿Se puede saber qué mosca te ha picado ahora para cambiar de cuarto?

—Mi mujer duerme conmigo, en mi cama. Punto final.

—¡Un momento! Creo que has pasado por alto un pequeño detalle…

—Enseguida vuelvo.

Samantha se quedó allí, con la palabra en la boca. Bien podía pedirle explicaciones siguiéndole donde quiera que fuese, pero su cansancio unido a la enorme cama que estaba viendo pudieron con ella.

Se desnudó completamente y se metió en la cama.

—¡Qué gusto! —exclamó mientras se estiraba para apagar la luz.

Él había hablado con absoluta seguridad sobre dónde debía dormir su mujer. Bien, ella no tenía nada que rebatir a esa cuestión; únicamente tenía que advertirle y explicar el concepto de «su mujer», en el que ella no tenía cabida.

Una hora más tarde James se unía a ella. No le sorprendió encontrarla dormida como un tronco. Qué mujer, era tumbarse y caer rendida.

Muy a su pesar había tenido que dejarla sola para revisar unos documentos que no podían esperar.

Para su sorpresa había aparcado el estudio de documentos relevantes para poder salir con ella a visitar ese antro de mala muerte. Con cualquier otra compañía femenina eso ni se lo hubiera planteado. La obligación antes que la devoción.

Así que ahora tenía dos opciones: dormir junto a ella sin decir ni pío y evitar las preguntas, lo cual era lo más razonable; o despertarla para poder follarla de nuevo, esta vez como requerían las circunstancias, y arriesgarse a que ella cuestionara su arrebato posesivo.

Como era de esperar, ni se inmutó cuando se tumbó tras ella. Agradeció que estuviera desnuda, eso siempre eran facilidades.

—¿Samantha? —murmuró en voz baja. Sabía la respuesta así que empezó a acariciarle la espalda, siguiendo la línea de su columna hasta llegar a la zona más baja, donde la espalda pierde su nombre.

Ella se movió en respuesta pero no se despertó.

Así que James continuó con sus toques, arriba y abajo, sin ejercer demasiada presión. Tampoco tenía prisa y le gustaba la idea de que por una vez ella estuviera callada mientras exploraba su cuerpo. También podría lograrlo si la amordazaba, pero resultaban tan divertidas sus réplicas…

Persistió en su manoseo, pero abandonando la zona espinal para acariciar la separación entre sus apetecibles nalgas. Toda una tentación a su alcance.

Imposible resistirse.

Y él no era de los que rechazaban una invitación así.

—Déjame dormir… —protestó ella somnolienta, intentando apartarse dando manotazos.

Él no se lo permitió.

—¿Nadie te ha dicho lo sensible que es esta parte de tu cuerpo? —inquirió él en voz baja y seductora.

—No. Buenas noches. —Samantha quiso dar el tema por zanjado.

Pero no iba a ser su noche de suerte.

—Me pregunto qué otras partes de tu cuerpo son igual de sensitivas.

—¿Y ahora te preocupas de eso? —resopló intentando entender a este hombre. ¡Por favor, qué cosas tenía!

—Pues sí. Quiero descubrir cada una de tus zonas erógenas.

—¿Y tiene que ser ahora, esta noche?

—Es el momento oportuno.

James cambió de posición y de paso la movió a ella colocándola boca abajo. Apartó la sábana dejándola expuesta para sus ojos y para sus manos.

—Es imposible pegar ojo en esta casa —le reprochó ella con toda la razón del mundo.

—No te quejes tanto.

James empezó de nuevo su búsqueda. Puede que estuviera siendo un poco taimado por despertarla, pero al fin y al cabo él era quien mandaba y ella lo iba a disfrutar.

El dedo curioso se movía lentamente subiendo y bajando entre sus posaderas, sin presionar ni separarlas, solo rozando la piel, solo acariciándola.

—Ale, ya está, ya las has encontrado, las zonas esas, como se llamen.

—Erógenas.

—Lo que sea. —Ella se quiso volver a poner de lado para dormir pero no había manera.

—Samantha, no te empeñes en llevarme la contraria —advirtió él—, y menos aún cuando sabes que voy a salirme con la mía —pasó de nuevo la mano por la zona y añadió para dejar las cosas claras— en todos los aspectos.

—Eso ya lo veremos —replicó ella consiguiendo que se riera.

Como era evidente que dijese lo que dijese él no iba a ceder, se relajó. Al fin y al cabo, lo que estaba haciendo era indoloro y relajante, así que bien podía complacerle. Aunque dudaba mucho de que él se quedase en la fase de solo tocar.

James abandonó la separación de su trasero y buscó esa porción de piel que nunca se sabe bien adónde pertenece; el final de la pierna o el principio de la nalga.

—Estoy completamente seguro de que aquí hasta puede que tengas cosquillas —aventuró él palpando la zona—. Este pliegue, mmmm, es muy sensible. ¿Me equivoco?

—No, no te equivocas —convino ella—. Aunque, si te soy sincera, no son cosquillas precisamente lo que siento.

—Lo sabía —dijo él pero no con esa voz de «te pillé» sino con esa voz de «no hemos hecho más que empezar».

Durante unos minutos magreó la zona a conciencia, divirtiéndose por sus reacciones, ya completamente despierta.

—Y ya que estamos, ¿por qué no buscamos tus zonas erógenas?

Ella le observó. Estaba tan concentrado en tocarle esa pequeña porción de piel que hasta el momento había pasado desapercibida, que pensó que no iba a responderle.

—Como quieras. ¿Estudiaste arte en el colegio?

Ella le miró por encima del hombro, confundida a más no poder.

—¿A qué viene esa pregunta? ¿Qué tiene que ver el arte con tus zonas erógenas? —inquirió ella intentando establecer una conexión. Porque no la veía por ningún lado.

Él, aguantando la risa, descendió por sus piernas hasta detenerse en la parte posterior de las rodillas.

—Esta parte de aquí me gusta particularmente —explicó él describiendo círculos en la zona—. Sin embargo, está tan olvidada, tan descuidada… Es una pena.

—¿Quieres contestar cuando te preguntan? —insistió ella. La piel de detrás de sus rodillas podía esperar.

—Entonces contesta tú primero. ¿Estudiaste o no arte?

—Sí —respondió cansinamente. Odiaba los rodeos y presentía uno.

—Y dentro del arte, ¿arquitectura clásica también? —Él siguió con su reconocimiento mientras ella recordaba sus asignaturas académicas.

—Sí.

—Me alegro. —Otra pausa para llegar a sus tobillos después dijo—: ¿Recuerdas las tres partes de una columna?

—Sí, claro: base, fuste y capitel... pero sigo sin... —Entonces ella estalló en carcajadas.

—Ahí tienes mis tres zonas erógenas. ¿Contenta?

Contagiada por las risas de ella, para nada discretas, abandonó su búsqueda para unirse a ella. Se acostó a su lado y esperó a que se le pasara el ataque de risa. Pero al final no le quedó más remedio, terminó desternillándose.

Divertirse con una mujer en la cama tenía su encanto, pero reírse con ella tenía un componente adicional.

Podía ser ameno, distendido, si la ocasión lo requería, pero como en casi todo lo que hacía, era más bien una adaptación al medio, no una iniciativa propia.

Con Samantha le salía de forma espontánea, no tenía que controlar todos y cada uno de los detalles así como sus reacciones, y era increíblemente liberador poder despreocuparse.

De ahí que cada minuto que pasaba con ella reafirmaba su convicción y su idea de que formarían un buen matrimonio.

Ella se limpió las lágrimas y se llevó una mano al estómago; le dolía de tanto reírse.

—¿Quién iba a decir que eras tan gracioso?

—Soy muchas cosas, querida.

—Siempre actúas como si fueras el paradigma de la respetabilidad y la seriedad...

—Eso se debe a que no has prestado la debida atención.

Esto último lo dijo al tiempo que la hacía girar de espaldas para poder colocarse encima.

—¡Eh! ¿Un momento! ¿No estábamos buscando mis zonas erógenas? —protestó ella al adivinar las intenciones de él.

Protesta que por otro lado no iba a ningún sitio ya que ella estaba separando las piernas para que se acomodara correctamente. Pero, como siempre, disfrutaba llevando la contraria.

—Por hoy creo que hemos avanzado bastante. ¿No te parece?

—No sé qué decirte, se supone que debemos conocernos… —Ella no podía dejar pasar esta oportunidad—. Si tan empeñado pareces en casarte conmigo, es lo más lógico.

—No juegues con eso. Y, para que quede claro, no pienso preguntarte cuál es tu color favorito —replicó él sabiendo de antemano todo lo que quería saber de ella—. Así que concentrémonos en lo verdaderamente importante.

En ese mismo instante la penetró sin ni tan siquiera comprobar si estaba húmeda y preparada. Pero, a juzgar por la expresión de ella, no se había precipitado.

Capítulo 31

Conocerse mejor

—*P*asa este fin de semana conmigo, fuera de la ciudad. En la costa.

Samantha se dio la vuelta al oír la sugerencia, que más bien parecía una imposición, y vio a James sentado junto a ella en la cama, ya vestido.

Por supuesto él se había molestado en traerle el desayuno y dejárselo junto a la cama. Pero en esos momentos ella no estaba para eso, prefería remolonear en la cama.

Le ignoró y se volvió a tumbar, dándole la espalda.

—Tienes una sorprendente capacidad para ser de lo más inoportuno. —Fue el buenos días que le dedicó ella.

Y se quedaba corta.

—Te he preparado el baño. Vamos. —Apartó la sábana que la cubría. No era ninguna sorpresa pues ya sabía que estaba desnuda; él se había encargado la noche anterior de que permaneciera en ese estado—. Lo discutiremos mientras te bañas.

James no iba a dejar que se saliera con la suya. Hacía un rato había recibido un mensaje importante y tenía que salir de viaje, cosa que no le hacía ninguna gracia. Pero intentando ver el lado positivo, pensó en llevársela como acompañante.

—Si soy lo bastante mayorcita como para acostarme contigo —hizo una pausa más que nada esperando algún comentario al respecto, pero al no escucharlo añadió—: y hacer lo que hacemos, también lo soy para bañarme sola. Muchas gracias, pero no.

Al final iban a terminar peleándose por la sábana, pues ella intentó taparse (lo consiguió a medias) y él volvió a quitársela.

Ella lanzó la mano al aire pero él disfrutó de su ventaja fugaz.

—No seas cría —dijo él comportándose de igual modo—. Báñate antes de que se enfríe el agua —insistió él. Dudaba entre reírse de esa actitud tan pueril y combativa o echársela al hombro y llevarla él mismo hasta la bañera. Aunque patalease o le mordiese; con esta mujer nunca se podía saber a ciencia cierta.

—Lo haré yo sola, muy amable. —Se levantó de la cama y sonrió triunfal. En un descuido de James, se había alzado con la disputada sábana y se estaba envolviendo en ella, quizás en un ataque tardío de pudor, privándole de ver lo que ya conocía pero que siempre le gustaba volver a disfrutar—. Y respecto a tu genial oferta de pasar juntos el fin de semana, declino tu proposición. —Él puso cara de circunstancias por lo que ella se vio obligada a reiterar su negativa—. No, no voy a ir a ningún sitio. Este fin de semana quiero descansar.

—Tengo que ocuparme de unos asuntos personales y estaré ausente dos días. —No debería haber dicho eso, pero entre el cuerpo de Samantha medio tapado y la discusión tan tonta que estaban teniendo, perdía el hilo de la conversación que realmente deseaba tener.

Menos mal que no dijo: «y no pienso dejarte sin vigilancia porque no me fío». Pero siempre era mejor no compartir esa observación con ella.

—Pues haz lo que tengas que hacer y nos vemos el lunes —sentenció ella para después caminar descalza y cerrar la puerta del baño en sus narices—. En el trabajo —añadió, alzando la voz para que la escuchara perfectamente.

James suspiró y entró. Por suerte, como ese aseo era de uso personal, no tenía pestillo interior.

—Anoche hiciste una sugerencia muy interesante. Dijiste que debíamos conocernos. Estoy de acuerdo. Un fin de semana juntos, día y noche, es lo que necesitamos.

—No utilices mis propias palabras contra mí —se quejó ella mientras se acomodaba en la bañera.

—¿Quieres que te frote la espalda? —inquirió él. Pero no era una amable pregunta ya que se estaba sentando en el borde de la bañera con la esponja en la mano preparado, quisiera ella o no.

—No, ya me froto yo, gracias—. Y como si de una niña tonta y mimada se tratase, le miró para después hacer lo que hacen las niñatas consentidas: le salpicó de agua, empapándole la camisa para después volver a fingir ser una mujer adulta y responsable.

—¡Joder! —Él se apartó para quitarse la prenda mojada. Se alejó de ella, más que nada por si volvía a hacerlo. Se bajó los tirantes y tiró con rabia la camisa al suelo—. Te vas a enterar —dijo en voz baja.

No amenazó en vano pues con rapidez se situó detrás ella, colocó las dos manos apoyadas en su cabeza y la sumergió en el agua hasta verla patalear.

—¡Idiota! —dijo ella escupiendo agua y tosiendo. Más ofuscada por la sorpresa que por la venganza en sí.

Y, para dejar clara su postura, él repitió la operación.

—Pareces un pollo desplumado —se rio él al verla dar manotazos a diestro y siniestro intentando pillarle—. Cálmate o te doy otro remojón.

—¡Majadero! ¿Pretendes ahogarme?

—Nada más lejos de la realidad, solamente quiero que pagues por tu osadía.

—Llamar osadía al hecho de mojarte la camisa me parece pedante y estúpido incluso para ti.

—Bien, dejémoslo ahí. —O de seguir así las cosas, acabarían empapando el baño o juntos en la bañera. Mmmm, interesante cuestión. Solo había un problema; tenía cosas que hacer muy a su pesar de suma importancia, como para abandonarse a las peleas acuáticas—. ¿Cuánto tiempo necesitas para hacer la maleta?

—Te he dicho que… —Ella se calló al ver sus intenciones, otro remojón, por supuesto, acompañado de un sermón sobre la conveniencia de pasar el fin de semana juntos. Si era lista podía dejarle plantado—. Un par de horas —claudicó finalmente, y, después, obediente como nunca llegaría a ser, se inclinó hacia delante—. Frótame la espalda, ¿quieres?

—Excelente.

Ambos sonrieron. Por distintos motivos, claro. El uno porque creía haberse salido con la suya; y la otra, porque pensaba que le había engañado.

Cuando llegaron a casa de Samantha ella se bajó del coche dispuesta a darle plantón y refugiarse en su hogar. Pero antes de llegar a la puerta, una de las criadas salió con una pequeña maleta en las manos y se la entregó.

No le quedó otra que aceptar con una falsa sonrisa el equipaje, agradecérselo a la criada y darse media vuelta.

Volvió echando chispas al coche y se subió.

—Espero que tu doncella haya seguido mis recomendaciones y tengas todo cuanto vayas a necesitar —dijo él en un tono pedante.

Justo lo que quería oír.

—Señor Don Previsor, ¿qué explicación les has dado a mis padres sobre que me voy de viaje contigo? —Esa explicación resultaba cuanto menos curiosa.

—Muy sencillo, me acompañas en calidad de representante de tu padre. Aparte de unos asuntos personales voy a visitar a un par de inversores. Nunca está de más que tomes contacto con ellos y les conozcas —sentenció empleando ese tono de sabelotodo que ella detestaba.

Odiaba esa superioridad.

Pero, y aunque admitirlo suponía un amargo trago para su orgullo, la idea de pasar todo un fin de semana con él resultaba atractiva como poco.

«¿Quién sabe? —se dijo—, incluso puede que descubra algún sórdido secretillo que no me incumba de James.»

Empezó a saciar su curiosidad mientras viajaban.

—Y esos asuntos personales, ¿vas a contarme de qué van?

Él la miró de reojo. Sí, podía hacerlo, pero era algo de lo que nunca hablaba con nadie, y ella no iba a ser la excepción.

—Es importante que conozcas al señor Young. Es un pequeño inversor de la zona pero de la vieja escuela. Lleva trabajando con vuestro banco desde el principio, así que esta visita te será de utilidad.

El nada sutil cambio de tema no la pilló por sorpresa, era algo muy habitual en él.

—Me imagino que sí —murmuró ella distraída. Estaba claro que por ese camino no iba a sacar nada en limpio. Pensó en subirse la falda por encima de las rodillas pero para evitar un accidente se mantuvo quieta.

Además, no debía abusar de esos trucos para obtener información de él. Con el tiempo se acostumbraría. Mejor dosificar recursos.

—También hablarás con el señor Edwards. Con este hay que tener más cuidado. No se fía de nadie, siempre pregunta dos y tres veces lo mismo para ver si te pilla desprevenido. Es también de la vieja escuela, con este te costará más entenderte, es un misógino reconocido.

—Ajá. Young, amable; Edwards, desconfiado. ¿Algo más?

—No. Con un poco de suerte tendremos el suficiente tiempo libre como para conocernos mejor.

—Ya veo. ¿Y en esa opción no se contempla el que me hables de tus asuntos personales?

—No. Además no hay nada que contar. —De esa forma tan abrupta quiso zanjar el tema.

Pero en la cabeza de Samantha era un historia bien diferente. Por ahora no insistiría más, con ello solamente lograría que James se pusiera más aún a la defensiva.

Así que cerró el pico y se relajó en el asiento mientras miraba el paisaje.

Ni siquiera había preguntado dónde se dirigían exactamente, pero a esas alturas ya casi daba lo mismo.

Capítulo 32

Negocios y placer

Se despertó sintiéndose extraña, pues para empezar estaba en la lujosa habitación de un hotel, pero la verdadera razón era otra bien distinta.

Al registrarse en el establecimiento él lo hizo, sin inmutarse siquiera, como James Engels y señora. Cuando ella le pidió explicaciones, una vez instalados en la suite, dijo simplemente que así era mejor, para salvaguardar las apariencias, especialmente si ella facilitaba su verdadero apellido.

Detestaba que tuviera razón.

Como casi siempre.

Se giró y topó con él, pero no dormido a su lado, como cabría esperar, sino sentado, apoyado contra el cabecero de la cama y con papeles en su regazo; fumaba distraídamente mientras leía.

—Se supone que no debemos mezclar los negocios y el placer —dijo ella dándose la vuelta hasta quedar boca abajo. Se estiró perezosamente para después, apoyando la cabeza en un brazo, mirarle a la espera de que él dijese algo.

—Buenos días. He pedido el desayuno. Lo subirán enseguida.

—¡Qué atento! —exclamó con ironía al tiempo que bostezaba.

Como él no estaba por la labor de establecer una conversación mañanera se acercó e intentó leer algo de lo que parecía tan importante.

Él arqueó una ceja y miró de reojo. Le estaba provocando con esa forma tan extraña de taparse lo justo, para que su cabeza inmediatamente pensara en apartar la tela y disfrutar del espectáculo completo.

Oyeron unos golpes en la puerta y él se levantó; ella le vio desparecer por la puerta que comunicaba el dormitorio con el saloncito. Le oyó intercambiar algunas palabras y enseguida apareció con un bien surtido carrito del desayuno.

Ella realizó una inspección ocular sin moverse de la cama para decidir qué tomar.

Sin preguntar, él le sirvió un café y se lo entregó.

—Deberías taparte esas preciosas tetas que te afanas tanto en mostrarme. —Ella se subió la sábana hasta la barbilla malhumorada—. No seas tonta. Me importa un carajo si quieres pasearte desnuda por la habitación todo el día; es más, te lo recomiendo. Lo que no soportaría es que te cayera una gota de café hirviendo.

—Tu preocupación me conmueve —le replicó picada.

James volvió a su postura inicial en la cama, con los papeles en la mano. Ella, que no quería ser un adorno desnudo junto a él, se sentó a su lado.

—¿Qué es tan importante para que a primera hora de la mañana no me tengas abierta de piernas? —le preguntó intentando captar su atención. Sabía, por experiencia, que el uso del lenguaje directo y explícito resultaba tan efectivo como mostrar piel desnuda.

—Toma —respondió intentando no reírse ante una pregunta tan certera—. Lee esto, te interesa.

—Más informes… —suspiró resignada. Ese hombre no era capaz de relajarse más de lo imprescindible.

—Y respecto a la sugerencia de abrirte de piernas, gracias; la tendré en consideración antes de irme.

Samantha no le hizo caso y se concentró en su lectura. No sin razón se preguntó cómo era posible que James estuviera al tanto de todo lo que se movía en el ámbito financiero y más allá.

—No entiendo una cosa —interrumpió ella—. ¿Cómo se explica que Jenkins esté al borde de la bancarrota?

—Es demasiado sentimental. Se asoció con una compañía naviera y está a punto de perder hasta la camisa.

—En cierto modo nos beneficia —dijo ella mordisqueando un panecillo.

—Vas a poner la cama llena de migas.

Ella le metió un trozo en la boca para que callara.

—Come y calla.

Él aprovechó para morderle el dedo.

—Sí y no. Piensa una cosa: Jenkins es de la generación de tu padre. Posee una reputación de hombre serio, honrado, de palabra. Representa una forma, un estilo de hacer negocios muy particular —mencionó él conteniéndose para no ponerle la mano en el culo y tirar los papeles al suelo.

—Ya veo. Pero sigue siendo un competidor.

—No necesariamente —dijo él intentando no distraerse. Hablar de finanzas, en la cama, con ella desnuda y él empalmado no era lo que se dice muy adecuado. Su mente giraba constantemente hacia otros pensamientos más carnales.

—¿Por qué?

—Si cae de forma abrupta, muchos inversores pensarán que los bancos no pueden mantener sus promesas o cumplir sus compromisos. Eso nos afecta directamente. Pensarán que ante la más leve adversidad no pueden responder. Recuerda que es uno de los grandes.

—Comprendo. Nos conviene tener competencia pero que esta esté debilitada. ¿No es eso?

—Exactamente. —Le sonrió encantado con no tener que explayarse en sus explicaciones—. Por eso necesitamos conocer el estado exacto de sus pérdidas.

—Humm. ¿Y asumirlas nosotros?

—En parte sí. Piensa un poco. La comunidad financiera no se retrae porque todo sigue más o menos igual, nosotros continuamos teniendo a nuestra cartera de clientes contenta y de paso controlamos parcialmente a la competencia.

—O sea, hacer leña del árbol caído.

—Más o menos.

Samantha le devolvió los documentos que había estado consultando. No podía oponerse a nada, pues el razonamiento era abrumador.

Además, si quería asumir las funciones de su padre, no debía dejarse influir por su opinión personal ante la valía profesional de un hombre como James.

En el futuro debía contar con él, aunque dejándole muy

claro quién mandaba. Claro que puede que tanto empeño en casarse con ella fuera la forma más sencilla de estar a su nivel y no por debajo.

Porque lo que sí tenía bien asumido era que él no estaba enamorado de ella.

Triste, pero cierto.

—Mezclemos un poco más los negocios y el placer —dijo él dejando a un lado la carpeta repleta de papeles e inclinándose sobre ella.

Ella le miró con una expresión de falso disgusto.

—No sé…

James cogió su estilográfica y apartó la sábana con cuidado. Después la pasó entre la separación de sus pechos hasta llegar al ombligo.

—A veces no queda más remedio que hacerlo.

Se inclinó hacia delante para besarla mientras su pluma seguía recorriéndola, ahora un poco más abajo.

—¿No irás a…? —cuestionó ella al sentir el roce sobre su piel.

—Estoy seguro de que te encantaría —aseveró él instándola a recostarse—, así cada vez que me veas tomar notas te pondrás colorada y cachonda pensado en dónde ha estado este artilugio.

—¡Ni hablar!

—No seas tonta, si fuera un consolador no pondrías tantas pegas.

—¿Un qué?

Él dejó de atormentarla con su estilográfica.

—No serás ni la primera ni la última que, ante la ausencia de un hombre, busca sustitutos artificiales. Y ahora, ¿podemos seguir?

—Espera, espera. ¿Sustitutos artificiales? Dame más detalles.

Él resopló.

—Ni lo sueñes. No pienso darte esa información. Luego podrías usarla en mi contra.

La mente de Samantha se puso a trabajar a toda máquina.

—¿Hay muchas mujeres que lo hacen?

—¿El qué? ¿Satisfacerse a sí mismas? —se encogió de

hombros—. Supongo, tampoco lo voy preguntando por ahí. Pero... —se tumbó encima de ella, a la altura de sus pechos para ser exactos— ... tú no debes preocuparte por ese tema. Estás, y estarás bien servida —remató con ese tono arrogante que ya no odiaba tanto, y que a veces incluso la divertía.

—¡Dios me libre de dudar de tus capacidades amatorias! —exclamó poniéndose cómoda porque lo que venía a continuación era agradable.

—Así me gusta —sonrió abiertamente a pesar de detectar el tono marcadamente sarcástico de ella—, que expreses con convicción la verdad.

—¿Esta conversación va a durar mucho? —Movió las caderas frotándose contra él.

«Cada vez más descarada, más desinhibida; me gusta», pensó él. Pero no iba a decírselo.

—Querida —cogió de nuevo su pluma y ella se tensó un instante; de acuerdo, aún no estaba preparada para utilizar complementos—, vamos a repasar unos cuantos temas de interés. Toma —se la entregó—, coge apuntes. Los vas a necesitar.

—¡Qué bobo eres! —le dio un golpe riéndose.

Y él mordió su pezón izquierdo.

Ella le tiró del pelo.

Él cambió de pezón.

Ella quiso palmearle el trasero con un pie.

Él mordió con más fuerza.

Ella gimió con ímpetu totalmente entregada.

Él sonrió creyéndose ganador.

Ella se cruzó de brazos fingiendo desinterés.

Él se deslizó hacia el sur.

Ella abrió un poco más las piernas.

Él se detuvo para provocarla.

Ella le miró enfadada.

Él se dejó de tonterías y bajó la cabeza hasta poder probar con su lengua los labios vaginales, húmedos y calientes. Una de las virtudes de esa mujer era, no solo provocarle con su cuerpo, todas lo hacían, sino intentar dominarle, o dicho de otro modo, resistirse con uñas y dientes a ser dominada.

Y eso hacía mucho más interesante el juego.

—James...

Él sabía lo que le estaba pidiendo. No era simplemente un «dame más», era «házmelo con más fuerza», pues estaba siendo considerablemente suave.

Agradable pero insuficiente.

—No te puedes hacer una idea de lo que disfruto saboreando tu precioso coño.

«Más lo gozo yo», pensó ella tapándose los ojos con el antebrazo.

James se lo tomó ahora en serio; la tenía donde la quería, pero no era suficiente. Estaba claro que en el terreno sexual ella se había entregado al cien por cien, pero eso no bastaba.

Él lo quería todo, al completo.

Puede que debiera racionar más sus encuentros sexuales a fin de que ella fuera más consciente de hasta dónde podían llegar juntos, pero su casi permanente estado de excitación no le dejaba otra opción; debía follársela regularmente para poder quitarse parte de esa ansiedad.

¿Egoísta?

Desde luego, dudaba de que existiera alguien más codicioso que él. Pero a cambio de quedarse con todo, le devolvería lo mismo más los intereses correspondientes.

Cuando estaba a punto, cuando la tensión entre sus piernas hacía que su espalda se arquease y el implorar, si fuera necesario, una opción viable, él se apartó y con suma rapidez se situó cara a cara con ella.

Samantha quiso borrarle de un manotazo esa sonrisita indolente.

—No tienes vergüenza —le recriminó ella.

—Ni tú tampoco. Y que conste que es un cumplido.

—Estaba a punto.

—Lo sé. Pero me parecía un poco desconsiderado por tu parte que me dejaras fuera de juego.

—¿Pero qué bobadas estás diciendo? ¿Cuándo te he dejado yo insatisfecho?

—Por si acaso —argumentó él—. Pero prefiero asegurarme. Estás tan cerca que nada más penetrarte vas a correrte.

—A veces pecas de engreído. ¿No crees?

Ella sabía que esa declaración se acercaba bastante a la realidad.

Y él también, por lo que en vez de arremeter con fuerza, como hubiera sido su deseo y como a ella le gustaba, lo ralentizó todo lo que pudo hasta estar completamente dentro de ella.

Por supuesto las uñas clavadas en su espalda le confirmaron que Samantha no estaba de acuerdo.

—Bueno, por una vez, y sin que sirva de precedente, voy a dejar que te salgas con la tuya.

Dicho esto se retiró y empujó con todas sus fuerzas. El camino estaba despejado y preparado pero no por ello dejó de ser tan intenso como ambos deseaban.

—¡Oh, diosss! ¡Síííí!

Y no fue solo la primera embestida; para satisfacción de ambos mantuvo ese ritmo enloquecedor, abrumador, constante...

—¡Joder! Esto es la gloria —jadeó él esforzándose al máximo para no perder fuelle.

—¡Tú... tú... puedes! —le alentó ella.

Él no podía estar más de acuerdo, así que aun a riesgo de necesitar todo el día para recuperarse siguió embistiendo una y otra vez, sin dar tregua, sin dejar que ella recobrara el aliento. Como si de ese modo pudiera marcarla y así cerrar el espinoso tema del matrimonio.

Tarde o temprano iba a decir que sí, pero prefería que fuera más temprano que tarde.

Capítulo 33

Asuntos personales

Primera parte

*E*mpapados de sudor, agotados pero muy satisfechos, permanecieron en la cama, riéndose, diciendo tonterías, provocándose, comentando lo ocurrido y desayunando de nuevo, recuperando así las energías gastadas en el combate cuerpo a cuerpo que acababan de librar.

Eso, al menos, pensarían quienes contemplasen cómo había quedado la cama.

Pero todo lo bueno se acababa.

Desganado, pero sabiendo que no le quedaba otra opción, se levantó, abandonando con pesar las sábanas revueltas. No sin antes darle un beso en el pie y sonreír.

Ella fingió timidez pero estaba encantada por el lugar elegido para ser besado.

—Recuérdame que compre unas cuerdas.

Ella no preguntó para qué demonios quería este hombre unas cuerdas, especialmente cuando siguió la mirada de él y se percató de que el cabecero de latón, profusamente ornamentado, llamaba su atención. No tenía muy claro si se trataba de un súbito interés por la decoración de interiores.

—¿No vas a preguntarme para qué quiero unas cuerdas?

Ella negó con la cabeza y simuló interesarse por otra pieza de bollería. Y contestó distraídamente:

—No.

—Pues deberías.

—Sé que cuando lo consideres oportuno me darás una

amplia disertación sobre el uso que pretendes darles. —El tono que utilizó era de lo más pedante, pero se quedó bien a gusto. Por otro lado, ella no estaba en esos momentos para pensar en todas las posibles opciones que entrañaba su anuncio.

Él se limitó a sonreír, un gesto de lo más habitual en él cuando no quería entrar en más detalles.

Bien, la intriga formaba parte esencial del juego, así que no ahondó más en el tema. Estaba satisfecho de cómo se iban desarrollando las cosas, y estropear ahora la buena sintonía sería de estúpidos.

Samantha no tenía ganas de levantarse y se quedó tumbada, haciendo el vago, ahora que tenía la oportunidad de poder hacerlo. Cuando él se retiró al cuarto de baño ni se inmutó. Al fin y al cabo él ya había terminado su trabajo y ella no le necesitaba para nada. Quizás un punto de vista egoísta, desde luego, pero si se paraba a pensar en lo que desearía realmente de él solo conseguiría ponerse de mal humor.

Se estiró en la cama decidida a no pensar en nada, ni en accionistas, ni en cuentas, ni en posibles inversiones… nada relacionado con el trabajo. Y ya puestos, nada relacionado con su montaña rusa emocional.

Ser, por unas horas, un día, con un poco de suerte, una simple mujer pasando un agradable fin de semana. Sin responsabilidades. Sin apellido.

Media hora más tarde él salió perfectamente arreglado como para asistir a una reunión de negocios y ella puso mala cara, pues era lo que menos le apetecía en ese instante.

—¿No podemos hacer pellas, como los estudiantes? —preguntó mirándole de reojo. Qué guapo estaba así, tan serio y formal. Nadie pondría una pega a su aspecto y nadie podría sospechar el pervertido que coexistía con el respetable abogado.

—Tú sí, querida. Voy a ocuparme de unos asuntos personales. Volveré en un par de horas. Tres a lo sumo. —Recogió varios papeles, los guardó en su cartera y después se acercó al tocador donde ella le vio sacar una fina cadena de oro y colocársela.

—¿Tienes una mujer escondida por ahí y te escapas para verla? —bromeó ella. Todo era posible, aunque al decirlo sintió una punzada de alarma. ¿Y si era uno de esos maridos que llevaban doble vida? No sabía nada de su vida privada…

—No —contestó serio—. Y deja de decir tonterías —replicó dando el tema por zanjado.

—Pues si no me dices dónde vas, pensaré lo peor. —Ella continuó con su tono desenfadado aunque el hormigueo en el estómago iba en aumento.

—Ya te he dicho que es algo personal. —Se acercó a ella con la intención de despedirse con un beso, pero ella se apartó. Estaba molesta. No podía culparla—. Esta noche te llevaré a cenar fuera. —Sonaba como un premio de consolación y en cierta medida así era.

—¿No esperarás que me quede aquí todo el día mano sobre mano esperándote como una tonta del bote? —inquirió ella cuando él abrió la puerta.

—No. Pero te agradecería que no te fueras muy lejos. Cuando regrese no quiero preguntar por ti a todo el personal del hotel. —Dicho esto cerró suavemente dejándola sola.

Sola, confundida, enfadada…

—¡Maldita sea! —dijo en voz alta—. Si este hombre piensa que voy a quedarme aquí como una mujercita obediente… ¡Va listo!

James no regresó a las dos horas, ni a las tres como había prometido.

Pasado el enfado inicial al verse poco menos que abandonada en una lujosa habitación, se vistió y bajó a inspeccionar el entorno.

Él no había escatimado en gastos, pues allí, a juzgar por los vehículos aparcados en el exterior y la vestimenta de los que deambulaban por los pasillos, solo podían hospedarse los ricos o muy ricos.

Se había planteado la idea de pedir un coche y volver por su cuenta a casa, dejándole plantado. Era lo que se merecía como poco por su actitud.

Pero, a medida que se iba calmando, su enfado fue perdiendo fuelle y la curiosidad aumentando. ¿Qué clase de asuntos personales debía atender como para mantener ese misterio?

Una vez saciada su curiosidad bien podría retornar a su estado de enfado y hacérselo pagar.

Se dio un buen baño, de esos en los que se pierde deliberadamente el tiempo entre burbujas hasta que el agua se enfría. Era un lujo para ella, pues habitualmente no podía permitírselo.

Salió de la habitación perfectamente arreglada con la intención de inspeccionar los alrededores y pasar el día sola.

Sin nada que le indicara el camino.

Tampoco se molestó en dejarle una nota comentándole sus planes.

Encontrarla en la habitación hubiera sido tan fácil que hasta podría sentirse decepcionado de ser cierto.

E incluso resultar insultante conociéndola.

Ahora bien, una hora después de preguntar a diestro y siniestro sobre el paradero de su mujer empezaba a cansarse, especialmente con la cantidad de personal que trabajaba en ese hotel. Por otro lado, resultaba obvio; tanta gente adinerada hospedándose allí necesitaría una legión de sirvientes para volverlos locos.

Pero a él no le hacía ni puta gracia sentirse idiota al ver como algunos de los trabajadores le miraban. La pregunta no formulada era evidente: ¿qué habría hecho para perder a su esposa?

Estaba anocheciendo, así que no solo era orgullo lo que le inquietaba sino también preocupación por dónde se encontraría Samantha. O, peor aún, con quién.

—Será mejor no perder la calma —murmuró saliendo a la terraza exterior.

Tropezó con un joven camarero y probó a ver si sonaba la flauta por casualidad.

El chico no sabía quién era su esposa pero sí había visto a una mujer que coincidía con la descripción de la escurridiza señora Engels.

Podría estar enfadado pero cada vez que pronunciaba señora Engels se sentía algo mejor.

Sonaba bien. Pobre consuelo.

Siguió las indicaciones que el amable joven le indicó y bajó hasta una plataforma, junto a la playa, donde estaban dispuestas varias mesas a esas horas, con las sombrillas plegadas, y donde aún quedaba bastante sitio libre.

Allí estaba; aunque sentada de espaldas, podía reconocerla sin dudarlo.

Mientras caminaba despacio en contra de sus deseos por guardar las apariencias y ser un esposo comprensible, un caballero señaló una silla vacía frente a ella esperando, sin duda, a ser invitado a compartir algo más que una copa de licor.

Ella se giró y sonrió, demasiado para su gusto, pero hizo una negativa con la cabeza, lo cual era de agradecer.

—¿Disfrutando de la brisa marina, querida?

Ella permaneció mirando al frente al oírle.

—Es relajante —murmuró como si nada.

Él esperaba algún tipo de comentario sarcástico dado que no había regresado a la hora prometida. Estaba enfadado consigo por ello, pero bien podía buscar el modo de compensarla y dejarse de inútiles lamentos.

—Eso no te lo discuto.

Samantha ya hacía horas que había olvidado los motivos por los cuales tendría que montarle una escena.

Había dado vueltas al asunto y llegado a la conclusión de que no serviría de nada, pues a cada pregunta hecha en medio de gritos e histerismos él se pondría a la defensiva, encerrándose cada vez más sin lograr aclarar nada.

—Me apetece dar un paseo por la playa —dijo ella levantándose tranquilamente y comportándose como una mujer de clase alta acostumbrada a que todos bailaran a su ritmo.

Puede que sí perteneciera a esa clase pero nunca se jactaba de ello ni mucho menos actuaba así.

—¿Un paseo?

—Sí. Ocúpate de la cuenta.

James arqueó una ceja ante el comportamiento marcadamente esnob de ella, pero, de momento, dejaría pasar el asunto. Al fin y al cabo tenía derecho a su enfado.

Ella, sin esperarle, bajó las escaleras que daban acceso a la playa privada del hotel. Como no quería perderla de nuevo, James se apresuró a llamar al camarero y liquidar la cuenta.

Cuando la alcanzó ella se había descalzado y balanceaba sus zapatos en la mano.

—Nos vamos a poner perdidos —refunfuñó él, pero no le quedaba otra que seguirla.

Él quería decirle algo que pudiese justificar su demora, pero James no estaba acostumbrado a explicar dónde iba o de dónde venía, y mucho menos cuando se trataba de algo tan personal.

Aunque entendía la postura de ella y podía utilizar una retahíla de bonitas palabras para excusarse, sabía que dichas por él perderían todo su sentido, haciendo el más estrepitoso de los ridículos.

Caminaron en silencio, sin rozarse, sin mirarse, mientras las luces del hotel iban perdiendo intensidad.

Hasta que los ruidos y las pocas personas que se aventuraban a esas horas a hacer lo mismo que ellos eran solapados por el ruido del mar.

Hasta que oscureció del todo y apenas podían verse.

—¿Por qué te hiciste abogado?

Capítulo 34

Asuntos personales

Segunda parte

*E*lla se detuvo tras formularle la pregunta. Quería saber algo más de él, y no creyó que preguntarle sobre su elección profesional fuera meterse en un asunto demasiado personal como para evitar contestar.

Le oyó inspirar con fuerza a su lado.

Estaba buscando la respuesta correcta o no responder. Con él nunca se sabía.

—Era eso o pasar al seminario mayor. Digamos que se podría considerar un premio de consolación.

Tardó en responder, típico de él, del mismo modo que su respuesta, extraña, desconcertante. ¿Qué quería decir exactamente?

—¿Podrías explicarte mejor?

Señaló hacia unas rocas, en la penumbra, y se dirigieron allí. Una vez sentados, se quitó la medalla que llevaba al cuello y se la entregó.

—Toma.

—Hum, muy bonita. —Consiguió distinguir la forma de una virgen tocándola con los dedos. Después se la devolvió sintiéndose aún más perdida.

—Es un reglado de mi madre. Hoy he ido a verla.

—¿Y por eso estás de un humor tan extraño?

—Seguramente.

—¿Y eso qué tiene que ver con lo que te he preguntado?

Ahora venía la parte difícil del asunto. Distraerla con comentarios ambiguos o intentar desviar su atención era absurdo, pues al fin y al cabo ella se había mostrado razonablemente interesada. De hecho, si como él pretendía, terminaban juntos, su esposa debería conocer algunos detalles.

Pero ¿cómo contárselo sin parecer idiota?

O lo que era más importante: ¿cómo explicarle su situación evitando dar lástima? Porque bajo ningún concepto James pretendía que ella se sintiera inclinada a compadecerle.

—Mi padre era… es cura.

—¿Y? —preguntó ella algo mosca. ¿Tan complicado es responder abiertamente a una simple pregunta?

—Católico, Samantha.

—Sigo sin comprender…

Él le dio unos segundos para que ordenase la información.

James inspiró y tomó una decisión. Contarle lo que había ocultado a todo el mundo.

—Mi madre trabajaba en la casa del cura, ya me entiendes, como asistenta.

—Ah.

—Pero por lo visto no se limitaba a las labores básicas. Antes se las llamaba barraganas, ahora algo peor.

—Comprendo. —Y vaya si lo hacía, nadie presume de algo así.

—No, no lo comprendes —dijo con tono amargado—. Yo era el hijo del cura. La mayoría lo sabía y, aunque nadie lo decía en voz alta, no ocultaban su malestar. Más aún cuando vives en un pueblucho donde todos conocen la vida de todos. Imagina el resto.

Samantha no sabía qué decir. Por su forma de hablar estaba claro que le costaba hacerlo; no eran recuerdos agradables, y, desde luego, aún tenía la espinita clavada. Intentar mostrarse comprensiva o sentir lástima le haría más daño.

Prefirió seguir en silencio. Si él deseaba continuar ella no diría nada.

—Nadie se atrevía a tocarme —continuó hablando sin mirarla, a pesar de estar en penumbra prefería que ella no viese su expresión—. En el colegio los profesores no me castigaban pero me hacían el vacío, al igual que los demás estudiantes. —Se pasó una mano por el pelo incómodo—. En el pueblo todos señalaban a mi madre y no se contenían a la hora de expresar lo que pensaban. Imagínate qué adjetivos utilizaban. Aunque luego todos iban dándose golpes de pecho cada domingo al oír el sermón de mi padre.

Injusto pero cierto, pensó ella. La sociedad condenaba a las mujeres, siempre. Este caso no iba a ser diferente.

—¿Eras buen estudiante? —inquirió ella no queriendo ahondar más en ese trauma.

—Sí. No me quedó más remedio, no querían juntarse conmigo, y defenderme a patadas todos los días era una tarea muy agotadora.

—Eso está bien —murmuró ella jugando con sus pies en la arena, dejándole espacio y el tiempo necesario para que él no se sintiera violento y hablase relajadamente.

—Por eso, cuando llegó la hora de elegir, me negué en rotundo a entrar en el seminario. Mi madre se llevó un disgusto y mi padre solo me ofreció la posibilidad de estudiar leyes.

—Algo es algo.

—Y aproveché esa oportunidad. En la universidad poca gente conocía quién se encargaba de los costes. Solo que los pagos llegaban puntuales.

—¿Fuiste el primero de tu promoción?

—Sí. No quería dar el gusto a mi padre de llamarme fracasado.

Tampoco tenía nada que añadir a eso. Lo comprendía, pero James no era un hombre que necesitara palabras de consolación. Era un hombre hecho y derecho.

Puede que con un pasado muy particular, pero nada más.

—Hoy he ido a visitar a mi madre —continuó él—. Sigue con él. Trabajando con él. El muy cabrón —hizo una breve pausa— está enfermo y ella no quiere dejarle. He insistido por activa y por pasiva en que se mude a una casa que he acondicionado para ella, con gente que la sirva, para variar. Pero se niega a abandonarle. ¡Joder! ¿Cómo puede estar tan ciega?

Samantha estaba segura de que él no quería escuchar la respuesta a eso.

—¿Él la obliga? —inquirió sabiendo que no era esa la cuestión.

—Sí y no. Se aprovecha de su ignorancia. ¡Maldito hijo de

puta! La tiene como a una esclava y tiene que cuidarse, el médico que la atiende me lo ha advertido. He hablado con ella, he tratado de hacer que cambie de opinión, pero no hay manera. Y me llevan los demonios cada vez que voy a verla y veo que sigue con él, a pesar de todo lo que ha tenido que sufrir públicamente.

—Tienes que respetar su decisión. Te guste o no.

—Tú no lo entiendes. —Utilizó un tono recriminatorio, producto, sin duda, de su amargura e impotencia.

—Me hago una idea. —Lo cierto es que ella, pese a crecer en otro ambiente bien distinto, no por ello desconocía otras realidades.

—No —dijo él categóricamente—. Mi madre es analfabeta, Samantha. No sabe ni escribir su nombre. Él jamás se preocupó de enseñarla; así la tenía bien sometida, sin posibilidad de buscar alternativas. —Se puso en pie y caminó unos pasos alejándose de ella.

Lo entendió y permaneció sentada. Necesitaba su espacio.

Cuando pensaba que ya había acabado de hablar él se dio la vuelta para proseguir.

—El que te hayas criado en una familia donde tus padres son el matrimonio perfecto es, créeme lo que te digo, una anomalía, si lo comparamos con la mayoría.

—No tan perfecto —replicó ella.

—Ahora no me vengas con tonterías. He visto a tu padre dejarlo todo a medias si tu madre le llamaba. Tú sabes bien de lo que hablo.

—Si hubieras abierto alguna puerta, sin llamar antes, y hubieses presenciado algunos episodios… —Ella quiso desmontar su teoría—. No siempre es agradable.

Eso le hizo sonreír por primera vez esa noche.

—Hay cosas que una niña no debe presenciar.

—No solo cuando era pequeña, a veces me olvido de la norma de llamar antes de entrar. —Ella también sonrió—. Ni mis hermanos ni yo terminamos por acostumbrarnos.

Él caminó hasta ella y le ofreció una mano.

—Será mejor que volvamos. Es tarde.

Ella asintió y caminaron de regreso al hotel. De nuevo cogidos de la mano, en silencio. Hay cosas que es mejor dejarlas reposar antes de tratarlas de nuevo.

La vida de James era una de ellas.

Samantha estaba satisfecha. Oír esa historia era un gesto que denotaba confianza en ella al mismo tiempo que despejaba muchas incógnitas sobre la forma de ser de él.

A medio camino él notó que el fino vestido no resultaba idóneo para pasear de noche junto al mar, así que se quitó la chaqueta y se la colocó sobre los hombros, besándola en la nuca en el proceso.

—Con tal de tocarme eres capaz de cualquier cosa —bromeó ella. Quería que se relajase, volver a ver al James al que nada parecía afectarle.

—Esas insinuaciones, cuando estamos lo bastante lejos del hotel como para evitar miradas curiosas y lo bastante a oscuras como para que nadie sospeche de si mis manos están en el sitio correcto de tu anatomía, es toda una provocación.

Y así reaccionó. Se colocó frente a ella, metió las manos entre su chaqueta hasta posarlas en su trasero y atraerla hacia sí.

Ella no opuso resistencia. Dejó que la besara. Es más, insistió en que la besara y la abrazara.

Pero de un modo diferente, no como preludio de sexo sudoroso. No como un juego preliminar cargado de insinuaciones.

No, nada de eso. La estaba besando por el simple placer de hacerlo. Por disfrutar conjuntamente de algo sencillo, algo quizás tonto, pero muy significativo.

Un beso tímido, sereno, de esos que se dan los amantes sin pedir nada más. De esos que no necesariamente te indican que vas a acabar tumbada y jadeante. Aunque si ocurre no protestas.

Allí, a salvo de miradas curiosas. Fuera de las cuatro paredes tras las que siempre se encontraban. En la calle, sin importarles nada más.

—Samantha, volvamos al hotel. No respondo si seguimos así.

Ella hizo una mueca, el momento íntimo se había estropeado.

¿O no?

Si prestaba atención a la voz de él, tan suplicante, tan sincera, no tenía por qué pensar así.

Por si acaso se aseguró metiendo una mano entre sus cuerpos y la deslizó hasta colocarla sobre su erección.

Nada que no hubiese esperado.

Él la apartó, no con brusquedad, sino como un hombre resignado a posponer lo que tanto deseaba.

Ella sonrió en la oscuridad y se apartó.

Reemprendieron la caminata hasta el hotel. Nada más llegar, James buscó a un camarero y le dio instrucciones, las cuales no le debieron de agradar pues negó educadamente.

Samantha observó divertida cómo él pretendía que les llevasen la cena a su suite y cómo el hombrecillo se excusaba diciendo que ya era tarde para eso.

Podría haber intervenido y ayudar a James fingiendo ser una mujer encantadora, aunque caprichosa, deseosa de gastar mucho dinero en el establecimiento, pero que a la mayor contrariedad montaría un escándalo.

Prefirió dejarle a él la tarea de salirse con la suya.

Conocía al abogado; terminaba convenciendo, unas veces por un innegable razonamiento y otras por aburrimiento. Sin embargo, en esta ocasión vio cómo tomaba un atajo entregándole al camarero dinero en efectivo, el suficiente para que el empleado recapacitara inmediatamente sobre si era demasiado tarde o no.

James había prometido invitarla a cenar y cumplía su promesa.

Capítulo 35

Intimidad

*T*ras disfrutar de la costosa cena, y no solo por lo que había sobre el mantel, ambos se quedaron relajados. Cada uno en su asiento, mirándose, evaluándose.

La conversación en la playa marcaba un punto de inflexión, especialmente para ella. Y no terminaba de creérselo.

Era una regla más que él rompía. Y teniendo en cuenta quién había sido el más interesado en que se respetaran…

Ahí, sentado frente a ella, disfrutando de su cigarrillo, sostenía su mirada como si tal cosa. Ella no iba a ser la primera en apartarle la mirada. Había aprendido a no dejarse intimidar. Otra cosa muy distinta eran las reacciones incontrolables de su cuerpo, pero él no sería conocedor de ellas mientras permaneciera sentada y con sus manos convenientemente distantes.

—¿Te has acordado de traer unas cuerdas?

Excelente tema de conversación para una sobremesa, pensó ella.

—No.

—Podrías pedírselas a algún empleado. —Él sonrió de medio lado—. Por supuesto, me encantaría oír la explicación ante tal petición.

—Por no hablar de los desorbitados precios de este establecimiento cuando solicitas algo fuera de lo común.

Ambos se echaron a reír.

—No te voy a decir que no —dijo ella jugueteando con su copa. No era muy aficionada a beber, pero necesitaba tener algo entre las manos para no sentarse en su regazo y terminar de desabrocharle la camisa.

¡Oh, qué hombre!

Nada más entrar en la habitación se desprendió de la chaqueta y el chaleco. A continuación, dejó que los tirantes cayeran, tiró la corbata a un lado y se soltó el primer botón, dejando al descubierto una importante porción de piel de la cual ella no podía apartar la vista.

—Supongo que podré apañármelas.

Ella arqueó una ceja. Esa autosuficiencia, en algunos casos odiosa, la excitaba. Y esta era una de esas ocasiones.

—¿Cómo? —podía seguirle el juego. De momento.

—Creo recordar que un par de mis corbatas pueden ser útiles.

Ella se atragantó al escucharle.

Rápidamente él se levantó, se colocó a su espalda y la golpeó suavemente.

—Respira…

Ella consiguió volver a la normalidad después de toser y sentirse ridícula por reaccionar así.

—Ya puedes dejar de sacudirme —protestó ella moviendo los hombros—. Estoy bien.

—Lo sé —pronunció él en voz baja, inclinándose para que solo ella escuchara esas palabras. No había nadie más en la suite pero no por ello podía dejar pasar la oportunidad de acercarse de ese modo a ella. Además, el efecto era mucho más íntimo y efectivo. Por no decir excitante.

Ella inspiró profundamente, esa forma de hablar podía con todas sus defensas.

Estaba cansada de la ambigüedad.

Las dudas sobre sus intenciones variaban según los días.

Cuando estaba convencida de que era el interés puro y duro lo que le movía a pedirle matrimonio, él daba un giro de ciento ochenta grados y se mostraba abierto, como un buen amigo, seductor, pero no avasallador, sosegado, pero sin aburrir.

En resumen, cualidades que cualquier mujer apreciaría, pero en especial ella, tan reacia a pensar en la posibilidad de unir su vida, y, por tanto someterse, a un hombre.

Porque no era tan ingenua como para no darse cuenta. Le gustase o no, él siempre tendría la ley de su parte, y no porque fuera abogado.

—Antes de que me olvide, mañana tenemos todo el día para nosotros.

Él interrumpió sus pensamientos. Lo había vuelto a hacer, de nuevo hablándole en ese tono, como si ella fuera lo más importante. Como si todo lo que hacía o dejaba de hacer girase en torno a ella.

—¿Y los negocios? ¿No son el principal objetivo de este viaje? —inquirió ella. Quería estar segura. James jamás perdía la oportunidad de matar dos pájaros de un tiro.

—Entre pasarme la jornada desnudo contigo en la cama y hablar con dos vejestorios, ¿tú que crees?

Ella se giró y le miró por encima del hombro.

—Esa pregunta, viniendo de ti, tiene trampa.

Aprende rápido, pensó él.

—Por supuesto, querida. —Se rio junto a su oreja—. Pero tú no quieres que las cosas sean fáciles. Te gustan los retos.

Ella se lo tomó como un triste intento de hacerle la pelota.

Sin embargo, era agradable que de vez en cuando alguien pensara que era una persona inteligente. Aunque fuera con un propósito oculto.

O no tan oculto, pues las manos de él bajaban peligrosamente desde sus hombros hasta sus pechos.

Ella se preparó.

Él pasó de largo.

Ella retomó entonces la conversación.

—No hace falta tanta palabrería barata para conseguir llevarme a la cama.

—Lo sé perfectamente, querida. Pero ¿no te resulta mucho más estimulante la provocación, la espera, el no saber cuándo sucederá?

—No.

—¿Por qué no? —Él esperaba al menos que considerase sus argumentos. Había respondido negativamente sin pensárselo.

—Muy simple, querido. —Era la primera vez que utilizaba ese término refiriéndose a él—. Porque siempre eres tú quién toma las decisiones, quien decide cómo y cuándo. Yo no tengo vela en este entierro.

—Estás muy equivocada.

Como siempre una explicación a medias.

Él la ayudó a levantarse y se puso frente a ella.

—Pero que muy equivocada.

La besó, por varias razones, y sin necesitar ninguna también lo hubiera hecho. Pero lo curioso del caso era que tenía mil y una para besarla.

Ella creía que no tenía poder en esa relación. No podía estar más desencaminada. Si llegara a saber lo cogido por los huevos que lo tenía, sería hombre muerto.

La arrogancia, las órdenes y las decisiones que aparentemente le daban a él el papel ejecutivo no eran más que débiles artimañas para engañarse a sí mismo. Ella tenía todo el poder, solo que aún no lo había descubierto.

Y por el bien de todos ese descubrimiento debía ser pospuesto todo lo posible, o al menos hasta que legalmente fueran marido y mujer.

Apartó esas ideas a un lado de su cabeza. Ahora no era el momento de planteamientos filosóficos sobre quién mandaba allí. Ahora era el momento de que hablasen sus cuerpos, algo primitivo pero tan elocuente como el mejor de sus alegatos.

De pie, junto a la cama, hizo que levantara los brazos para quitarle el vestido por la cabeza. Ella sonrió y le correspondió desabrochándole los botones de la camisa, uno a uno, lentamente, sabiendo a ciencia cierta cómo le perturbaba esa faceta de seductora. Y en el proceso palpó cada centímetro de piel masculina que creyó conveniente, a su antojo. Sin preocuparse de más.

Pero se sentía así, quería hacerlo, y no solo porque podía, sino porque el deseo era quien dictaba su conducta.

Él se lo agradeció con otro beso. El primero de una larga serie hasta detenerse en el lóbulo de su oreja y atraparlo con los dientes.

Ella jugueteó en su pecho, acariciándole, y aunque no era la primera vez que le tocaba, no por ello dejaba de maravillarse por las diferencias entre el cuerpo masculino y el suyo.

Tiró de su camisa para quitársela de forma expeditiva y él no opuso resistencia.

Estaba disfrutando de lo lindo pues parecía que él se estaba dejando dominar. Allí, parado frente a ella, sin dar órdenes, sin indicarle el próximo movimiento...

El cual era evidente: deshacerse de sus pantalones.

—Me encantaría verte de rodillas, a mis pies —sugirió él al notar cómo sus manos hurgaban en su braqueta.

—¿Eso quieres? —murmuró ella acariciándole el estómago y rozando accidentalmente su erección.

—Sí —respondió sincero y rotundo.

—De acuerdo.

Ella se dejó caer, se puso cómoda y le bajó los pantalones junto con la ropa interior. Estaba claro el porqué de su petición. Su polla quedó a la altura exacta para que ella no pudiera evitar llevársela a la boca.

Y, la verdad, no tenía ningún motivo para negarse.

Nada más sentir la humedad de su lengua sobre su glande, él echó la cabeza hacia atrás e inspiró con fuerza. Las manos, de forma automática, las colocó una a cada lado de su cara, para sujetarla y guiarla.

No quería ser brusco, pues en esa postura ella no podía controlar la profundidad de sus embestidas. Las caderas querían empujar con toda la fuerza del mundo, de forma que todo se precipitase, que acabase cuanto antes. Al fin y al cabo era un hombre, su orgasmo no dependía más que de un factor: que su polla estuviera convenientemente atendida.

Y joder si lo estaba.

—Samantha… oh, maldita sea. —No era una protesta—. Cariño, qué bueno.

Bajó la mirada y observó cómo su polla entraba de forma natural en su boca, sin que ella tuviera que hacer grandes esfuerzos por acogerle, disfrutando de prestarle tal atención y en semejante postura.

Con total naturalidad.

Pensó durante una milésima de segundo retirarse y evitar correrse en su boca, pero por experiencias pasadas sabía que a ella le gustaba acabar lo que empezaba y… ¿Quién era él para privarle de semejante decisión propia?

El sonido de la succión, la visión de ella arrodillada lamiéndole tan animada, la perfecta sincronización entre la lengua y las manos de ella, jugaban en contra de su poder de contención.

Ella le dejó un instante desconcertado al dejar de chupársela para pasar la lengua de forma inesperada, que no desagradable, por sus testículos, metiéndoselos en la boca y haciendo que fuera un hombre feliz. Y un hombre encantado con la espontaneidad de ella.

—Sigue… así… Eres condenadamente buena, Samantha —dijo entre jadeos, perdiéndose ante la capacidad de esa mujer para dominarle, para acabar con su control, para hacerle replantearse muchas de las convicciones que hasta ahora creía inamovibles.

Ese era el poder que ella todavía desconocía. El poder de, aun siendo ella quien estaba de rodillas, hacerle caer en esa postura ante ella y no levantarse en mucho tiempo, o quizás, no hacerlo jamás.

No solo era la estimulación bucal, por otra parte increíble, era todo el conjunto, pues ella le acariciaba o le arañaba en el tenso abdomen, en los muslos, donde podía al fin y al cabo.

Y el conjunto se completaba con unos ruiditos extremadamente sensuales y provocadores; puede que a veces pecaran de exagerados, pero él era consciente de que ella no fingía. Nadie mejor que él para saber cuándo una mujer hacía una mamada de forma artificial, sin excitarse en el proceso y creando un ambiente meramente mecánico. No desagradable pero sí muy distante de la satisfacción plena.

No podía aguantar mucho más, a pesar de querer prolongar la dulce agonía que suponía la lucha entre su capacidad de contenerse y el abandono al instinto puro y duro.

Las dos opciones resultaban atractivas, contenerse para alargar las agradables sensaciones o abandonarse por completo y disfrutar de un orgasmo irrepetible.

Pero la contención iba perdiendo la batalla; ella iba dando munición con su lengua, sus labios, sus caricias… al bando del instinto.

—Joderrrrrrrr —fue la simple pero elocuente palabra que pudo articular al sentir la presión en sus testículos antes de eyacular sin más demora.

Y para rematar sus peores temores, ella levantó la vista y se relamió como una gata zalamera, consiguiendo que su periodo de recuperación se acortara visiblemente.

Capítulo 36

Más intimidad

*E*n cualquier otra circunstancia, tras la excelente mamada, él se sentiría obligado a devolverle el favor, haciéndolo con más o menos gracia, hasta dejar satisfecha a su amante. O, si no le apetecía, posponerlo hasta tener ganas. Todo dependía del momento o de su estado de ánimo. O, ya puestos, del arte que hubiera demostrado su amante de turno.

Por supuesto iba a encargarse de ella, pero con una importante diferencia: porque deseaba atenderla, porque nada le apetecía más en este momento y porque, aunque ella no hubiera hecho lo que acababa de hacer, él tendría las mismas ganas de devorarla, de apretujarla contra su cuerpo, de posar los labios en todos los rincones accesibles para su ansiosa lengua o sencillamente de disfrutar del sabor de esta mujer.

De arriba abajo.

De izquierda a derecha.

O viceversa.

Sin pasar nada por alto.

Además, contaba con una ventaja. Al haberse corrido podía aguantar más y, por lo tanto, ocuparse con más detenimiento de ella. En teoría, claro, porque con ella nunca podía estar seguro de dónde estaba el límite, pero por intentarlo que no fuera. Samantha se merecía algo especial, algo imborrable, algo único.

Y por supuesto que iba a llevarlo a cabo.

Punto por punto.

Lo primero, ponerse cómodos. Así que terminó de desnudarse; con los pantalones en los tobillos no ofrecía lo que se dice una imagen muy erótica, y ella no iba a tomarle en serio, para después desnudarla.

Así que a patadas, mostrando la impaciencia que en otras ocasiones tanto se afanaba en ocultar, se deshizo de toda su ropa.

—Siéntate en el borde de la cama y separa las piernas —indicó él colocándose frente a ella de rodillas, invirtiendo ahora los papeles.

—Un consejo. Ponte algo debajo de las rodillas, esa moqueta pica una barbaridad.

Él sonrió ante su preocupación, qué detalle, y besó cada una de las suyas. Un pequeño gesto insignificante comparado con lo que ella le había hecho.

Después, puso una mano en cada muslo, con el pulgar hacia dentro, de tal forma que a medida que ascendía presionaba la cara interna hasta que acabó el recorrido presionando con ambos pulgares su coño.

Pero solo durante unos segundos, lo justo para comprobar el grado de excitación y hacerla suspirar.

Se inclinó y la besó en el ombligo.

—No hace falta que pierdas el tiempo, estoy más que preparada —respondió moviendo sus caderas e invitándole a centrarse y dejarse de rodeos.

—Depende de cómo se mire. —Él bajó de nuevo una mano y tocó sus labios vaginales—. Sí, estás húmeda, eso es evidente.

—¿Entonces?

—No es suficiente. Quiero que lo estés aún más. Que tus muslos se empapen, que tu cuerpo llegue al límite… que ya no puedas más. —Se inclinó de nuevo para chupar un pezón, ella se lo impidió tapándose con las manos.

—No me gusta la sugerencia. ¿Por qué soy yo la que siempre tiene que esperar? —preguntó no sin cierta razón. Ya estaba un poco harta de ser siempre la sumisa.

—Porque así lo quiero —respondió con tranquilidad y sencillez.

Discutir no lleva a ninguna parte, pensó ella, pero debía aprender la lección. ¿Más excitación? ¿Límites? Muy bien, la próxima vez se iba a enterar.

Él la miró un instante, aparentemente convencido de no interrumpir, así que se puso manos a la obra. Apartó las inoportunas manos de ella y, una vez que sus tetas quedaron libres, atrapó un pezón con los dientes y otro con los dedos. A continuación, tiró de ellos alternativamente, oyendo cómo ella gemía, cada vez con más intensidad.

Ella se dejó caer hacia atrás, poniéndose más cómoda, y de paso se frotó contra el estómago de él. ¿Quería humedad a raudales? Pues que no quedase ninguna duda.

—Impaciente —dijo él con los labios pegados a su piel en claro tono recriminatorio.

—Menos mal que esto no es un trabajo por horas —susurró ella sabiendo de antemano que esta batalla estaba perdida. Ya no iba a dedicar más tiempo y esfuerzo en convencerle.

—Sí, menos mal —convino él. Acababa de insinuar algo que cualquier otro podía tomarse por el camino equivocado, pero a él hasta podía hacerle gracia eso de que le confundiera con un gigoló.

Él continuó su lento recorrido, besos aquí, allá, en el costado, en el ombligo, en el pubis, pero nunca donde Samantha más lo ansiaba y eso que se lo indicaba.

—Creo que ya estoy suficientemente mojada —le hizo saber por si acaso él no estaba al tanto.

Que lo estaba.

—No sé qué decirte. —Y recorrió con la lengua de forma bastante rápida sus pliegues, dejándola como él quería, con ganas de mucho más.

—¿Y si te digo que mi marea yin es incontrolable? —probó ella recordando los conceptos que él le había enseñado.

James estalló en carcajadas.

Y ella se incorporó para darle un manotazo, por tonto. Era culpa suya, por demorarse tanto.

—¡Oye! Que solo me he limitado a utilizar tus palabras.

—Lo sé, lo sé. Pero no puedo evitarlo, querida, eres única.

Dudaba un poco de cómo tomarse esa afirmación. Buscó la que más convenía a sus intereses.

—Pues no lo parece, porque estás desaprovechando una buena oportunidad.

—No, de ninguna manera. Túmbate. Comprobemos si necesito un salvavidas cuando esté entre tus piernas.

—Comprueba, comprueba —dijo ella dejándose caer de nuevo hacia atrás.

Y él hizo honor a su promesa. Recorrió con la lengua cada uno de los recovecos que ella se molestaba en ofrecerle. Indagando con la punta donde le parecía más conveniente. Haciendo que Samantha jadease y se arquease pidiéndole más.

Podía ser justo y tocarle el clítoris, consiguiendo así que ella alcanzase el orgasmo rápidamente. O podía entretenerse más.

Ella debió de percibir su decisión porque quiso incorporarse para protestar, obviamente.

—¡Me estoy cansando de tus maniobras! —protestó vehementemente aburrida de tanto circunloquio—. Juegas con ventaja. Como tú ya te has quedado satisfecho… —Se detuvo un instante al ver la expresión de él, que decía a las claras que aún quería mucho más para llegar a abarcar plenamente ese concepto—. Por eso te dedicas a entretenerme con caricias, y, teniendo en cuenta mi estado, ahora no son necesarias.

—¿No te gustan? —preguntó él sabedor de que esa no era la cuestión.

—Sí, me gustan. ¿Pero qué tiene que hacer una para que vayas al grano?

—Pedírmelo, simplemente —reconoció él besándola en el estómago, aguantando la risa y aguardando la reacción de ella.

Entonces Samantha lo pidió, educadamente, eso sí. Recordando las recomendaciones de él respecto a lo que surtía efecto.

—¡Fóllame!

Él, que se esperaba algo menos taxativo, quiso escucharlo de nuevo. Oírla pronunciar esas palabras suponía un gran incentivo a su ya de por sí alterada libido.

—¿Es que no he sido clara? —inquirió ella, con evidente malestar; desesperada ante la pasividad de él. O mejor dicho, desesperada ante la tozudez de él de no llevarla al punto exacto de no retorno.

Todo esto solo tenía una respuesta: venganza. Pero primero necesitaba enfriarse.

—Mucho —respondió él—. Pero dilo otra vez, querida, no vaya a ser que con tu reciente intento de exprimirme haya perdido audición —bromeó él sin dejar de tocarla como ella no quería. Toques ligeros, provocadores y desesperantes en la piel cercana a su centro neurálgico. Pero nada de llegar al interruptor general.

—¡Mira que te gusta decir tonterías! —exclamó ella riéndose. ¡Qué hombre! Siempre tenía que darle una vuelta de tuerca a todo—. Como quieras. —Y a continuación bajó la voz para imprimir a su petición el cariz más sugerente y excitante que podría lograrse—. Fóllame, ahora, en este instante. Sin más demoras, sin más interrupciones. —Y, para rematar, añadió chillando—: ¡Fóllame o lo lamentarás!

—¡Cómo te pones! —Él se inclinó lo suficiente para atrapar su clítoris y tratarlo como se merecía, mientras con dos de sus dedos la penetró, curvándolos después en su interior para poder así estimular todas sus terminaciones nerviosas internas y que ella no tuviera ninguna duda sobre lo que iba a suceder a continuación—. ¿Te va bien así o prefieres otra cosa?

—¡Síííí, por fin! —jadeó ella moviendo sus caderas, acompasándolas al ritmo de sus incursiones táctiles, experimentando la tensión previa a un clímax tan esperado y deseado que casi pareciera inalcanzable.

Él intensificó la presión que ejercía sobre su punto más sensible, estimulando su clítoris de tal forma que casi no tendría tiempo ni para coger aire entre sacudida y sacudida.

Dejó de saborearla para con tan solo sus dedos conducirla al orgasmo. Quería observarla, no perderse ni un detalle.

Pero hay cosas que son demasiado adictivas como para prescindir de ellas cuando las tienes a tu alcance, por lo que terminó de nuevo con la lengua en su coño, sin dejar que se perdiera ni una sola gota de su excitación.

Ella no aguantó más, la combinación que James estaba aplicando sobre su entrepierna era muy efectiva. Si a eso añadía la tortuosa espera a la que había sido sometida… Todos sus instintos desencadenaron un fuerte orgasmo, corriéndose de forma nada contenida.

Recogiendo los frutos de su paciencia y de su esfuerzo.

Cuando creía que ya no podía más él la puso boca abajo sin ninguna dificultad, dejando que apoyara tan solo el pecho en la cama; acto seguido la penetró con lo que más deseaba.

De forma firme, y sin dar tiempo a explicaciones, bombeó en su interior, de manera constante, impregnando su polla de los abundantes fluidos femeninos.

—Tienes un culo impresionante —jadeó entre empuje y empuje.

—Gra… gracias.

Ella estiró los brazos y se aferró al cobertor de la cama; cada vez que embestía sus piernas se rozaban con sus flecos, lo que era una sensación muy agradable.

—Creo que necesitas esto.

Él metió la mano entre sus piernas, mojando su dedo para después llevarlo hasta su ano. Allí presionó hasta poder introducírselo.

—¡James! —exclamó ella ante la sorpresa.

—Te encanta, admítelo. —Él, por supuesto, no hizo caso a su exigua protesta. Nada convincente, por otro lado. Y continuó estimulándola doblemente.

Lo cual, en un futuro, entrañaba muchas más posibilidades.

Un orgasmo tan intenso como el de hacía unos minutos no podía dar paso a otro similar aunque diferente. Eso al menos pensaba Samantha mientras apretaba y estrujaba la colcha entre sus manos, notaba el sudor en su espalda y recibía cada uno de los empujones de él.

Todo muy a su estilo, brusco pero sin ser desagradable. Con la dosis justa de agresividad para que ella estallara.

Esta vez casi sin voz, se corrió en medio de jadeos y ásperas inspiraciones. En busca del oxígeno que no conseguía hacer llegar a sus pulmones.

Un último empujón y él se corrió en su interior, como si fuera la primera vez en mucho tiempo. Como si el episodio de hacía un rato con ella de rodillas no hubiese tenido lugar.

Cayó sobre ella, besándola primero en la espalda para después abrazarla. Compartiendo con ella, en silencio, sudor y emoción. A partes iguales.

Capítulo 37

El cuento de nunca acabar

Después de un fin de semana tan intenso, a la par que revelador, debería tener las cosas mucho más claras, pero no. Ahora, para desesperación propia, estaba más confusa.

Él se encargaba de mantenerla en ese estado. Una de cal y otra de arena.

Y así se lo estaba exponiendo a Sebastian. El único que estaba al tanto de todo cuanto sucedía, con bastante detalle. Y el cual estaba bastante cansado del tema. Pero, por deferencia hacia su amiga, en pos de que esta solucionara sus quebraderos amatorios y, por si acaso, él algún día se veía en la misma tesitura y requería la misma paciencia y atención, no dijo nada al respecto.

—Deja ya de darle vueltas de una maldita vez, Samantha —dijo cansado de oír lo mismo una y otra vez.

—¿Tan difícil es que hable claro? ¿Que me diga, aunque sea mentira, lo que siente? ¡Es odioso! ¡Rastrero! ¡Es…! —parecía haber agotado los adjetivos negativos.

Es un hombre, pensó él, pero le transmitió una verdad universal, a ver si con un poco de suerte ella dejaba de marear el asunto.

—Estás pidiendo peras al olmo, cielo. Los hombres no utilizan todas esas frases sensibleras que tanto os gustan a las mujeres.

—Tú lo haces.

—Por eso sé de lo que hablo. Digo lo que quieren oír para llevármelas a la cama.

—No estás siendo de ayuda —refunfuñó ella.

—Tengo esta noche libre, si quieres…

No acabó la frase porque James entró en el despacho. Evidentemente sabía que no estaba sola, pero no por ello disimulaba mucho su cara de disgusto al verle allí junto a ella.

Durante el fin de semana había evitado deliberadamente tocar ese espinoso tema y no preguntó. Aunque se moría de ganas por zanjar de una vez por todas ese asunto y pasar página. Samantha era suya, no iba a dejarla escapar. Y, aunque costase admitirlo, se moría de celos cada vez que otro hombre se acercaba y eso, teniendo en cuenta su afición en el pasado a compartir amantes, decía mucho.

—Te esperan abajo —le dijo a ella sin apenas mirarla.

—Ah, sí. ¡Qué despiste! —se acercó a su chef personal—. Sebastian, te dejo. Ya seguiremos en otro momento.

James se sintió desplazado al ver que su competidor recibía un beso en la mejilla y él una mirada que no auguraba nada bueno.

Era una tontería, desde luego, pues él recibía muchas más atenciones de ella, pero en el ámbito privado, y él quería algo más. En público, a la vista de todos.

Otra inquietante revelación.

—Me gustaría hablar contigo, si tienes un momento —comentó James una vez que la mujer que le estaba haciendo sudar, y no solo por el abundante y reconfortante ejercicio físico, les dejó a solas.

Sebastian arqueó una ceja, pese a las amables palabras no se dejaba engañar.

—Como quieras —respondió en el mismo tono frío e impersonal.

James hizo un gesto para que le acompañara a su despacho, no quería intromisiones.

Una vez que hubo cerrado convenientemente la puerta, le invitó a sentarse. Sebastian, manteniendo siempre su buen humor, lo hizo y esperó. No había que ser adivino para saber de qué quería hablar el abogado.

—¿Una copa?

—No, gracias —rechazó con una amable sonrisa. Eso no era una visita de cortesía y ambos lo sabían. Ahora comprobaría hasta qué punto James era tan ladino y taimado como ase-

guraba su amiga o simplemente un hombre que inesperada-
mente había caído enamorado de ella. Oh, qué poético se estaba poniendo.

—Vayamos entonces al meollo de la cuestión.

Al oír ese tono tan serio Sebastian no pudo evitar replicar
de un modo muy característico suyo:

—Lamento decirte que no he traído mis armas para ba-
tirme en duelo contigo; además, me resulta muy agotador la
sola idea de hacerlo.

James no se dejaba engañar por esa postura indiferente
ante la vida con la que Sebastian Wesley ocultaba a todo el
mundo su verdadera personalidad.

—Seamos prácticos entonces. ¿Qué hay entre Samantha
y tú?

—¿Por qué preguntas algo tan evidente? —replicó echando
mano de una verdad a medias. Todo el mundo sabía que se conocían desde niños.

—Sabes a lo que me refiero.

—En el supuesto caso de que entre ella y yo exista algo más
que una bonita amistad, serías el último con quien compartiría
eso. ¿No crees?

—Y en el caso de que existiera deberías saber que no me
gusta la idea de compartir.

—¿Desde cuándo?

Ambos sabían perfectamente de qué estaba hablando. El
pasado de James, aunque discreto, no era ningún secreto de
estado.

—Volvamos a lo realmente importante. En el supuesto caso
de que haya existido algo entre vosotros dos quiero dejar claro
que no debe repetirse. —No era una sugerencia.

—¿Y a ti qué te importa lo que haga o deje de hacer Samantha? —inquirió Sebastian queriendo cerciorarse al cien por
cien. Luego, como era menester, utilizría esa información con
Samantha, para entretenerse un poco, nada más.

—Le he pedido que se case conmigo. —Era la primera vez
que admitía ese hecho delante de un tercero. Pero al observar
a su contrincante supo inmediatamente que la noticia no le
sorprendía ni lo más mínimo—. Veo que no te resulta una sorpresa.

—Somos amigos. —Se encogió de hombros y, para mortificarle, añadió—: Nos lo contamos todo.

Información con la que ya contaba James, pero seguía sin estar tranquilo.

—Y como comprenderás no es plato de buen gusto saber que mi mujer se entretiene demasiado con sus amigos.

—Dejémonos de eufemismos. ¿De acuerdo? —Sebastian se puso en pie dispuesto a aclarar lo que su amiga no se atrevía—. Quieres saber si me he acostado con ella. ¿Me equivoco?

—No.

—Y de ser cierto, ¿qué harías? ¿Cómo podrías impedir que sucediera de nuevo?

—La cuestión es por qué precisamente ahora te interesas por ella. —Quería mantener la calma, pero la sola idea de que ella acabase con él le revolvía el estómago.

—Esa pregunta también me la hago yo. ¿Qué interés, tan repentino, tienes por ella? Más aun cuándo nunca os habéis llevado bien. ¿Por qué quieres casarte con ella?

—Eso no te incumbe —respondió enfadado. No iba a hablar de lo que sentía por ella con nadie, y menos aún cuándo ni siquiera él lo tenía claro.

—Eres un hijo de puta oportunista, ¿no es cierto? Has visto la ocasión de tu vida y no quieres desaprovecharla. —Sebastian siguió acicateando al pretendiente de Samantha, lo cual resultaba bastante divertido.

Cualquier otro le hubiera agarrado de las solapas y comenzado una pelea física por ese insulto tan directo.

James, en cambio, prefirió no entrar al trapo, y no por falta de ganas. La acusación era seria y, a pesar de ser desagradable, era una opción que no había contemplado. Por desgracia se dio cuenta de que ella sí, pues ahora comprendía sus reticencias, a pesar de seguir viéndose.

Optó por dejar pasar el agravio, ya tendría tiempo de resarcirse. Podría sacar una información de lo más reveladora de su oponente.

—¿Y?

—Joder, me lo temía.

—Si crees que esos son mis motivos para casarme, adelante, piensa lo que quieras.

—Soy capaz de casarme yo con ella para evitar que acabe contigo.

James sonrió de medio lado. Bien, solo faltaba una vuelta más de tuerca.

—¿Por eso te acostaste con ella? ¿Para saber si sois compatibles?

—Esa no fue la razón —respondió Sebastian, ya no tenía sentido ocultar lo evidente.

Se recostó en su sillón, ahora tenía claro que habían estado juntos. Del mismo modo que el interés de Sebastian por ella no iba más allá de la lógica preocupación. Aunque jodía bastante confirmar sus sospechas.

—Vas a hacerle daño y no pienso consentírtelo, cabrón. Ella no se merece que un tiparraco como tú esté a su lado —le recriminó Sebastian.

—No voy a seguir escuchando insultos de un niñato que no sabe nada, que no tiene ni la menor idea de lo que ocurre entre nosotros. Y, por supuesto, no voy a tolerar que vuelvas a tocarla. Samantha es mi mujer, y tú, como buen amigo que presumes ser, te mantendrás al margen y la felicitarás y le desearás lo mejor.

—Vas listo si piensas que me voy a quedar de brazos cruzados. —La reacción de James era lo que necesitaba saber para confirmar sus conjeturas. Ese tonto había caído con todo el equipo, Samantha lo tenía bien cogido por los huevos. Excelente. Hacía tanto que no se divertía así…

Cuando James iba a responder golpearon en la puerta.

Samuel entró en el despacho; por supuesto, no dio muestras de sorpresa al ver a su abogado hablando con Sebastian. Era evidente que los estaba interrumpiendo, pero había cosas que no podían esperar.

Detrás de él, el padre de Sebastian entró también y les miró con bastante más descaro.

—Hola, papá. —Se levantó dispuesto a irse y dejar al abogado más confuso.

—¿Tienes algún tipo de problema legal que yo desconozca? —preguntó Rafe mirando alternativamente a su hijo y a James.

—Nunca viene mal estar bien informado. —Dejó caer esta

frase, solo una persona de las allí presentes interpretaría correctamente el significado—. Y ahora, si me disculpáis, tengo que irme. Me están esperando.

Samuel no le dio más importancia y se acercó a la mesa de su abogado para comentarle unos asuntos. James anotó las instrucciones y los dejó también, para ocuparse de tareas profesionales.

—Me parece que tu abogado y mi hijo estaban discutiendo. —Se acarició la barbilla—. No me hagas mucho caso, pero creo que es por una mujer —dijo Rafe saliendo hacia el corredor que daba al despacho principal.

—Mira que te gusta el drama —se quejó Samuel, que a estas alturas ya no debería extrañarse de los comentarios de su amigo.

—¿Drama? Hummm, puede ser, pero esos dos nunca se han llevado bien. ¿No has notado la tensión que se respiraba al entrar?

—Y claro, a tu mente, como últimamente está ociosa, no se le ocurre otra cosa que pensar. ¡Una mujer! ¡No digas bobadas!

Una vez sentados cómodamente en el despacho principal, Rafe volvió a la carga.

—Me pregunto qué clase de mujer podría gustarles a los dos.

—No llego ni a imaginármelo —murmuró Samuel distraído, le importaban bien poco los asuntos amorosos de esos dos.

—Pues a mí me pica la curiosidad.

—Eso suponiendo que discutan por una mujer y no por cualquier otro asunto, lo cual sería más lógico.

—Conozco a mi hijo. Se molesta por muy pocas cosas, las mujeres son una de esas notables excepciones.

—Pues le preguntas y sales de dudas, a mí no me aburras con tus elucubraciones.

—Deberías hacer como yo, retirarte y dedicarte a la buena vida.

—Por eso mismo estoy aquí, para dejarlo todo bien organizado. Y ahora, ¿puedo trabajar un poco antes de que vayamos a comer?

—Sí, trabaja. Yo seguiré dando forma a mi teoría.

Capítulo 38

Proposiciones

Samantha estaba recostada plácidamente sobre el pecho de James mientras este fumaba sin pensar en nada. La joven se entretenía jugueteando con el vello pectoral sin otra cosa mejor que hacer.

Cierto que él ya se había encargado de entretenerla adecuadamente para que no protestara. Pero la verdad era que se estaba muy bien así, apoyada contra él, oyendo su respiración tranquila, compartiendo cama y no necesariamente desordenándola, por el simple placer de poderlo hacer, sin más pretensiones.

Debería haber caído dormida hacía un buen rato, como era habitual en ella, pero sin saber por qué estaba desvelada.

Él apagó su cigarro y ella levantó la cabeza para mirarle.

—Se supone que ya deberías estar roncando y protestando porque quiero hacer algo diferente —dijo él sin intención de criticar, solo por iniciar un tema de conversación aparentemente inocuo. Estaba muy a gusto en esa postura.

Ella se encogió de hombros. Tenía razón. No había más que añadir.

El problema era que su cabeza no dejaba de dar vueltas y más vueltas. Definitivamente tanto sexo, y del bueno, podía llevar a una mujer a perder un poco el norte. Porque de no ser así no se explicaba cómo estaba tumbada, y desnuda para más señas, con el hombre que solo quería obtener una buena posición social valiéndose del matrimonio.

Lo sabía, tenía la certeza absoluta de ese hecho, y aun así

volvía una y otra vez a tropezar en la misma piedra. A estas alturas sus rodillas deberían estar despellejadas de tanta caída. Pero no, resulta que volvía a por más.

Decidió que no era la única que iba a desvelarse esa noche. Así que buscó algún tema de conversación para distraerse y tocarle un poco la moral. Quizás viéndole disgustado ella se sentiría mejor.

Se estaba convirtiendo en una arpía, pero además de inevitable, teniendo en cuenta las compañías, era muy divertido.

—A veces me pregunto si no se pueden hacer más cosas en la cama —murmuró de forma casual, como si dudase entre si iba a llover o no, lo cual importaba bien poco.

—¿Por ejemplo? —La propuesta, ciertamente, era de lo más interesante.

—Déjame pensar. —No necesitaba hacerlo, para nada, pues había un tema, lo suficientemente atractivo para ella y lo suficientemente rechazable para él, que podía proponer y así comenzar una discusión. Necesitaba entablar con él algo más que un parloteo animado—. Un trío.

Al estar tumbada sobre su pecho notó cómo contenía la risa. Estaba claro que no la tomaba en serio. Bien, pues eso había que remediarlo.

—Sí, me apetece probarlo. Es algo que me intriga.

Lógico, pensó él, pero no iba a dejar que su relación siguiera esos derroteros. De eso se encargaría personalmente.

—Ni hablar —sentenció él cortando de raíz cualquier posible negociación.

Por supuesto ella no se iba a quedar callada.

—¡No seas ridículo! Si quiero hacerlo, ¿por qué no puedo? —Se incorporó a medias y le miró.

—Porque, como comprenderás, no voy a dejar que te toque nadie más. Olvídalo. —Su recién descubierto instinto posesivo no se lo permitía bajo ningún concepto.

—Quiero probarlo —repitió ella.

—No.

—Se supone que debemos innovar, buscar nuevas sensaciones…

—Se supone que no te folla nadie más que yo.

Ella se separó de él e intentó mirarle de forma intimidatoria. Como era una misión casi imposible, decidió optar por otra posibilidad.

—Pues yo no estaría tan seguro de eso. No sé si recuerdas cierta norma acerca de…

—Samantha, deja de decir sandeces. No voy a consentirlo. Fin de la polémica.

—¡Tú no eres quién para prohibírmelo! —exclamó enfadada. ¡Hasta ahí podíamos llegar!

—Joder… —James se pasó la mano por el pelo. Tenía que encontrar una forma de sacárselo de la cabeza.

—Además, estoy en mi derecho. Entiendo que no quieras colaborar —dijo adoptando un tono de voy a dejar caer el anzuelo y ya verás como picas—, por lo que buscaré otra opción.

—¡Me cago en la puta! —No quiso reprimirse. Esta mujer iba a volverle loco, si no lo había hecho ya—. ¡Un trío! ¡La madre que me parió! ¿De dónde habrás sacado tú esas ideas?

Ella adoptó una postura indiferente, como si hacer tríos fuera algo común en su vida.

—Nunca pensé que fueras tan —se mordió el pulgar antes de dar la puntilla— convencional —sentenció ella. Y lo miró esperando ver la inminente reacción de él. Porque eso de que ningún otro pudiera tocarla era demasiado intenso y posesivo como para creérselo.

¿Convencional? Sí, claro, podía llamarle de muchas maneras. Ella no sabía en qué se estaba metiendo. Saltaba a la vista que o bien le estaba retando deliberadamente, vaya usted a saber por qué, o bien cierto amigo con ganas de joder su relación había hablado con ella.

Evidentemente no hacía falta ser un lumbreras para elegir la opción correcta.

Caer en la provocación era fácil y sin duda lo que ella buscaba.

Pero era jodidamente difícil no hacerlo.

—Vamos a ver, que yo me entere bien. ¿Te dejo insatisfecha? —adoptó su actitud de abogado llevando la conversación de forma que sus respuestas le permitieran condicionarla.

—No —respondió con evidente aire desdeñoso.

Si hubiera dicho que sí al menos sonaría más sincero. Para no empeorar las cosas decidió avanzar.

—¿Entonces?

—Esa no es la cuestión.

—Sí es la cuestión, Samantha. No tienes ni puta idea de lo que significa hacer un trío.

—¿Y tú sí? —replicó ella sabiendo de antemano la respuesta. Pero simplemente quería comprobar qué cara ponía y cómo intentaba ocultarlo, si es que lo hacía.

—Sí, sé lo que es, y por eso sé que tú no quieres realmente hacerlo.

—¡Oh, por Dios! ¿Cómo puedes ser tan arrogante? ¿Quién te ha dado la facultad de decidir sobre otras personas?

—Desde el momento que aceptaste compartir cama conmigo tengo esa extraña facultad.

—Ya te he dicho que no es preciso que participes. —Ella siguió con su obstinación. No por el hecho de hacerlo en sí, sino más bien por dejarle claro que no iba a permitir que fuera él el único con poder de decisión.

—Querida, ¿eres consciente de que un trío implica a dos tipos follándote como se les antoje, de tal forma que seas penetrada, al mismo tiempo, por ejemplo?

—Hummm, bueno, sí, si hay dos hombres está claro que uno no se va a dedicar a aplaudir —dijo en tono tranquilo, lo cual solo exacerbaba más aún al abogado.

—Joder. —Su vocabulario breve y sonoro daba fe de su frustración.

—Claro que —ella se lo estaba pasando en grande— siempre se pueden poner normas. ¿No?

—¡Samantha!

—¡No me chilles! Además, lo de las normas es tu pasatiempo favorito —replicó ella sacando provecho de lo que en un principio era el punto fuerte de él. Desde luego, nadie podía acusarla de no aprender rápido. Debería darle incluso las gracias por todo cuanto estaba aprendiendo, tanto fuera como dentro de la cama.

—Deja de utilizar mis palabras cuando te conviene —advirtió él.

—Y deja de organizar mi vida... sexual.

—¡No me lo puedo creer! —James se paseaba por la habitación completamente enfadado—. Contigo es como poner un circo y que me crezcan los enanos.

—Eso ha sonado como un cumplido, ¿no? —Ella sonrió para mortificarle un poco más.

—No, eso es la puta verdad. Eras virgen, maldita sea, y ahora resulta que la señorita no se conforma con lo que tiene. —Se pellizcó el puente de la nariz antes de mirarla y continuar—. Me apuesto lo que quieras a que muy pocas mujeres tienen lo que tú en lo que a actividades de cama se refiere.

—Y yo me apuesto lo que quieras a que muchas no tienen que aguantar a un tipo que coarta su libertad de elección —se defendió ella.

—¿Pero se puede saber por qué te ha dado a ti, de repente, ese interés por follar con dos hombres a la vez?

—Yo he hablado de un trío, James. Un trío son tres. Se puede configurar como una quiera, ¿me equivoco?

Sin duda ese malnacido de Sebastian había hablado con ella y relatado sus preferencias en el pasado, pues de otra forma no se entendía el interés de ella por atormentarle con ese espinoso asunto.

Evidentemente no se arrepentía de ello, pero hacía tiempo que había quedado atrás esa etapa. Ahora prefería una sola mujer y, en especial, a la que le miraba desde la cama y le tocaba los cojones por algún motivo que se le escapaba.

—¿Me estás diciendo que no te importaría acostarte con otra mujer?

Ella se encogió de hombros pero James notó cierta vacilación.

—No sabría decirte, tendría que probar ambas opciones para responderte con fiabilidad.

—¡Joder! —Se estaba repitiendo, pero no le venía otra palabra con la que expresarse mejor—. ¡Esto no es cuestión de ir probando!

—¿Cómo qué no? Tú siempre dices que debemos valorar todas las opciones antes de decidirnos.

Otra vez estaba replicándole utilizando sus frases.

—¡Esto no es una maldita inversión!

—Si no pruebo, ¿cómo sabré lo que me gusta o no?

—No hace falta que te comas la suela de los zapatos para saber que te sabrán horribles.

—Pero da la casualidad de que hasta ahora no te ha importado mostrarme cosas nuevas convenciéndome de que me iban a gustar. —Ella se lo echó en cara sin dudarlo—. ¡Pero claro, siempre tienen que ser cosas que tú hayas elegido!

Él, que ya no sabía qué más decir o hacer para hacerla desistir, encendió un cigarrillo y guardó silencio. Discutir con ella, cuando era evidente que no iban a llegar a buen puerto, solo le hacía sentirse más exasperado y por tanto ya no iba a malgastar más energías.

De repente tuvo una especie de revelación.

Apagó rápidamente su cigarro y se puso a buscar en la cómoda del fondo.

—Creo que tienes razón —dijo sin mirarla.

—¿Ah, sí?

—Ajá. Estás en tu derecho; si quieres hacer un trío, hagámoslo. No hay por qué esperar.

Samantha sospechó inmediatamente. Primero, porque conociéndole como le conocía sabía que un cambio de ciento ochenta grados en su opinión era impensable o producto de una borrachera, y James solo había tomado una copa de vino durante la cena. Segundo, porque no estaba preparada para su aceptación súbita. Sin pasar por alto, claro está, que toda la conversación era para pincharle un poco y ver cómo reaccionaba, no porque estuviera realmente interesada.

Entonces sintió una especie de temor.

Un trío eran tres. James prefería los de una mujer con dos hombres… y a esas horas…

—¿No se te ocurrirá llamar a tu mayordomo, ese tipo tan desagradable, verdad?

—¿Cómo dices? —inquirió dándose la vuelta con un estuche en las manos—. ¿Mi mayordomo? —repitió sin comprender muy bien el porqué de esa alusión.

—¡No pienso dejar que ese idiota me toque!

James sonrió, cayendo en la cuenta. Tuvo la tentación de mortificarla un poco, pero ya iba a hacerlo de todas formas en breve y de otra forma, así que negó con la cabeza.

—Él no estaría dispuesto. Y en caso de aceptar supongo que me tocaría más a mí que a ti.

—¿No me digas que es... de esos? —preguntó con una sonrisilla.

—Olvídate de mi mayordomo y vamos a lo importante, querida; te presento a nuestro tercer componente.

Capítulo 39

Consecuencias

—¡No, ni hablar! —Samantha se tapó hasta la barbilla y cerró las piernas con fuerza, como la virgen asustada que ya no era, al ver el estuche que él le mostraba sonriente.

—Si no recuerdo mal, ya os conocéis —apuntó él evidenciando su buen humor.

—¡Ni se te ocurra acercarte a mí con eso!

—No seas tonta. —Se sentó en el borde de la cama—. Son tus amigos, los cascabeles. —Los hizo tintinear dentro de la caja antes de sacarlos mientras contemplaba encantado la cara de espanto de ella.

—He dicho que no. —Se mantuvo firme en sus trece.

—Vamos a ver, querida. —Con pericia y rapidez apartó la inoportuna sábana, dejándola desnuda frente a sus ojos. Joder, qué visión—. Yo, en pos de tu total satisfacción, y —puso las manos en sus muslos e hizo palanca para separárselos— pensando siempre en tus sugerencias…

—¡James!

Tuvo que hacer más fuerza de la prevista ya que ella parecía decidida a no aflojar.

—… he buscado la forma de complacerte.

—No me gusta esa cosa —señaló las dos bolas metálicas con cara de desagrado.

—Si no recuerdo mal tuviste una buena experiencia con esto.

—¡¿Buena experiencia?! Me pasé toda la maldita noche deseando… —Se detuvo al ver la cara de idiota sabelotodo y satisfecho que había puesto él—. Que no me gustan, vamos.

—Ay, Samantha, eres increíble.

—No me hagas la pelota para salirte con la tuya.

Él no necesitaba hacerlo porque ya estaba calentando el metal entre sus muslos, subiendo y bajando por la cara interna, tentándola a que sus deseos fueran ganando la batalla a sus reticencias para lograr su objetivo.

Como era de esperar, ella se fue relajando, permitiéndole acercarse más y más al centro de operaciones. Cuando lo rozó con sus nudillos comprobó complacido que estaba mojada. Presionó un poco más hasta que ella emitió el primer suspiro, rindiéndose a lo evidente.

—¿Por qué no nos limitamos a hacerlo como siempre? —sugirió ella con cierto temor. Quizás agitar el trapo rojo delante de un toro bravo como James había sido excesivo, pensó ahora con un poco más de perspectiva.

—No —murmuró él contemplando los labios hinchados de su coño—. Ahora no hay marcha atrás.

Eso se temía ella.

Y lo peor del asunto era que nunca conseguía reunir la suficiente fuerza de voluntad como para respaldar lo que primero negaba.

¿Qué tenía ese hombre que lograba aniquilar su fuerza de voluntad?

Muy simple, estaba enamorada de él y, muy a su pesar, ese estado anulaba cualquier intento de mantenerse firme.

O, sencillamente, las propuestas de él, aparcando a un lado ese tonto enamoramiento, resultaban tan atractivas como curiosas y negarse la oportunidad de experimentar era de tontas.

O, visto de otro modo, James tenía un poder de convicción fuera de lo común.

Sí, mejor esta última. Siempre resulta más reconfortante echar las culpas a otro que pensar en las debilidades propias.

Él sonrió de medio lado, encantado con la actitud de ella. Siempre era un no por respuesta a todas sus sugerencias, lo cual hacía mucho más interesante convencerla.

El metal ya se había adecuado a la temperatura corporal de ella, de tal modo que no sentiría esa repentina sensación de frío al introducirle la primera bola, aunque sin dudarlo esa posibilidad podría ser idónea en el futuro.

Ahora, ya relajada y aceptando lo inevitable, corcoveó al sentir como su cuerpo aceptaba la intromisión placentera. Como no deseaba esa tortuosa espera, lo buscó con las manos intentando que él se colocase encima.

Como era evidente que iba a negarse, probó otra forma de tentarlo.

Llevó una de sus manos sobre su propio pezón, estaba bien duro. Quería demostrarle que no siempre iba a ser la sumisa que él esperaba, por lo que se acarició la rugosa superficie. Primero con cierta timidez, pues desconocía cuánta presión debía ejercer para hacerlo bien, ya que hasta el momento siempre eran las manos de James las que se encargaban de ello.

Por supuesto, él no se perdía detalle. ¡Qué imagen tan seductora!

A veces pensaba que si no la conociera bien uno se imaginaría que estaba con la más cruel y experimentada de las mujeres. Pero por suerte él sabía que no era así.

El desafortunado episodio, ya confirmado al cien por cien, con su mal llamado amigo, y que sin duda tenía que olvidar para no cometer ninguna locura, iba a ser la última ocasión en la que Samantha mostraría a cualquier otro sus habilidades. Era suya.

Para siempre.

Y aunque ese pensamiento fuera el de un amante extremadamente posesivo le traía al fresco. No era un hombre que se caracterizara por tener remordimientos sobre lo que hacía para lograr su objetivo.

Se encargaría de borrarle de la mente cualquier recuerdo referente a aquella funesta noche o cualquier futura tentativa de volver a hacerlo.

Empezando inmediatamente.

El cuerpo de ella estaba pidiéndole menos divagaciones y más acción, por lo que hundió la cabeza entre sus piernas, con la lengua deseosa de lamer su abundante excitación.

—A este paso creo que voy a pasar mucho tiempo entre tus muslos, querida. —Era consciente de que era una promesa fácil de cumplir.

—No creo que pueda impedírtelo —suspiró ella, y ante la sensación de ser saboreada, abandonó su experimento táctil.

—Sigue tocándote —indicó él con voz suplicante—. Me pone aún más cachondo si cabe la idea de ver cómo te acaricias. —Era otra de las ideas que tenía apuntada en su agenda. Con Samantha en su cama las posibilidades se ampliaban día a día, de forma natural. A veces podría pensarse que serían infinitas. Él tenía la intención de que fuera así.

—Me desconcentras —se quejó ella. No podía estar a todo. Si se tocaba temía perderse cualquier detalle, por mínimo que fuese, de lo que el pervertido que tenía entre sus piernas podía llegar a hacer.

James dejó la segunda bola perfectamente insertada y abandonó su particular banquete —tampoco había que ser avaricioso— para gatear hasta ella. Apartó la mano con la que tímidamente se tocaba, y apretó con la fuerza precisa para que comprendiera que él se ocupaba de todo en la medida de lo posible. Aunque seguramente ella ya era consciente de ese hecho, pues nada más percibir el pellizco se arqueó pidiendo más.

Después buscó sus labios, besándola de esa forma tan abrasiva e impetuosa que Samantha disfrutaba y que imitaba.

Ella no le defraudó, anclándose a él de forma enérgica, casi furiosa. Robándose mutuamente el aire.

—No tan deprisa —jadeó él.

Ella, cansada una vez más de los retrasos injustificados, metió la mano entre sus piernas con la clara intención de quitarse las malditas y torturadoras bolas para despejar el camino.

Él adivinó sus intenciones y la reprendió por ello.

Enfadada tras su malogrado intento, buscó con ahínco su polla, a ver si con un tironcito y con un poco de suerte él cambiaba de opinión.

—¡No puedes tenerme así indefinidamente! —protestó impregnando su voz de un tono lastimero que le hizo reír.

—Querida, ya deberías estar más que acostumbrada. Date la vuelta.

Ella no le miró lo que se dice con simpatía. Pero acató la orden.

Una vez colocada él se situó a su espalda y llevó una mano a su coño, no para comprobar lo mojada que estaba, sino para recoger su lubricación natural, pues le iba a resultar necesaria.

Untó con un dedo su ano, preparándolo y facilitando el que ella no sintiera dolor en exceso.

—¡James! —chilló ella sabiendo lo que se avecinaba. Claro que no por conocido dejaba de ser excepcional.

—Sinceramente, querida, con tus protestas y gritos, haces que esto resulte aún más entretenido y placentero, más incluso que cualquier planteamiento previo.

—Ahora no necesito un discurso sobre lo que es y lo que no. —No estaba para eso, quería acción. Y si James se entretenía dando explicaciones...

—Sé perfectamente lo que necesitas.

«¡Oh, pero qué arrogante y egocéntrico era este hombre!», se dijo intentando relajarse y no sucumbir a la precipitación. Se dejó arrastrar a donde él quisiera conducirla, evitando pensar, centrándose solamente en el placer, en la respuesta de su cuerpo, en los nervios a flor de piel. Esperaba y anhelaba cada caricia, por pequeña que esta fuera.

Él se posicionó adecuadamente, presionando de forma que ella se fuera adaptando, que el leve dolor que sentiría solo fuera un estímulo más para su gozo y disfrute, no una hiriente caricia para que ella se negase a continuar.

Empujó de nuevo, controlando ese impulso primitivo de introducirse a las bravas, como le gustaba, pero no estaba en el conducto natural, y los músculos internos no se dilataban con la misma facilidad que los de su vagina.

Además, por si fuera poco, tenía insertadas las dos bolas, de tal forma que el espacio se reducía, apretando su polla de una forma considerablemente perturbadora, queriendo embestirla para liberar toda esa tensión concentrada.

—Más...

James se estaba reprimiendo para no lastimarla, pero... ¿quién era el valiente que lo conseguía al oírla?

—Como quieras —murmuró apretando los dientes.

A pesar de querer funcionar como una máquina, empezó un vaivén suave, moviéndose en su interior. Levantó una mano y recorrió su columna vertebral, disfrutando de ver como ella se arqueaba bajo su mano, echando el culo hacia atrás y chocando con su pelvis, en un movimiento natural y satisfactorio.

Una descripción tal vez insuficiente, para un placer tan extremo, pero hay ocasiones en que las palabras no dicen todo cuanto uno siente y experimenta.

Ella no se lo podía creer. Con cada envite todo su cuerpo se tensionaba, eran demasiadas sensaciones simultáneas. Se sentía llena, colmada, completamente estimulada. Las terminaciones nerviosas de sus paredes vaginales absorbían cada perverso y calculado roce que las bolas infligían a los tejidos sensibilizados.

Al mismo tiempo, él entraba y salía de su recto, donde los músculos no estaban acostumbrados a estirarse, proporcionándole la fricción necesaria para olvidarse de lo prohibido y limitarse a disfrutar.

—¿Esto es lo que querías? —articuló él entre esfuerzo y esfuerzo—. ¿Ser penetrada por dos sitios a la vez?

Ella no sabía qué responder. ¿Era lo que buscaba? ¿Lo que necesitaba?

Desde luego no era el momento para entrar en esas consideraciones.

—¡Contesta! —exhortó él palmeando su culo sin perder fuelle.

—¡Sí! —gritó sin responder realmente a la pregunta. Era más bien una forma de hablar, de expresar en voz alta todo cuanto estaba sucediendo en aquella habitación—. ¡Sí! —exclamó de nuevo, esta vez creyendo que iba a quedarse ronca de tanto jadear y notando cómo su orgasmo crecía y crecía. Cerró los ojos, se aferró a la sábana y como una muñeca de trapo dejó que él moviera todos los hilos, esperando que no enredase la cruceta para poder después volver a ser la misma.

Capítulo 40

¿Y ahora…?

*J*ames cayó rodando a un lado, junto a ella, sin preocuparse demasiado por su compañera de cama. En esos momentos no podía, su propio cuerpo estaba regularizándose. Unos minutos, cinco a lo sumo, para que su ritmo cardíaco fuese normalizándose y la respiración agitada diese paso a una normalizada.

Debía ser más atento, desde luego, pero primero necesitaba recuperar las fuerzas.

Por increíble que pareciera le importaba, y mucho, lo que ella pensara. Estaba junto a él, por tanto ¿cómo obviar su presencia? Y no hacía falta ser un genio para saber que se encontraba en un estado muy parecido al suyo. Otra cosa muy distinta era saber qué se le pasaba por la cabeza a esta mujer.

Cada segundo que estaba junto a ella, con cada pelea, con cada gesto, él tenía muy claro cuál era el destino de ambos. Sin embargo, como representante de su sexo tenía que albergar una serie de dudas, que entorpecían algo que podía resolverse rápida y satisfactoriamente.

Bien podía aprovechar esos instantes para abogar en favor de su causa, pero conociéndola… mejor otra cosa.

Cuando por fin pudo moverse no dijo nada. Solo se acercó a ella, que yacía desmadejada en la cama, con los ojos cerrados y una expresión somnolienta; acunó su rostro y le dio el beso más suave y tierno que alguna vez recordaba haber dado.

No, se corrigió a sí mismo. Nunca había besado a nadie de esa forma.

Profundizó aún más, pero sin mostrarse dominante, simplemente disfrutando del momento, sin más pretensiones.

Acariciando al mismo tiempo su rostro, un ademán tierno, para nada forzado.

Le encantaba hacerlo y no se sentía obligado a ello.

Con cuidado metió la mano entre sus piernas para sacarle las bolas y que ella por fin se relajara completamente.

Samantha, por su parte, no entendía, o mejor dicho, no quería saber a qué venía ese momento tan inusual en él. James no era lo que se dice un hombre dado a arrebatos románticos.

Y, además, ese gesto no era sino una forma más de confundirla.

Confusa y todo no se apartó, ni protestó.

En ese instante era mejor aplazar dudas y desconfianzas. Si no lo hacía, empañaría un momento tan íntimo y tan significativo.

Él fue quien dio por finalizado el contacto, recostándose junto a ella. Mirándola sin poderse creer lo jodidamente afortunado que era. Encontrar a una mujer compatible en la cama podía ser cuestión de ir probando, y él ya había probado más que suficiente, y seguramente si ese era el único criterio válido para casarse ya llevaría varios años esposado.

Se necesitaba algo más que unos cuantos e intensos revolcones para atarse de por vida, sobre todo teniendo en cuenta lo fácil que era conseguir compañeras de cama dispuestas y con experiencia.

James no era producto de un matrimonio convencional, uno de esos que más o menos mantenía las apariencias, en que los años distanciaban a los cónyuges pero en los que ni había gritos ni tampoco muestras de afecto. Por supuesto, una de esas atípicas parejas en las que el paso de los años ni distanciaba ni desgastaba, lo que era sencillamente impensable para cualquier mortal, y menos aún para él.

Su cinismo le impedía ver muchas veces las cosas desde otra perspectiva; y ese había sido su mayor error respecto a Samantha. Creer que ella se conformaría con un simple «es lo correcto» suponía tomarla por la cabeza hueca que ella distaba mucho de ser.

Bien, palabras bonitas, reconfortantes y cariñosas no eran su especialidad, más que nada porque sonarían tan falsas que obtendrían el resultado contrario al previsto.

Samantha respiraba a su lado, aparentemente tranquila, y aunque permanecía con los ojos cerrados podía asegurar, sin miedo a equivocarse, que no dormía.

—Levanta. —Podría haber sido más suave y decírselo sin que sonara a una orden. Pero para eso tendrían que hacerle una especie de lavado de cerebro.

—Déjame en paz —dijo ella en voz baja, serena y sin abrir los ojos.

—No, necesitamos relajarnos. Un baño es lo más acertado. Hazme caso, sé de lo que hablo —dijo él en actitud paciente, como si fuera una niña consentida a la que hay que convencer con carantoñas. Pero lo cierto es que no le importaba mostrarse así con ella.

Ella gruñó y buscó la sábana para cubrirse e intentar que la dejara tranquila.

—¿Ahora?

Él se sentó a su lado y tiró de la perezosa Samantha para incorporarla a la fuerza. Después pasó una mano por debajo de sus rodillas y la cogió en brazos.

—Estoy adelantando acontecimientos —murmuró él mientras caminaba hacia el cuarto de baño.

Ella no quiso corregirle de nuevo.

Una vez allí lo dispuso todo y en menos de quince minutos ambos estaban metidos en remojo, en la gran bañera, frente a frente.

James se entretenía enjabonando distraídamente el pie y el tobillo de ella, levantándolo quizás más de lo necesario, pero eso de tener los pies de ella sobre sus hombros era una cuestión muy interesante.

—Creo que mi pie está lo suficientemente limpio. ¿No crees? —intentó colocarse mejor, pero resultaba harto difícil en esa postura en que él se empeñaba en tenerla.

—¿Y?

Ella entrecerró los ojos, mirándole, intentando enfadarse, no con él, porque no podía, sino consigo misma. Por traicionarse una y otra vez.

Él cambió de pie y se dispuso a enjabonar la otra extremidad con el mismo cuidado. Ella no se lo impidió. Y se quedó callada unos minutos, callada pero dando vueltas en la cabeza a una idea.

James era especialista en informarse de todo, de los pormenores de la vida de los demás, lo cual resultaba muy útil. Y... bueno, Samantha sentía cierta curiosidad por un personaje cercano.

Estiró el pie libre colocándolo sobre su abdomen y empezó a moverlo en círculos, rozando su ombligo y haciendo que él arquease una ceja ante ese repentino cambio de actitud.

James permaneció callado, a la espera de saber qué tramaba. Ese cambio repentino daba qué pensar. Fuera lo que fuese él estaría, como mínimo, interesado.

—Siempre me pregunto cómo consigues enterarte de la vida y milagros de la gente —dijo intentando que sonara casual, como si hablara del tiempo.

—Me pagas entre otras cosas... para eso —respondió él aplicando una ligera presión en el empeine sin dejar de mirarla.

Samantha pasó por alto el sarcasmo de su respuesta para poder llegar donde quería.

—¿No vas a contarme cómo lo consigues?

—No —respondió sonriendo.

Por lo visto sonsacando información era pésima, así que el pie que descansaba sobre su estómago se movió un poco hacia abajo, para encontrarse con su pene medio erecto. Apretó levemente y sin demasiado cuidado, ya que no era lo que se dice muy hábil acariciando con sus pies.

—Cuidado —la advirtió él.

—Y dime, si yo —presionó un poco más y, aunque vio como él se tensaba, supuso que no debía ser tan mala manejando el pie cuando su polla mostraba cierto grado de atención— te pidiera que... investigases a alguien... —Con los dedos rozó sus testículos de forma que él perdió todo interés en enjabonarla—. ¿Lo harías?

James sopesó todas las vertientes de esa pregunta antes de hablar.

—¿Algún examante del que quieras vengarte? —replicó sabiendo exactamente quién era el único examante de Samantha y, por supuesto, que ella no deseaba ningún mal a aquel hijo de puta.

—Bueno, si quisiera vengarme de ti primero tendría que abandonarte, ¿verdad? —contraatacó ella haciéndole sonreír.

Una nueva incursión del pie sobre su zona genital no estaba de más para que él dejase de andarse por las ramas.

—Utiliza los dos pies. —Él le mostró cómo colocarse y ella obedeció.

Pero no iba a dejarse distraer.

—¿Podrías o no averiguarlo todo sobre alguien?

—¿Quieres que te investigue, Samantha?

Ella lo pensó diez segundos antes de contestar.

—¿No lo has hecho ya?

—Te he investigado, por supuesto, pero no como crees —respondió en un tono seductor.

—Bueno, teniendo en cuenta mi pasado... —hizo una pausa pues a pesar de intentar seducirle al final iba a acabar siendo ella la seducida— no me preocupa. Además, lo más reprochable, moralmente hablando, ha sido estando tú presente, así que —se encogió de hombros— no creo que quieras que salga a la luz.

—Estás muy equivocada, querida. Yo no considero que sea, ¿cómo has dicho?, ¿moralmente reprobable? —ella asintió— todo cuanto ha sucedido.

—Sí, claro. Me imagino qué opinaría la gente si llegase a saberlo —replicó.

—No tiene por qué saberse. Y si tienes remordimientos, deja que te diga una cosa: piensa qué es mejor, ¿remordimientos o satisfacción? ¿Qué gana la batalla? —Dejó que ella misma sacara las conclusiones en vez de servírselo en bandeja antes de añadir—: En todo caso, entre esposos todo está permitido.

De nuevo una alusión a un hecho que ella prefería omitir; y así lo hizo.

—Volvamos al meollo de la cuestión —murmuró Samantha sin dejar de masturbarle, bien o mal, no estaba segura, con ambos pies—. Necesito que indagues acerca de una persona.

—¿De quién se trata? —inquirió más por curiosidad, otra cosa muy distinta era acceder a su petición.

—Frank, el novio de Gaby —contestó ella sorprendiéndole—. No me fío ni un pelo de él. Nadie puede ser tan perfecto, atento, comedido, educado... ¡Resulta tan extraño! Sé que oculta algo, y no quiero que mi hermana sufra.

—¿Qué quieres saber?

Nada más oír la pregunta Samantha cayó en la cuenta. James ya sabía todo lo que había que saber sobre Frank y no andaba muy desencaminada al pensar que su padre tenía algo que ver.

—Ya le habéis investigado, ¿me equivoco? —Él no negó la evidencia—. Por eso mi padre se hace el despistado cuando Gaby insiste en casarse con él —murmuró ella cayendo en la cuenta.

—Para empezar, tu futuro cuñado sí es un tipo amable, estudioso, educado y quiere a tu hermana.

Eso no era lo que esperaba oír. Le hizo un gesto para que siguiera hablando. Claro que James hubiera preferido en primer lugar olvidarse del tema y en segundo, de no ser así, por lo menos disfrutar de las dotes de persuasión de Samantha. Pero estaba claro que ella ahora no prestaba toda la atención a lo que podía hacer con sus pies.

—Pero… no sería un buen marido para ella.

—¿Por qué? —le interrumpió impaciente por saberlo.

—Digamos que… a pesar de quererla… —buscó una forma suave de decírselo, pero al momento se dio cuenta de que Samantha no era una jovencita impresionable a la que hay que proteger, por lo que no se anduvo con más rodeos— es homosexual. Si se casa con él su noche de bodas será… muy poco convencional.

Abrió los ojos como platos y exclamó dolida:

—¡Oh, pobre Gaby cuando se entere!

Samantha, disgustada, se puso en pie inmediatamente y salió de la bañera en busca de una toalla.

—Ni se te ocurra decirle una palabra de esto. —James, en un abrir y cerrar de ojos, la había seguido y estaba tras ella, intentando consolarla o evitar que escapara directa a su casa para desvelar a su hermana el secreto de Frank. Con ella nunca se sabía.

Capítulo 41

Sensatez

—¡¿Cómo?! —Ella se dio la vuelta para increparle. ¿Estaba loco?—. No pienso quedarme de brazos cruzados. ¡Ni hablar!

—Escucha un segundo. —Ella se tapó las orejas como una colegiala rebelde—. Joder, no hagas el tonto —se quejó agarrándola de las muñecas—. Tú no debes intervenir. ¿Me oyes? De ninguna manera. Tiene que ser ella quien se dé cuenta.

—¡Es mi hermana, maldita sea!

—Lo sé, joder, lo sé. Pero si interfieres todo será peor —dijo abrazándola. Entendía su reacción, pero Samantha debía pensar en ser más prudente y no actuar llevada por un impulso.

—Mi padre está al corriente, ¿no es cierto?

—Sí. —No tenía sentido ocultarlo.

—Pues entonces hablaré con él.

—Samantha, mírame y presta atención. Nadie puede meterse en medio de esa relación. Nadie. Tu padre lo sabe, y aunque le gustaría hacer algo es consciente de que en primer lugar puede que tu hermana no lo acepte y acabe por volverse contra vosotros. Y, en segundo lugar, a pesar de todo, él la quiere y se preocupa por ella. Estoy seguro de que acabará por decírselo.

—¡Oh, claro, claro! —Se apartó de él y se envolvió con rabia en la toalla. Él no hizo lo mismo, pero la exhibición de su cuerpo desnudo no iba a distraerla esta vez—. ¿Y cuándo será eso? ¿Cuando le pillen en un club haciendo lo que sea que hacen esos hombres?

James se cruzó de brazos dispuesto a dejar que tuviera su rabieta producto de la incomprensión antes de actuar.

—¿Que se pasen los años esperando a que él se decida a explicárselo y que cuando lo haga sea demasiado tarde?

Él buscó su tabaco, la rabieta iba para largo.

—¡Cuando lo vea…! ¡Notario! ¡Y encima el muy… quiere ser notario! —siguió alzando la voz.

—Eso es completamente cierto —apuntó él con voz tranquila—. Es un buen estudiante.

—¿Cómo puedes defenderle? —Le dirigió una mirada asesina, como si se hubiese aliado con el enemigo.

James dio una calada a su cigarro intentando buscar las palabras adecuadas para que ella dejara de armar tanto jaleo.

—El que sea sarasa no significa que sea un mal hombre. Samantha, joder, abre los ojos y deja de comportarte como una estúpida.

—Encima no te atrevas a insultarme —contraatacó ella de muy mal humor. No entendía a qué venía esa actitud tan comprensiva. Y por si fuera poco, él la llamaba estúpida. ¿Qué se había creído?

Apagó el cigarro de malos modos en el lavabo y se acercó a ella.

—No es un insulto. Simplemente quiero que recapacites, ¿de acuerdo? —dijo él hablando sosegadamente para no alterar más los ánimos, ya de por sí bastante enervados.

—No.

Ella seguía en sus trece. De acuerdo, tenía derecho a su pataleta. Y… ¿Se estaba volviendo un gilipollas enamorado ya que hasta contemplar su enfado le ponía cachondo?

No, no era eso; simplemente se trataba de los efectos del nefasto masaje que ella había intentado darle con los pies y de la visión de una mujer envuelta tan solo con una toalla.

Sí, esa explicación le convencía más.

—Recapacita, hazme el favor. —La estrechó entre sus brazos, deseoso por apartar la toalla, que por muy suave que fuera no se podía comparar con la piel femenina—. Deja que las cosas sigan su curso natural. —Se frotó un poco contra ella—. El que te preocupes así por tu hermana dice mucho en tu favor. —A ver si con un poco de zalamería se calmaba—. Y sé que estarás a su lado cuando te necesite.

—James, un detalle, no intentes hacerme la pelota mientras te frotas contra mí como un perro en celo.

—Bueno, si miras abajo puede que cambies de opinión.

Ella picó y él se separó para que viese su polla pidiendo paso.

—Hummm —musitó sin estar convencida del todo; la estrategia, tan habitual en él de distraerla con sexo para que no pensara, era un simple aplazamiento. De acuerdo, ahora tenía la certeza de lo que era su ya no futuro cuñado; de eso se encargaría personalmente. Ya vería la forma de solucionar el asunto. Desde luego quedarse cruzada de brazos no era lo que pensaba hacer. Tratar el tema con su padre a todas luces resultaría violento y con James estaba claro que lo que se dice colaboración... muy poca iba a ofrecer. Así que bien podría recurrir a Alfred, estaba convencida de que lo sabía. Porque puede que su hermano tuviera alguna que otra diferencia de opinión con su padre, pero cuando se trataba de la familia y a proteger a sus hermanas no le ganaba nadie.

—Eres un cerdo.

—Aclárate, ¿un perro en celo o un cerdo?

James, que hizo la pregunta por hacerla, no dejó que ella lo pensara y de paso le aguara la erección. La empujó contra la encimera del lavabo, levantó la toalla exponiendo su bonito trasero y se colocó en posición para penetrarla.

—Samantha, échate hacia delante y separa un poco las piernas —ordenó él, y ella no hizo ni caso, como era de esperar—. No me quejo del tamaño de mi polla pero, en determinadas posturas, o me facilitas las cosas o no llego.

Eso la hizo reír.

—Huy, pero qué sorpresa, señor yo-estoy-por-encima-de-todo. Pidiendo ayuda. ¡Qué novedad! ¿Qué ha pasado para llegar a este punto?

—Quizá que hemos estado demasiado tiempo en el agua, a remojo y se me reblandecen los huevos. ¡No te digo! —contestó en tono guasón.

Ella metió la mano entre ambos cuerpos y dijo:

—No, aquí no hay nada blando. Doy fe.

James quería follar y no dedicarse al humor.

—Deja de tocarme los huevos, hablando literalmente, y abre las piernas.

La mirada de ambos se cruzó en el espejo y él sonrió de esa forma que anticipa muchas cosas. Entre ellas que «lo vas a pasar realmente mal antes de llegar al orgasmo».

Pero empezaba a acostumbrarse y, si era sincera consigo misma, necesitaba esa dosis de sufrimiento para disfrutar plenamente de su sexualidad. Lo había comprobado durante la noche que pasó «probando platos» con Sebastian.

Estaba claro que James, interesado o no en ella por las razones correctas, sabía como nadie llevarla a ese punto de no retorno que suponía la diferencia entre sexo sin más y sexo con mucho más.

—No sé en qué estarás pensando, pero si apartas la toalla y me dejas ver cómo se te mueven estas dos preciosidades, mucho mejor.

Ella mostró una pizca de pudor, para torturarle un poquito, antes de abrir de par en par la toalla y mostrarle lo que él tanto quería contemplar.

—Creo que he cambiado de opinión —dijo él confundiéndola, aún más—. Date la vuelta, apoya el culo sobre el mármol y, como no, abre las piernas.

—¡Está frío!

—Pon la jodida toalla —dijo exasperado ante tanta demora injustificable—. Eso es. Y ahora puedes mirar hacia abajo. Y no perderte detalle.

—Creo que ya sé cómo funciona esto. Gracias. —Qué tonto llegaba a ser a veces este hombre dándoselas de listo.

—Samantha, que hayamos follado de unas cuantas maneras no significa que las conozcas todas. Además, si prestases atención en vez de replicar a todo, caerías en la cuenta de que esto es nuevo y que te permite tener un primer plano de todo.

—Visto así…

Él se colocó entre sus muslos y ella le rodeó inmediatamente con las piernas.

—Joder, esto es realmente bueno —murmuró penetrándola.

—No te voy a quitar la razón —contestó ella agarrándose a sus hombros.

—Así me gusta. Una chica obediente. —La besó porque ya hacía bastante que no lo había hecho y porque siempre era una delicia probar sus labios—. Mira hacia abajo, observa cómo entra en tu bonito coño y cómo sale, brillante y húmeda… una y otra vez, dentro… fuera… dentro… fuera…

Nadie podía negar que esa voz, casi hipnótica, resultaba tan estimulante como la propia fricción de sus cuerpos.

Ella no perdía detalle. Sí, como él decía, follar habían follado bastante, pero no se había parado a observar la simplicidad del acto. ¿Cómo podía explicar que algo tan básico produjera tanto placer?

Él se separó un poco, lo justo para mordisquear sus pezones; le hubiera gustado pellizcar el otro al mismo tiempo pero si la soltaba ambos terminarían en el suelo en una posición incómoda, así que como solo podía succionar uno lo hizo a conciencia. Atrapándolo entre los dientes. Instintivamente, ella intentaba soltarse, lo cual intensificaba aún más el placer.

—Tienes las aureolas diferentes —susurró él levantando la cabeza.

Ella no sabía de qué hablaba ahora este hombre.

—¿Qué dices?

—La derecha la tienes más centrada que la izquierda. ¿Ves?

Ella puso los ojos en blanco ante ese comentario. ¿Quién se fijaba en eso? Ella desde luego no. Bueno, siendo sincera, hasta no hacía mucho no prestaba la atención debida a su cuerpo. O, dicho de otro modo, no le prestaba la atención que se merecía y que James insistía en no pasar por alto.

—Pero no me importa —continuó él hablando a pesar del esfuerzo—. Aun así, con defecto y todo, me casaré contigo.

Ella se echó a reír. James era así, no dejaba pasar cualquier oportunidad para alcanzar su objetivo. Era digno de admirar, allí en el cuarto de baño, embistiéndola sin pausa y sin desviarse de su objetivo.

Si no fuera porque conocía sus verdaderas intenciones le gritaría un sí que casi acabase con sus tímpanos.

—Córrete conmigo. Vamos, querida, estoy a punto.

—Y yo... y yo —jadeó ella antes de apretarle entre sus piernas, como si de ese modo pudiera marcarle, hacerle saber lo que realmente sentía, transmitirle sus dudas y que él las resolviese de un plumazo.

Pero siempre se imponía la realidad.

Capítulo 42

Ya no quedan reglas que romper

Los domingos por la mañana solían ser tediosos de por sí, pero últimamente lo eran aún más. Normalmente ordenar sus asuntos personales sentado en el despacho de casa ocupaba bastante tiempo hasta la hora de comer. Pero recientemente había descubierto una actividad mucho más lúdica, mejor dicho dos: haraganear en la cama con Samantha al lado intentando dormir y haciéndola rabiar o ir a trabajar y mantener las apariencias delante de todo el mundo, como si lo acontecido por la noche no fuera real.

De las dos noches inicialmente pactadas habían pasado a citarse en muchas más ocasiones, sin un orden concreto, simplemente porque a él le apetecía. Ella protestaba, alegaba que tenía otros compromisos, lo torturaba hablando con ese soplagaitas de Sebastian, pero al final acudía a su cita, lo cual significaba una gran victoria para él.

Sin embargo, por un motivo que no quiso revelar la noche anterior, ella se había negado en rotundo en acudir a su cita, y eso le había puesto de un humor de perros. Especialmente porque tenía planes.

Consistían en aparecer de una vez por todas en público juntos, fuera de lo que serían negocios, llevarla a cenar a un buen restaurante concurrido, para que la gente se hiciera preguntas y así conseguir que ella dejase de jugar al gato y al ratón. Que la gente empezase a rumorear sobre si la heredera aparecía demasiado en público con él. Eso le beneficiaría, aunque tendría que andar con pies de plomo y atreverse a exponer la situación a su jefe.

Pero correr ese riesgo, muy alto por cierto, suponía al mismo tiempo liberarse de un peso aún más insoportable: la situación con ella. Como amantes iba viento en popa, como futuro matrimonio se había estancado, más que nada porque ella se empecinaba una y otra vez en negar lo obvio.

Estaba más que harto de todo aquello.

En ese momento tomó una decisión, iba a arriesgarse, pero no le quedaba otra.

O jugaba sucio o ella le seguiría mareando para no llegar a ningún sitio, y eso, su orgullo y sus ganas de tenerla, en todos los sentidos de la palabra, no podían consentirlo.

Actuando como pocas veces antes lo había hecho, es decir, llevado por un impulso, pidió al desagradable de su mayordomo, como le llamaba Samantha, que preparase el coche.

Una hora más tarde se encontraba llamando a la puerta de la casa familiar de los Boston.

Cuando le hicieron pasar, afortunadamente no le hacían preguntas pues era habitual que se acercarse por allí, preguntó por Samuel.

Le indicaron que estaba en su estudio y hacia allí se dirigió.

—¡Señor Engels! ¿Cómo usted por aquí?

James se detuvo; Gabrielle, la hermana pequeña de Samantha, era siempre amable con él y, aunque retrasaba sus planes, no podía obviarla.

—Buenos días, Gabrielle.

—Hoy es domingo, no debería trabajar tanto —le recriminó en tono amable—. ¿Por qué no nos acompaña a la terraza? Samantha y yo estamos tomando un refresco, se está muy bien.

—He venido a hablar con tu padre —le dijo sonriendo ante la cortesía de la chica—, quizá más tarde.

—¡Negocios! —se quejó ella—. Está bien. No quiero que papá se enfade por hacerle esperar. Vaya, vaya. Cuando acabe, si quiere, puede acercarse.

—Gracias.

Una vez cumplidas las normas de buena educación, caminó directo al estudio de su jefe esperando no encontrarse con nadie más, especialmente con Samantha, pero la información que le había brindado Gabrielle despejaba el camino.

Llamó a la puerta y, cuando oyó la voz de Samuel, entró.

—Buenos días —saludó.

—No sé qué puede ser tan importante como para que un domingo por la mañana interrumpas tu descanso.

Eso, dicho por el mayor adicto al trabajo que conocía, era todo un cumplido.

Declinó la oferta de sentarse pues necesitaba moverse para decir bien lo que había venido a exponer.

Había ensayado el discurso mientras conducía. Ahora era el momento de demostrar su elocuencia.

Su anfitrión permaneció sentado leyendo tranquilamente unos documentos y haciendo anotaciones.

—Necesito hablarle sobre dos asuntos.

—Te escucho.

—Uno personal y otro... profesional.

Samuel no dijo nada y le indicó que hablara.

James respiró, se armó de valor y, sabiendo que a su jefe le disgustaban los rodeos, dijo:

—He venido a pedirle la mano de su hija.

Dicho lo cual se preparó mentalmente para la retahíla de razones por las que Samuel se negaba a tal petición, pero claro, él tenía ensayadas mil razones a favor de su causa.

—Tengo dos hijas. —Seguía sin mirarle, aparentemente indiferente—. ¿Con cuál de las dos quieres casarte?

—¡Con Samantha! —exclamó rápidamente y con vehemencia. No esperaba de ningún modo que su jefe reaccionara así, con esa frialdad, y menos aún que hasta bromease sobre con quién deseaba casarse.

Los dos hombres se mantuvieron la mirada. James no iba a acobardarse ahora; puede que saliese de allí con buenas palabras, pero compuesto y sin novia. Por no hablar de la inestabilidad de su puesto. Pero eso siempre podría recuperarlo; Samantha, no; era irrepetible.

—Ya era hora. —Samuel dejó a un lado los documentos en los que estaba trabajando. Con su estilográfica entre los dedos observó el aplomo de su abogado. Había que tenerlos bien puestos para presentarse un domingo por la mañana y soltar una bomba así.

James, por su parte, no estaba preparado en absoluto para

esa respuesta. Todos sus argumentos para convencerle tirados al cubo de la basura, así, de golpe y porrazo.

No estaba mentalizado para algo así.

—¿Perdón? —inquirió, por si acaso.

—He dicho que ya era hora.

—Sí, eso me parecía haber oído. —Y, por si las moscas, preguntó—: ¿No se opone?

—No. —Siguió jugando con su pluma—. Puede que me haga el tonto, pero te aseguro que no lo soy. —James permaneció callado, era lo mejor—. Habéis dejado de procurarme, y no solo a mí, un dolor de cabeza diario con vuestras controversias y constantes discusiones. Y, de repente, permanecéis callados, sin decir ni pío, lo cual es altamente sospechoso. ¿No crees?

—Desde luego.

—Y si a eso le sumamos que mi hija se escabulle algunas noches sin decirme a dónde va, aparece por la mañana como si viniera de recoger patatas del campo y además nuestro chófer me comenta la dirección a la que la lleva… ¿Tú que pensarías?

—No puedo negar la evidencia —dijo agradeciendo que un padre pasara por alto lo que Samantha hacía esas noches en su casa.

Samuel se puso en pie, el hombre ya había sufrido bastante.

—No me opongo a que te cases con ella, pero con una condición.

—¿Cuál? —inquirió ansioso sin pararse a evaluar la posibilidad de que le pidiera algo sumamente complicado; o bien para desanimarle o bien para que él mismo se echase atrás.

—No quiero uno de esos noviazgos largos, no estoy dispuesto a veros pelar la pava delante de mis narices todos los días.

Debería haberlo supuesto, algo bastante complicado.

—Estoy completamente de acuerdo. Solo hay un pequeño inconveniente.

—Si vas a decirme que la gente murmurará y especulará con la rapidez de vuestra boda, te adelanto que me trae sin cuidado.

—No, no es eso. El problema es… bueno… Samantha no está por la labor.

Samuel arqueó una ceja. Su hija mayor siempre tan dispuesta a hacer las cosas difíciles.

—Pues convéncela. Ya sé que ella querrá hacer mil preparativos y todo eso.

—Me temo que ese tampoco es el quid de la cuestión.

—¿Y, entonces, cuál es?

—Ella se niega a casarse conmigo.

—Me lo temía —dijo en voz baja, pero James lo oyó.

—De ahí el otro asunto que quería tratar. Bien, Samantha cree, y no sé cómo convencerla de lo contrario, que mi interés por ella es simplemente por obtener una buena posición y... digamos... asegurar mi puesto, aumentar mi influencia. Ya me entiende.

—¿Y es cierto?

James esperaba esa pregunta, pero al principio de la conversación, pues ya había obtenido su beneplácito.

Por eso no respondió como se esperaba.

—De ahí el asunto profesional. Tengo la intención, dentro de un mes, de abandonar mi puesto.

—¿De esa forma pretendes convencerla?

—No veo qué otra alternativa hay.

—Veamos si he entendido bien. Quieres casarte con mi hija mayor, esta cree que lo haces por el mismo motivo que la fila de pasmarotes sin sangre que he tenido que soportar desde hace tiempo. Y la forma de demostrar que está equivocada es abandonar tu puesto de trabajo para, seguramente, trabajar en la competencia. ¿Voy bien?

A veces hasta James se sorprendía ante la forma de pensar de su jefe. Él no había caído en ese detalle.

—Más o menos. Respecto a trabajar para la competencia...

—Ahórrate las explicaciones. Ofrece a mi hija algo que no pueda rechazar y dejad de marear la perdiz de una vez.

—Lo intentaré.

—Creo que está en la terraza trasera. Habla con ella. Espero que todo esté resuelto para la hora de comer.

James dudaba de esa posibilidad pero no dijo nada.

Cuando se disponía a salir llamaron a la puerta.

—¿Interrumpo?

James observó a la madre de Samantha, que entraba tranquilamente en la estancia. Dudaba de que su esposo considerase su aparición como una interrupción.

—Buenos días, señora Boston.

—Buenos días, James. ¿Cómo usted por aquí?

—Asuntos personales —explicó Samuel—. Espero noticias cuanto antes —dijo a su abogado, estaba clara la orden implícita que encerraba su comentario.

—Le has despedido de una forma muy grosera, ¿no?

—Pobre hombre —murmuró. Ahora sí podía sonreír—. No sabe dónde se ha metido —dijo apoyándose en una esquina del escritorio.

—¿Algo serio?

—Mucho. Le han dado calabazas —dijo riéndose.

—¿Ah, sí? —Maddy se acercó hasta quedar frente a él—. ¿Quién?

—Tu hija.

—¡Oh! —dijo, y una vez recuperada de la sorpresa empezó a encajar piezas—. ¿Samantha le ha dicho que no?

—Más o menos, el hombre va a tener que esforzarse. Me pregunto dónde habrá aprendido tu hija a comportarse así. Pero por tu expresión me da que ya sabías algo. ¿No es cierto?

Maddy se encogió de hombros y habló de lo que le interesaba.

—Creo que estás muy confundido —murmuró jugando con el nudo de su corbata—. Samantha está enamorada de él. Me lo dijo.

—¿Desde cuándo lo sabes? —inquirió molesto por no haber sido informado.

—Ya sabes, madre e hija siempre la misma camisa. —Se rio al decirlo—. Solo me faltaba saber quién era el afortunado. Jamás pensé que fuera tu abogado.

—¿No te parece adecuado?

—Ella le ha elegido, así que me parece bien. Además, ya no vendrás a casa quejándote de tus dolores de cabeza y me ahorraré los masajes.

—Puede que ahora sea peor y tenga que verlos embobados, pero, sea lo que sea, tus masajes siempre serán necesarios. —Tras decir esto último metió un dedo en el escote del vestido.

—Llegaremos tarde —apuntó ella sin apartarse un milímetro.

Capítulo 43

Una oferta que no pueda rechazar

Allí estaba, como la hermana menor había dicho, sentada en la terraza, puede que incluso relajada, dándole la espalda.

De acuerdo, tenía que resolverlo antes de comer. Podía conseguirlo. Pues nada, manos a la obra.

Caminó hacia ella preparándose para lo peor.

—¡Al final se ha animado a acompañarnos! —exclamó sonriente Gaby al verle aparecer.

Qué mujer, siempre amable, sonriente, cariñosa… lástima que le gustase más la hermana mayor. Y lástima que en breve se fuera a llevar un buen desengaño amoroso. Le hubiera gustado poder evitarlo, pero era algo que ella sola tenía que afrontar. Ese tonto de los cojones de Frank debía espabilar y aceptar de una vez por todas que Gaby no se merecía permanecer en la inopia por más tiempo.

Aparcó las preocupaciones por la vida amorosa de su futura cuñada y se centró en la novia rebelde.

—¿Qué haces tú aquí? —preguntó la gruñona girándose y mirándole con cara de pocos amigos. Le dedicó una de sus miradas de fastidio intentando que se diera por aludido y desapareciese, pero no todo es posible en esta vida.

—Samantha, ¡no seas impertinente! —la reprendió Gaby—. Discúlpela, señor Engels; hoy está inaguantable. —Parecía avergonzada por el comportamiento de su hermana e intentó suavizar el golpe—. ¿Por qué no se sienta?

—Gracias —rechazó su amable oferta—. Pero me gustaría hablar con Samantha —explicó mirando la espalda de la aludida.

—Hoy es domingo, ¿no puede aplazarlo hasta mañana?

—inquirió Gaby y él supo por su tono que no era ni mucho menos una crítica, simplemente la fuerza de la costumbre.

—No, no puedo —respondió él sin perder detalle de cualquier movimiento que hiciera la novia rebelde.

—Está bien, siéntese entonces. —Señaló el juego de té dispuesto en la mesa—. Sírvase algo, por favor. Yo no os molestaré.

—Me temo que son asuntos personales —explicó James con una sonrisa—. A no ser que tu hermana, la que parece muda, quiera discutir ciertos temas delante de ti. —Sonrió de forma sardónica y mantuvo el tono amable esperando a que la gruñona saltase.

—Eres un cabrón oportunista —dijo la muda sorprendiendo a su hermana pequeña. No así a James, que se esperaba una respuesta contundente.

Gaby abrió los ojos como platos y miró a uno y a otro alternativamente.

—¿Samantha? —inquirió mirando a James y a su hermana, ahí pasaba algo extraño. Él no quería hablar de negocios y dudó al ver la cara de ella antes de seguir preguntando—. ¿No será… él? —Creyó haberse aventurado al decirlo pero estaba claro, por la expresión de ambos, que había dado en el centro de la diana.

Él arqueó una ceja. Por lo visto aquí era imposible guardar un secreto. Esperó paciente la respuesta, la cual no se hizo de rogar.

—El abogado de papá es un hombre que pica muy alto, querida Gaby. Ten cuidado, no sabe aceptar un no por respuesta —apuntó Samantha queriendo parecer distante y de paso tocarle un poco la moral.

Él no se esperaba menos de Samantha.

Gaby miró al abogado, su hermana exageraba.

—¿Es o no es él? Responde —instó su hermana para salir de dudas; con ella nunca se sabía.

—¿El qué?

—El hombre del que estás enamorada pero dudas de que quiera casarse contigo por algo más que por tu posición. Y con el que has estado… —Se calló, colorada como un tomate.

Samantha se tapó la cara con las manos. Solo su hermana

podía explicar las cosas de esa manera y en voz alta. Se puso en pie. Necesitaba privacidad para decirle cuatro cositas.

Gaby se había quedado sin palabras, al igual que le iba a pasar al resto de la familia. Bien, necesitaba hablar con sus padres y saber qué estaba pasando exactamente. Así que dejó a los dos a solas y se dirigió al estudio de su padre.

—Demos un paseo —sugirió James, más que nada para evitar más oyentes indiscretos. Y de paso pensar en cómo utilizar la información que tan inocentemente había obtenido de la hermana pequeña.

Ella accedió, pero como siempre refunfuñando por lo bajo.

Cuando estaban bajando las escaleras oyeron la voz enfadada de su padre.

—¡Es que en esta casa nadie respeta la sencilla norma de llamar antes de entrar!

Estaba claro que Gaby había entrado intempestivamente en el estudio de su padre.

Ni James ni Samantha hicieron comentario alguno.

Él quería buscar un lugar convenientemente apartado pero no tanto como para levantar sospechas sobre lo que iba a pasar.

Por lo visto ella tenía el mismo pensamiento porque cuando llegaron al final del camino empedrado ella se apoyó en uno de los grandes árboles.

Eso les daba la privacidad que buscaban.

—Di lo que tengas que decir.

—Joder, esto sí que son facilidades —murmuró—. Acabo de hablar con tu padre.

—¿Y? Yo hablo con él casi todos los días —replicó, pero enseguida se dio cuenta de que esa conversación, seguramente, la incumbía a ella—. ¿De qué exactamente?

—Le he informado de nuestra inminente boda.

—¡¿Qué?!

—Era ahora o nunca, Samantha.

Ella no le abofeteó porque contó hasta diez y logró aplacar un poco su enfado. ¿Cómo se atrevía?

Cinco segundos más tarde sonrió.

—Mi padre te habrá mandado a freír espárragos.

—Pues no. —Se acercó a ella hasta aprisionarla entre el tronco del árbol y su cuerpo.

—¡¿Cómo?!

—Lo que oyes.

—¡Es una locura! ¡No pienso casarme contigo! ¡Eres un oportunista!

—Ya sabía yo que ibas a decir algo así —suspiró resignado.

—¿Acaso no lo eres?

—No.

—Seamos francos, te importo muy poco; solo has visto la forma de asegurar tu puesto y de paso aumentar tu influencia. No soy tan ingenua como para no darme cuenta —le espetó abiertamente, ya no tenía sentido andarse con rodeos.

—Samantha, estás completamente equivocada —dijo él manteniendo un tono sosegado.

—¡Y un cuerno! —Intentó empujarle pero no lo consiguió—. No veo otra razón para que te empeñes tanto.

—Samantha…

—¡No, no me vegas con esas! Sé cómo piensas y lo que es peor, que me tomas por imbécil.

Estaba verdaderamente cabreada, y no sin cierta razón, pues él, en su afán por conseguir su objetivo ni había sido claro ni se había mostrado de una forma lo suficientemente clara para que ella no pensara de esa forma.

Bueno, no todo está perdido, se dijo.

Prefirió dejar que se desfogara verbalmente, que expusiera todo su resquemor antes de pasar a la acción, es decir, de hablar como adultos y dejarse de conjeturas.

—Tarde o temprano te saldrás con la tuya. Eres muy listo. ¿Crees que no se te ve el plumero? —le acusó sin pararse a pensar—. Una vez casados irás poco a poco apartándome de mi trabajo. ¡Todos lo hacéis! —Levantó las manos para dar más énfasis a sus palabras—. Querrás una mujercita dócil, que no moleste y que te espere en casa.

—Yo no he dicho…

—Sí, claro. —Ella no le dejaba ni meter una palabra de canto—. No me lo dirás abiertamente, porque, aparte de ser bastante rastrero cuando te lo propones, te encargarás de dejarme embarazada y así, con la excusa de los hijos, me tendrás atada en casa. ¡Como si no lo supiera!

—Creo que estás desvariando.

—No, sé muy bien lo que digo. ¿Acaso no es lo que has ideado?

Él respiró profundamente antes de hablar, apoyó una mano en el tronco del árbol y se inclinó hacia ella. Quizás una postura intimidante y poco recomendable en ese instante, pero con Samantha había que ceder lo justo.

—Por si no te has dado cuenta, si hubiese querido dejarte preñada a estas alturas ya lo estarías —espetó él cansado de defenderse de las mismas acusaciones, tan injustas por otro lado.

—No eres tan tonto como para arriesgarte antes de estar casado conmigo.

Él resopló ante tal ofuscación. A este paso iba a tener que hacer un gráfico para que ella se diese cuenta.

—Samantha, hemos follado como locos, sin tomar ninguna precaución. ¿Eso no te da que pensar?

Ella le miró, estaba mintiendo descaradamente.

¿O no?

Con tal enfado una no puede racionalizar correctamente toda la información que va obteniendo, pero... en ese instante se acordó de la noche que pasó con Sebastian y lo que este hizo antes de...

¡Ay! Que hasta puede que tuviera razón.

Pero no iba a rendirse así como así.

—¿Por qué no haces un simple esfuerzo y confías en mí?

—¿Qué me estás queriendo decir exactamente? —inquirió ella.

—No puedo dejarte embarazada.

—¿Pero tú me ves cara de tonta? —replicó ella cada vez más dolida. No quería llorar, eso sería darle ventaja.

—Tuve una enfermedad en la adolescencia. Soy estéril. Las posibilidades de tener hijos son muy remotas.

—No me lo creo, tú y yo...

—Estéril, Samantha, no impotente.

—Ah.

Pero aun dando por buena esa información ella no quería dar su brazo a torcer.

Si al menos él mintiera... hasta podría creérselo y decirse a sí misma que era real, que James se interesaba por ella, por la mujer, y no por su posición.

—Acepta de una jodida vez que estamos hechos el uno para el otro —insistió el abogado, esta vez con tono sugerente al ver cómo ella iba procesando la información. No había ganado la guerra pero sí avanzado bastante.

«Dímelo, le rogó en silencio. Dime al menos que me quieres, aunque sea la mayor falacia de la historia», fue la súplica silenciosa de ella.

James veía cada vez más difícil la misión de convencerla acerca de sus intenciones reales. Le daba una de cal y otra de arena. De repente parecía aceptar lo inevitable como tan pronto se cerraba en banda y aceptaba ninguno de sus argumentos. Estaba sentenciado al fracaso, pues ella ya lo había catalogado como un arribista sin escrúpulos pese a que, según Gabrielle, estaba enamorada de él.

Entendió en el acto algo que, por falta de costumbre, había pasado por alto. Quizás si hacía un último esfuerzo…

Muchos hombres lo hacían, no siempre con intenciones honestas; él podría pertenecer a los dos bandos.

—Quieres oírlo, ¿me equivoco? —preguntó en tono suave, acariciándole la mejilla.

Ella se le quedó mirando, en silencio, a la espera.

Estaba claro lo que tenía que hacer.

—Quieres escuchar una sarta de bonitas palabras. Todas ellas tan desgastadas y carentes de sentido que ya han perdido su valor. Palabras que muchos utilizan sin tener detrás el respaldo sólido de hechos que las avalen.

—¿Tanto te cuesta? —inquirió ella también en voz baja.

—Cuando acudo a un tribunal no puedo hablar por hablar si no tengo detrás pruebas concluyentes que me respalden.

—Aquí nadie te está juzgando —murmuró ella a la espera de oír una declaración de amor y no una retahíla de argumentos legales.

—No estoy tan seguro —sonrió sin ganas.

Tenía que hacerlo. Armarse de valor y soltar esa letanía de frases manidas. Frases estúpidas, bajo su punto de vista.

Inspiró profundamente antes de inclinarse sobre ella para hablar junto a su oído.

Solamente ella debía escucharlo. Nadie más.

Volvió a coger aire.

Ella se impacientó. No quería estar tan cerca de él. Notaba su respiración junto al oído; su olor, su cuerpo, todo era malo para su paz mental.

—Te quiero, Samantha. Eres el aire que respiro. La luz de mi oscuridad. Mi guía cuando estoy perdido. No puedo dejar de pensar en ti. Solo tú haces que mi corazón siga latiendo. Solo vivo por ti. Eres poesía para mis sentidos. No me bastan las manos para tocarte, los ojos para mirarte. Eres todo lo que quise, lo que deseé. Eres… —Se calló, y no porque no tuviera frases hechas en su repertorio para continuar, sino porque notaba que ella se agitaba entre sus brazos. ¿Estaba llorando?

Capítulo 44

Promesas

Se apartó lo suficiente para mirarla y comprobar lo que sucedía.

Puede que sus palabras no hubiesen sonado con toda la sinceridad que el momento requería. Declararse no entraba en sus cálculos, pero por lo visto exponer los hechos de forma clara no resultaba; tenía que ser con palabras sensibleras. Él era un desastre en esos menesteres. Ya estaba advertida de que él no era precisamente el mejor candidato a poeta. Podía al menos mostrarse un poco más comprensiva. Sus carencias como bardo bien las suplía como amante generoso, ¿no?

Arrugó el entrecejo al darse cuenta de un detalle...

Sí, estaba llorando, pero la muy...

¡Se estaba partiendo de risa! A su costa.

Descaradamente, sin ninguna vergüenza se carcajeaba de sus palabras.

La miró, esperando que al menos se reprimiese un poquito a la hora de expresar lo que su discurso le había parecido.

Ella se limpió las lágrimas y sin perder la sonrisa dijo:

—Es la declaración más ridícula y falsa que he escuchado en mi vida —dijo entre risas.

Él se pasó la mano por el cabello. Dudaba de haber hecho semejante ridículo con anterioridad.

—Joder...

Ambos se quedaron mirando en silencio, sin decir nada, esperando a ver quién era el valiente en romper el fuego. Evaluándose, tentándose, conteniendo la respiración...

Al final Samantha, imitando la sonrisa de su padre, que prometía todo o nada, habló.

—Pero ¿sabes qué?

Él no podía más; cargársela sobre los hombros a modo de saco de patatas, internarse un poco más entre los árboles de la finca y sacudirla como a una niña caprichosa que no sabe lo que quiere era una tentación, pero jugaba fuera de casa y a pesar de que su corazón sufriese una arritmia debía mantenerse a la espera.

—Acepto —dijo tan pancha—. Sí, mira por dónde, me has convencido. Al final me casaré contigo.

—Ya veo —murmuró molesto por cómo se estaban desarrollando las cosas. Para una vez que abandonaba su carácter serio y se pasaba al bando de lo grotesco caía con todo el equipo. De haberlo sabido se hubiera preparado un poco el discurso—. No esperes que te lo pida de rodillas, por ahí sí que no paso. Te pongas como te pongas.

Ella echó la cabeza hacia atrás. Intentó dejar de reír, pero no podía. Si en vez de oírle decir todas esas frases le escuchase decir que los cerdos volaban, el efecto casi sería el mismo.

Tenía que reconocerlo, en boca de James toda esa palabrería no eran sino frases baratas para mentir sin que se notase demasiado.

Él se lo advirtió, pero en el fondo quería uno de esos momentos romanticones, de los que algunas hablaban, para recordar.

Desde luego, este se llevaba la palma.

Del mismo modo que era digno de elogio por el intento de complacerla. Bueno, pues ya había llegado el momento de despejar dudas.

—De acuerdo. —Más o menos iba controlando sus carcajadas—. ¿Has traído el anillo?

—¡Mierda!

—Bueno, vale. Pasemos por alto el descuido; además, tu gusto comprando anillos deja mucho que desear.

Ahora llegaba el momento de dejarse de tonterías y ponerse serio.

Acunó su rostro para besarla suavemente, ella no abandonaba la expresión de burla pero tenía que continuar.

—No, no tengo anillo, pero tengo un regalo muchísimo mejor.

—Ya me he dado cuenta —susurró ella palpando la parte delantera y abultada de sus pantalones.

—No, no me refiero a eso. —Se apartó, no estaba dispuesto a que sus futuros suegros le echaran de la finca por comportarse indecorosamente. Ya habría tiempo para eso. Las perversiones y obscenidades varias que se le pasaban por la cabeza eran para desarrollarse en el ámbito privado.

—¿Ah, no? —inquirió poniendo carita de pena.

—No. Es algo mucho mejor. —La besó primero porque ya habían hablado demasiado—. Tendrás la noche de bodas más espectacular y sorprendente que puedas imaginar.

Ella arqueó una ceja, escéptica ante esas palabras.

—A estas alturas creo que no me asombraré ni me extrañaré, te recuerdo que…

—Samantha, escucha. Solo esa noche, únicamente en nuestra noche de bodas serás tú quien lo dirija todo. —Ella entrecerró los ojos con desconfianza—. Tú tendrás todo el poder de decisión.

Poco a poco ella fue desarrollando las posibilidades del regalo que él estaba ofreciendo. Pero conociéndole tenía que haber trampa.

¿O no?

—Hummm —murmuró ella sopesando pros y contras.

—Podrás decidir qué quieres hacerme y cómo. Yo no opondré resistencia. ¿Te lo imaginas?

—¿Quieres decir que si elijo castigarte o… atarte o… cualquier otra idea que se me antoje tú acatarás mis deseos? —Él fue a responder pero ella se lo impidió tapándole la boca—. ¿Sin represalias posteriores? —Había que asegurarse.

—Lo que tú quieras. Pero solo esa noche.

Como hija de su padre que era y como la negociadora hábil que aspiraba a ser a corto plazo, sabía que una oferta así no se puede aceptar sin ponderar todas las posibilidades.

Tampoco se puede decir que sí antes de pensar en obtener mayor beneficio.

Resultaba muy sencillo: si me ofreces esto es que seguramente te estás guardando algo por si falla y dado que ella, en este momento podía exprimirle, no creía que volviese a tener semejante oportunidad en la vida. Así que un poco más, decidió ver hasta dónde era capaz de llegar.

—Me parece insuficiente.

—¿Perdón?

—Una sola noche... es poco. Compréndelo, soy una rica heredera, muy solicitada. —Este argumento ya lo había utilizado cuando quería deshacerse de algunos candidatos. Un poco injusto pero eficaz.

—Lo que me faltaba por oír —se quejó él.

—James, sé razonable. Cuando nos casemos las cosas te irán bastante mejor y claro, eso tiene un precio —le explicó fingiendo ser una tontaina de cuidado.

—Entonces, ¿qué propones? —Parecía resignado.

Ella le hizo sufrir un poco más. Nunca se hubiera imaginado estar así, por lo que aprovecharse un poco más era irresistible.

—Una noche... al año —dijo sonriente.

—¿Cómo?

—Una vez al año seré yo quien... dirija las operaciones. —Se rio ante tal eufemismo—. En nuestro aniversario. ¿Qué te parece? —No le disgustaba tanto la idea, comprobó ella al acariciarle; lástima que en ese momento alguien de la casa decidiese pasear y ver lo que estaba pasando tras el árbol. Porque sin duda su hermana pequeña estaría pendiente de ver qué pasaba.

—Una vez al año... joder. Te doy la mano y tú coges el brazo.

—Lo tomas o lo dejas.

Él, sin dejar de mirarla, no pensó en su oferta, pues estaba más que claro que iba a aceptarla. ¿Qué loco no lo haría?

Simplemente se sentía orgulloso de ella, lista como pocas. Eso demostraba la mujer de negocios que llegaría a ser algún día.

De haber aceptado a la primera hasta se hubiera sentido un poco defraudado.

—Está bien.

—¿Trato hecho? —Ella le tendió una mano.

—No seas ridícula —respondió agachando la cabeza para besarla como es debido. Esto era un negocio para toda la vida y no un acuerdo que podía diluirse. Qué menos que un beso de escándalo para sellar el pacto.

—James…

Ella se dejó besar, aferrándose a su cuello, atrayéndole hacia sí.

—Tenemos que parar —confesó él poco respaldado por sus actos pues tenía una de sus manos sobre el botón superior de la fina camisa de ella y lo iba a soltar de un momento a otro.

—Lo sé —murmuró ella.

Pero tampoco se separaba ni rompía el abrazo. Todo lo contrario.

—¿Quieres que tu padre me eche a patadas? Porque es lo que va a ocurrir como se dé cuenta de lo que estoy intentando hacer.

—¿Y eso es?

—Joder, no me provoques. Meterte mano a escasos cien metros de la puerta de tu casa no habla mucho en mi favor. ¿No crees?

—Demuéstrame lo mucho que me quieres —le instó ella mordiéndole en el cuello. Ya tenía una declaración de amor inolvidable, ahora quería el lote completo—. Con hechos, James.

—No tengo inconveniente en hacerlo; es más, si buscamos un sitio menos propenso a las miradas, me voy a pasar un buen rato explicándote cada uno de mis argumentos. Punto por punto.

—Arriésgate —le susurró ella con descaro.

—Ni hablar. —Como pudo se zafó de ella y dio unos pasos hacia atrás.

Maldita sea. Ella, tentadora como pocas, seguía apoyada contra el tronco del árbol, con las mejillas sonrojadas, la ropa un poco arrugada y una sonrisa de desvergonzada que estaba causando estragos en su determinación.

—Volvamos a casa —dijo él al fin.

Ella se levantó un poco la falda, y la movía de tal forma que sus muslos aparecían y desaparecían.

James, que necesitaba controlarse, se dio la vuelta y comenzó a andar.

—Cobarde —le dijo riéndose. Pero terminó por incorporarse y caminar junto a él.

Y entonces pensó en la venganza, justa, por dejarla en ese estado. Al comunicar la noticia en casa se armaría un buen alboroto y no sabía cuándo podrían volver a verse.

—¿James? —Él se detuvo para mirarla—. Solo una cosa más.

—Tú dirás.

—Me gustaría... —Se mordió el labio para despistarle un poco—. Bueno, ya sabes que las mujeres damos importancia a esas cosas.

—¿Qué quieres?

—Elegir la fecha. Es un día inolvidable. Quiero que todo salga a la perfección.

James lo entendía, no podía negarse. Asintió.

—Como quieras.

—Gracias.

Reemprendieron la marcha hasta que él, con la mosca detrás de la oreja, preguntó:

—Samantha, ¿qué día has elegido?

Ella sonrió de oreja a oreja.

—El día de mi cumpleaños, por supuesto.

James se pellizcó el puente de la nariz, resignado a soportar los comentarios de su futuro suegro.

Tiró de ella, buscando las palabras para convencer al padre de la novia, que solo había cumplido una parte de la misión.

Epílogo

Lo prometido es deuda

Verano de 1928

No podía evitarlo. Alguien podía darse cuenta de que el novio estaba mirando con el ceño fruncido, pero le traía al fresco. Mientras caminaba, agarrando a Samantha e intentando que esta dejara de pararse para saludar a todo el mundo, no dejaba de pensar en cuando ese cabrón de Sebastian se había acercado a su mujer con la intención de sacarla a bailar; hubiera preferido, además de negarse, darle un puñetazo y borrarle esa sonrisa de la cara.

Y para más inri, allí, delante de él, le había dicho a su esposa que no se preocupara, que si las cosas no iban bien en su matrimonio siempre tendría un hombro sobre el que apoyarse. Pero nada de decirlo en voz baja, a modo de broma privada, no; lo había hecho sonriendo y sin reprimirse, para que todo aquel que estuviera alrededor tuviera conocimiento del comentario.

—Al final tropezaré con algo —se quejó ella mientras trotaba, o al menos lo intentaba, para seguir sus pasos—. Te veo muy impaciente.

—No lo sabes tú bien —contestó sin mirar atrás.

«Y eso que te espera una noche... bien distinta», se dijo.

Pero las prisas no son buenas, pues los invitados que se encontraban a cada paso insistían en felicitarles, en desearles lo mejor, en hablar con ellos, en definitiva, en hacerles la pelota como es debido.

Por fin salieron del salón donde se celebraba la recepción y la condujo por los pasillos del hotel hasta los ascensores, instando al chico que se encargaba de manejarlos a que se diera la máxima prisa posible.

Entraron en la suite reservada para pasar la noche de bodas, la dejó en la puerta para cerrarla a cal y canto, no quería correr riesgos, y lo revisó todo para comprobar si se habían seguido sus instrucciones al pie de la letra. No le apetecía tener que llamar al servicio de habitaciones en mitad de la noche para pedir algo.

Ella, pasando por alto la inspección ocular que James estaba llevando a cabo, se sentó en uno de los sillones, y de un puntapié se quitó los zapatos. Después se levantó y, caminando descalza, se acercó hasta él.

—Deja de comportarte como un estirado y —miró lo que el servicio de habitaciones había dejado dispuesto— sírvete una copa, pareces nervioso —le dijo con recochineo.

Ella hizo lo propio y se volvió a sentar.

—Debería darte vergüenza —dijo James tras darle a probar el champán—, has coqueteado descaradamente delante de mis narices.

Samantha sonrió, se encogió de hombros antes de responder.

—¿Y? ¿No me digas que ya vas a empezar a controlarme? —le pinchó ella.

Él, por supuesto, no dejaba de intentarlo; otra cosa muy diferente era que lo consiguiera.

—Pues entonces no vayas provocando.

Samantha no replicó porque, entre otras cosas, daba igual lo que él opinara al respecto, seguiría comportándose como estimara mejor en cada ocasión y, además, era su noche de bodas y él estaba intentando no cumplir con su promesa.

—Dejémonos de tonterías —murmuró ella recostándose en el sillón y cruzándose convenientemente de piernas para que él fijara su atención en lo realmente importante.

Notó cómo su mirada recorría su cuerpo. Le oyó inspirar. Definitivamente estaba nervioso.

Excelente.

Ella dejó a un lado la copa y se levantó. Si supiera que estaba aún más nerviosa que él…

—Saldemos deudas —musitó ella.

Se acercó y empezó a quitarle prendas hasta dejarle desnudo

de cintura para arriba. Después, con bastante parsimonia, fue moviéndose hasta colocarse a su espalda al mismo tiempo que su mano acariciaba su piel siguiendo su movimiento rotatorio.

Una vez colocada tras él se puso de puntillas para besarle en la nuca. Suave, un roce, apenas un leve contacto, para separarse un instante y volver a repetir.

—¿Decías? —inquirió ella al oírle murmurar por lo bajo.

—Nada —respondió y ella advirtió que estaba haciendo un gran esfuerzo para controlarse.

Volvió a la carga. Le llenó de besos la espalda, estirando una mano para abarcar desde atrás su pecho; empezó a subir y bajar. Con la otra recorrió el contorno de su cintura.

—Una oportunidad como esta y te dedicas a hacerme cosquillas —masculló él con el evidente propósito de ponerla nerviosa.

Ella, que le conocía bastante bien, juntó sus manos justo en el centro y le agarró con brusquedad, haciéndole saber que o se estaba calladito o iba a pasarlo realmente mal.

Una vez hecha la sugerencia, le desabrochó los pantalones y se los bajó junto con la ropa interior, dejándole totalmente expuesto a sus caprichos.

Samantha siguió a su espalda, más que nada para que él no advirtiese que no sabía muy bien por dónde empezar.

Probó a darle una palmadita en el trasero, pero tan suave que seguramente él se iba a reír.

Otra, y otra y otra.

No lo debía de estar haciendo del todo mal cuando al mover una mano hacia delante y agarrarle la polla comprobó que estaba excitado, completamente.

Pero, siendo sincera, ella no tenía mucha idea de cómo continuar.

—No te muevas —le dijo separándose de él.

James se cruzó de brazos y esperó. La muy puñetera se lo iba a hacer pasar realmente mal; estaba convencido. Claro que tampoco debía sorprenderse. Si alguien sabía sacar provecho de cualquier situación era su mujer, y en eso Samantha era bastante aplicada.

Buscó entre las prendas desechadas y agarró lo que le pareció más idóneo para sus propósitos.

—Agáchate un poco —le pidió ella situándose enfrente.

Le colocó su propia corbata a modo de venda.

Bien, ahora podría realmente llevar a cabo su plan.

Le lamió los labios y él gruñó cuando se dio cuenta de que no tenía intención de avanzar.

—Ande o no ande, caballo grande —dijo ella riéndose cuando le dio un golpecito a su erección.

Se alejó de él, dejándole totalmente desorientado, pero como lo había prometido, ni podía sugerir nada ni intentar hacerse con el control.

Debía contenerse y no estropear su diversión, pero empezaba a cansarse de los juegos de ella. ¿Adónde quería llegar? Por si fuera poco se sentía de lo más ridículo, allí de pie, desnudo, empalmado y con los pantalones en los tobillos… Todo un cuadro.

Aguzó los sentidos, especialmente el oído, para intentar tener una ligera idea de qué estaba tramando su esposa (qué bien sonaba eso). Pero nada, ella estaba siendo jodidamente silenciosa.

A pesar de no haber sido autorizado a hacerlo apartó sus pantalones de un puntapié. Mira que si en un descuido tropezaba…

Unos insufribles minutos después oyó rechinar los muelles. Samantha se había subido a la cama.

Pero nada más, ni una indicación, ni una palabra… Ella decididamente se había propuesto volverle loco.

—Ahora, muy despacio, quiero que te quites la venda.

—Joder, ya era hora —maldijo entre dientes.

No podía obedecer, pues quería arrancársela, si estropeaba la seda le daba lo mismo.

—¿Perdón?

—Nada, lo que tú digas —se corrigió rápidamente.

Levantó las manos y buscó a tientas el nudo, estaba hecho a conciencia.

Cuando por fin recuperó la visión casi cae de rodillas.

Eso no se le hacía a un hombre «obediente» en su noche de bodas.

—Acaríciate para mí —le pidió ella en un susurro.

Y él, quería acatar todas sus indicaciones. Joder, claro que quería. Pero al contemplarla así, tumbada en la cama, con tan solo una liga blanca en su muslo derecho, las piernas separadas y con ambas manos sujetándose a unas cuerdas que colgaban del cabecero, simulando estar atada, sus propias extremidades no acataban la orden. Deseaban únicamente dirigirse hacia ella y recorrer todo su provocativo cuerpo.

—Estoy esperando —le recordó ella en voz baja.

Sin mucho entusiasmo comenzó, se agarró la polla con una mano, esperando que a ella se le pasase rápido ese interés por ver cómo se hacía una paja delante de sus narices.

Pero lo hizo, masturbándose lentamente, subiendo y bajando la mano por su pene, sin apartar la mirada de la estampa que le ofrecía su mujer.

Quizás otro día… en otras circunstancias… bien podía torturarla. Sin querer, ella le había proporcionado otra interesante perversión para incluir en su catálogo.

—Suficiente, acércate.

Joder, menos mal, se dijo a sí mismo.

Él se quedó a un lado de la cama, inmóvil esperando instrucciones.

—¿Qué te gustaría hacerme?

—Se supone que eres tú quien decide —recordó él innecesariamente.

Ella se contoneó un poco.

—Exactamente —concordó—, así que mi deseo es… —sonrió coqueta humedeciéndose el labio inferior— que hagas conmigo lo que quieras.

Él arqueó una ceja.

—¿Estás segura?

—Muy segura —respondió convincentemente. Era absurdo seguir con el juego. No estaba preparada. Además, tenía tiempo hasta su primer aniversario para practicar.

Y, de todos modos, ¿para qué molestarse si él sabía perfectamente cómo conseguir una noche inolvidable?

James, sin dar excesivas muestras de alegría tras oír esas palabras, se tumbó encima de ella y comprobó las cuerdas. Sí, servirían.

—Antes de que se me olvide —murmuró él antes de bajar la cabeza para posarla sobre su pecho y mordisquearlo—. ¿Te he dicho ya, lucero del alba, lo mucho que te quiero?

Ella puso los ojos en blanco.

James, por increíble que pareciera, se había empeñado en agasajarla con constantes frases románticas, a cual más cursi.

Incluso le sorprendió un día en su despacho leyendo un libro de poesía y copiando versos en un papel para dedicárselos.

Samantha sabía que era su forma de castigarla por obligarle a declararse de aquella manera. Ahora tendría que aguantar indefinidamente las cursilerías de su marido.

James seguía bajando por su cuerpo al mismo tiempo que dejaba un rastro de besos por su abdomen. Cuando estaba a milímetros de su clítoris tuvo que insistir.

—Querida mía, ¿sabes que desde que estamos juntos mi existencia empieza a tener sentido?

—Te repites, querido; esa me la dijiste ayer —replicó ella riéndose ante el despliegue romántico de James.

—Hummm, sí, tienes razón. —Se metió de lleno entre sus piernas y ella empezó a gemir, de esa forma casi escandalosa que tanto le gustaba—. Buscaré otra. —Continuó lamiéndola con frenesí, sin dejar que ella articulara ni una sola palabra coherente.

Quería conducirla a este punto de no retorno antes de penetrarla y abandonarse junto a ella.

Ya no había sitio para las palabras.

James, se incorporó, se alineó perfectamente con el cuerpo de su esposa y la miró a los ojos antes de hundirse en ella.

Samantha movió los labios, él entendió perfectamente qué decía sin voz.

FIN

A contracorriente

SE ACABÓ DE IMPRIMIR

EN PRIMAVERA DEL 2013

EN LOS TALLERES GRÁFICOS DE LIBERDÚPLEX, S.L.U.

CRTA. BV-2249, KM 7,4, POL. IND. TORRENTFONDO

SANT LLORENÇ D'HORTONS (BARCELONA)